文學新象 101

光之石四部曲 I

沉默的尼菲

THE STONE OF LIGHT:
Volume1, Nefer the Silent

克里斯提昂・賈克◎著
劉美玲◎譯

高寶書版集團

文學新象 101

光之石四部曲 I：沉默的尼菲

THE STONE OF LIGHT: Volume1, Nefer the Silent

作　　者：克里斯提昂．賈克（Christian Jacq）
譯　　者：劉美玲
總 編 輯：林秀禎
編　　輯：張天韻
出 版 者：英屬維京群島商高寶國際有限公司台灣分公司
Global Group Holdings, Ltd.
地　　址：台北市內湖區洲子街88號3樓
網　　址：gobooks.com.tw
電　　話：(02) 27992788
E-mail：readers@gobooks.com.tw（讀者服務部）
pr@gobooks.com.tw（公關諮詢部）
電　　傳：出版部（02）27990909　　行銷部（02）27993088
郵政劃撥：19394552
戶　　名：英屬維京群島商高寶國際有限公司台灣分公司
發　　行：希代多媒體書版股份有限公司/Printed in Taiwan
二版日期：2008 年5 月
版　　次：二版一刷

國家圖書館出版品預行編目資料

光之石四部曲. I, 沉默的尼菲/克里斯提昂‧賈克(Christian Jacq)著 ; 劉美玲譯 -- 二版. -- 臺北市：希代多媒體發行, 2008.05
面；　公分. —（文學新象； TN101）
譯自：THE STONE OF LIGHT: Volume1, Nefer the Silent

ISBN 978-986-185-150-1(平裝)

876.57　　　97000580

克里斯提昂．賈克唯一致中文版讀者親筆序

全世界都喜愛古埃及的文物，如金字塔、神廟、墓塚、雕刻或繪畫。然而，是誰創造出這些偉大的作品，使它帶有精神上的神奇力量，深深觸動我們的心靈？

不是那些奴隸，也不是那些被剝削的苦力，而是為數有限的祭司，同時也是工匠所組成的行會。他們將信仰與手藝結為一體，形成法老王身邊的真正精英份子。

很幸運地，我們擁有關於其中一個行會的豐富資料。這個行會存在於公元前一五五〇年至一〇七〇年之間，其成員生活在上埃及一個與世隔絕的村莊裡，前後有五個世紀之久。

這個村莊有一個非常特殊的名字：真理村，埃及文為set Maât，意即「真理的聖地」，表示世世代代在此地居住的使徒必須遵守由瑪亞特（Maât）神所揭示的正義、真理與秩序。

村莊位於離農田不遠的沙漠中，四周有高牆圍住，並且有自己的法庭、神廟和陵墓。所有的工匠和其家人都居住在這個村子裡，他們最主要的任務是在國王谷地中建造法老的長眠之所，亦即陵寢，也因此享有特殊的地位。

走訪位於底比斯（Thebes）西邊河岸的達爾邁迪納（Deir el-Medineh），仍然可以發現真理村的遺跡。房屋的牆基仍舊完整，過去的建築大師、畫匠、雕匠和哈托爾女神（Hathor）的女祭司所走過的小徑，今人漫步其中。聖殿、行會所在、裝飾得美侖美奐的陵寢，處處顯出這個地方的神聖，此外有供水設備的儲水槽、穀倉、工作坊、甚至還有一所學校。

筆者嘗試讓這些特殊的人物再度鮮活，他們的歷險事件、他們的日常生活，以及他們在偶爾有敵意和嫉妒的世界中追尋靈性的美。要保有真理村已屬不易，當中又充滿了許多其他的阻礙，尤其是在故事背景所發生的混亂年代裡。

希望將這部小說獻給在真理村的所有工匠們，他們不但守著「金坊」的秘密，並且將之成功地轉他於神奇的傑作之中。

Le monde entier admire les chefs-d'oeuvre del'art égyptien, qu'il s'agisse des pyramides, des temples, des tombes, des sculptures ou des peintures. Mais qui a créé ces merveilles don't la puissance spirituelle et magique nous touche au coeur?

En aucun cas des hordes d'esclaves ou des manoeuvres exploités, mais des confréries dont les members, en nombre restreint, étaient à la fois prêtres et artisans. Ne séparant pas l'esprit de la main, ils formaient une veritable élite dépendant directement de Pharaon.

Par chance, nous possédons une documentation abondante sur l'une de ces confréries qui, pendant cinq siècles environ, de 1550 à 1070 avant J-C., vécut dans un village de Haute-Égypte interdit aux profanes.

Ce demier portrait un nom extraodinaire: la Place de Vérité, en égyptien set Mâat, c'est-à-dire le lieu où la déesse Maât se révélait dans la rectitude, la justesse et l'harmorie de l'oeuvre que des générations de 《Serviteurs de la Place de Vérité》 accomplissaient.

Implanté dans le désert, non loin des cultures, le village était clos de hauts murs, possédait son propre tribunal, son propre temple et sa propre nécropole;les artisans y vivaient en famille et bénéficiaient d'un statut particulier, dû à l' importance de leur mission première: créer les demeures d'éternité des pharaons dans la Vallée des Rois.

On peut, encore aujourd'hui, découvrir les vestiges de la Place de Verité en visitant le site de Deir el-Médineh, sur la rive ouest de Thèbes; les parties basses des maisons sont intactes, et l'on parcourt les ruelles qu'ont empruntées les maîtres d'oeuvre, les peintres, les sculpteurs et les prêtreesses de la déesse Hathor.Des sanctuaries, des locaux de confrérie, des tombes admirablement décorées marquaient le caractère sacré du lieu, également pourvu de reserves d' eau, de greniers, d'ateliers et même d'une école.

J'ai tenté de faire revivre ces êtres d'exception, leurs aventures, leur vie quotidienne, leur quête de la beauté et de la spiritualité, dans un monde qui se montra parfois hostile et envieux. Sauvegarder l'existence même de la Place de Vérité ne fut pas toujours aisé, et les embûches les plus variées ne manquèrent pas, notamment lors de la période troblée pendant laquelle se déroule ce récit.

Que ce roman soit dédié à tous les artisans de la Place de Vérité qui furent dépositaires des secrets de la 《Demeure de l'Or》 et réussirent à les transmettre dans leurs oeuvres.

在深處於如山丘般袤廣無垠的上埃及沙漠裡，
有一座不為人知的禁城，城內有一群人盡心護
衛著法老王最珍貴的祕密，那就是可將大麥變
成黃金、物質幻化成光的「光之石」……

楔子

接近午夜時分，九位工匠由領隊帶領走出真理村，開始爬上一條月光照亮的狹窄小徑。法老工匠所居住的村莊坐落於沙漠中，矗立在真理村的山丘頂上，四周聳立的高牆同時也圍住了他們的祕密。

莫希隱藏在一塊石灰岩後面，極力忍住因高興而想大叫的衝動。幾個月以來，這位車騎中校千方百計試著蒐集有關負責挖掘和裝飾國王及王后谷陵墓的行會資料。

除了真理村的保護者拉美西斯大帝，沒有人知道所有的建築師傅、石匠、雕塑匠和畫匠從何學習手藝。但他們的技藝本領是國家生存的必要條件。因此工匠的村莊有自己的政府、自己的法律，而且直接由國王和首相管轄。

莫希大可只管自己傑出的軍事生涯，但他又如何能忘記，自己曾經因申請進入行會而遭到拒絕呢？像他如此高尚的貴族怎能忍受這種侮辱？惱怒的莫希只好轉向軍中發展，而且充分地發揮他的長才。他深信在不久的將來會晉昇到重要的官階。

仇恨在他的心中滋長，而且每天不斷地擴大，他恨這個可惡的行會曾經羞辱過他，只要行會一天存在，他就永遠得不到真正的幸福。

莫希下定決心，等他發現了真理村的所有祕密後，再轉而圖利自己，或者，乾脆摧毀這個看來與世隔絕而又如此以擁有特權為傲的地方。

為了達到目的，莫希絕不能走錯一步，更不能引起任何懷疑。但最近幾天，他卻開始有些疑惑。這些人被正式命名為「真理村的侍徒」，會不會只是虛有其名？他們傳說中所擁有的本領會不會全是幻想和錯覺？而門禁森嚴的國王谷地，會不會到頭來只有那些死去國王的遺體，僵直不動地躺在裡面？

莫希躲在這個與世隔絕的村莊山丘上已有一段時間，希望能窺探到那些沒有人提起過的神秘儀式；但他的希望卻和失望劃上等號。

但今夜，渴望已久的這一刻終於來臨了！

這十個人，一個接一個，登上了西峰頂上，並且沿著懸崖慢步前進，直到一個山口，這裡有幾間他們偶爾來住的石屋。從這兒只需再往下走一條路便可到達國王谷地。

莫希中校感到極度興奮，小心翼翼地避免碎石子滑落而引起注意。儘管對負責國王谷地安全的守衛崗哨地點瞭若指掌，他仍然得冒著很大的生命危險。這些帶弓箭的守衛受命對闖入者格殺勿論。

自新王朝開始以來，這個最神聖的地方放置了所有法老的木乃伊。入口處的守衛一見隊伍便立即讓開，以便讓真理村的十個侍徒通過。

莫希爬上陡峭的斜坡，心跳加速。從這兒他可以看見一切而不會被察覺。他趴在一塊平坦的岩石上，不願錯過這個難得一見的場面。

帶頭的領隊離開隊伍，來到拉美西斯大帝的陵寢入口處，將他從村子出來後就一直扛在身上的包袱放在地上，然後解下包住的白色亞麻布。

一塊石頭。

一塊雕成方形的簡單石頭。它散發出強烈的光芒，照亮了由仍在位的法老所建陵寢的宏偉大門，如同太陽照耀著夜晚，黑暗消失得無影無蹤。

這十位工匠對著石頭默思良久。接著領隊把石頭抬起，同時其中兩名打開墓穴的大門。領隊首先進入，後面跟著其他工匠，整個隊伍進入了因石頭光芒而照亮的墓穴深處。

莫希看得目瞪口呆。不！他不是在做夢！行會的確擁有神奇的寶物，他們知道光芒的祕密，他看見了石頭散發出光芒，一塊並非幻覺而是實實在在的石頭！是活生生的人有能力製造並且使用它，而不是神……那麼，傳說中的行會實驗室裡所提煉的大量黃金難道真有其事？

莫希中校腦海裡浮現許多從未有過的念頭。現在，他知道拉美西斯大帝龐大的財富來源就在真理村，這也是行會遠離世俗，而隱藏在村子高牆內的原因。

「喂，朋友，你在這兒幹什麼？」

莫希慢慢地轉過身來，看見一個帶著短棍和匕首的努比亞警察。

「我……我迷路了。」

「這裡是禁區。」黑人警察說道。「你是什麼人？」

「我是國王的貼身侍衛，而且有特別任務在身。」莫希鎮定地回答。

「可是沒有人事先通知我。」

「這很正常……沒有人知道這件事。」

「為什麼？」

「因為我必須要嚴格地檢查安全措施是否做得很好，看看是不是有人能夠隨便就闖入國王谷地。恭喜你，警察。你剛才向我證明了你的確有徹底執行安全措施。」

努比亞警察有些不知所措。

「隊長至少應該事先通知我才對。」

「你難道不了解這是不可能的嗎？」

「我們一起去見隊長。我不能讓你就這樣離開。」

「你很盡責。」

在明亮的月光下，莫希和善的笑容讓努比亞警察感到放心，於是把短棍放回腰帶。

莫希中校敏捷如沙漠裡的毒蛇，一個箭步上前用力撞擊警察的胸膛。

可憐的警察往後仰跌，並且從斜坡上一路滾到山谷下突出的平台。

莫希冒著折斷脖子的危險，來到警察的身邊，發現他太陽穴的地方有一道很深的傷口，卻還活著。

莫希不顧這個被害人哀求的眼光，拿起一塊尖銳的石頭朝他的頭顱砸過去。

冷血的兇手很有耐心地等待很長一段時間。確定沒有被人發現後，才小心翼翼地爬回山丘頂上。莫希加倍小心地離開了禁區。

經過了這個美好的夜晚，他腦海裡只有一個念頭：挖掘真理村的所有秘密。

只是，該如何進行？由於他不能進入村莊，只好另外想辦法來獲得更多寶貴的訊息。

兇手已可以想像美好的未來，行會所有的祕密和財富都即將屬於他，而且歸他自己一人所有！

1

尼羅河氾濫後，接著便是耕田、播種、採收、填滿穀倉；害怕蚱蜢、田鼠及河馬對農作物造成傷害；晚上不能睡覺還得編繩子、沖洗、保養工具、看管畜牲和用具；終日擔心農田，一心只想稻麥長得好、牛隻健壯……阿當再也受不了這種單調的日子。

他坐在無花果樹蔭下、望眼沙漠中的農作物，阿當實在沒有辦法好好打個盹、吃頓飯，然後又得去放牛。十六歲的阿當有一百九十公分的高大身材。他不想和父親、祖父、曾祖父一樣過著農夫的日子。

如同往常一般，他來到這個安靜的地方，用削過的木片在沙地上畫起動物。畫畫……這才是他想要做的事，他可以畫上好幾個小時，塗上顏色，變出一隻驢、一隻狗或其他上千種的東西！阿當很會觀察事物。他將所見的一切用心去感受，再傳達到手上盡情地勾勒出鮮明的輪廓，甚至比平淡無奇的實體還要來得生動。阿當真的應該要有莎草紙、尖筆、顏料……但他的父親是個農夫，而且當阿當向他開口要求這些東西時，父親只會嘲笑他。

只有一個地方，而且是唯一的一個地方，阿當在那兒可以實現他的夢想，那就是真理村。王國最偉大的畫匠都聚集在這個村子裡，負責裝飾法老的陵墓，沒有其他人知道內部的情形。

對一個農夫之子而言，是完全沒有機會進入這個神奇的地方的。然而阿當卻無法不去羨慕這些人可以全力投入他們的工作，忘記日常生活中瑣碎的小事。

「喂！阿當，你可是在這兒找樂子呀！」

這個說話語氣帶有諷刺意味的人別名叫鄉巴佬，年紀大約二十來歲，穿著燈心草編織的纏腰布，高大而且四肢發達。他的弟弟小名叫粗腿兒，站在一旁傻笑，十五歲的他因為整天不停地吃蛋糕，體重已經比哥哥胖上十公斤。

「你們兩個不要來煩我。」

「這裡可不屬於你一個人……我們當然可以來這兒。」

「我不想看到你們。」

「這可不行。你得給我們一個交代。」

「交代什麼？」

「你還裝呢……昨晚你上那兒去了？」

「你以為自己是警察？」

「娜蒂……你對這個名字可有印象？」

阿當露出一抹微笑。「是個美妙的回憶。」

鄉巴佬朝阿當上前一步。「你這個混蛋！這個女孩是要跟我結婚的……現在卻因為你，昨晚你竟敢……」

「是她自己找上我的。」

「你騙人！」

阿當站起身來。「我無法忍受別人當我是騙子。」

「因為你的關係，我娶的人不再是處女了。」

「那又怎麼樣？如果娜蒂還算聰明的話，根本就不應該嫁給你。」

鄉巴佬和粗腿兒亮出一條皮鞭。武器雖然簡單卻很嚇人。

「大夥兒在這裡把話說清楚。」阿當提議道。「娜蒂和我的確度過一段快樂的時光，事情就是這樣發生了。為了讓你心裡舒服一點，我答應不再見她。老實告訴你，我一點也不會想念她的。」

「我們要撕了你這張臉。」鄉巴佬恐嚇著。「有了這張新臉，你也別想再勾引任何女孩子。」

「我很樂意教訓兩個蠢蛋，不過天氣很熱，我寧可先把我的午覺睡完。」

粗腿兒舉起右拳往阿當撲過去，他的攻擊目標突然在眼前消失，而他反倒被一把舉了起來，朝空中拋去，接著一頭摔下撞上無花果樹幹。他昏了過去，一動也不動。

鄉巴佬楞了一會兒才開始有所反應。他的鞭子在空中揮舞著，原以為可以抽破阿當的臉，卻沒想到自己的手被年輕力壯的阿當扣住。「啪！」一個可怕的聲響結束了這場短暫的打鬥。鄉巴佬手臂脫臼，鬆脫了手上的皮鞭，並且哀嚎地逃走。

阿當額頭上一滴汗都沒流。他自五歲開始就已經習慣了鬥毆，在學會打贏架之前，也吃了不少苦頭。他知道自己的力道很大，因此不喜歡惹事，但也絕不退縮。生活中沒有平白無故的好事，而他也不是省油的燈。

一想到整個下午得在牧場中度過，然後帶著牛乳和木柴乖乖回家，阿當感到一陣反胃。

而明天會比今天更糟、更乏味，而且更無聊，阿當的志氣逐漸地被磨滅，就好像是血液在體內緩慢地流動。家中瑣碎的農事到底能夠帶給他什麼？他的父親只想稻穀成熟、牛隻多乳，鄰居們羨慕他的財富，女孩們已視阿當為所有財富的繼承人，再加上他身強體壯，產量又會加倍，將變得更有錢。她們總是夢想嫁給一個富有的農夫，生個幾打孩子，以便安享餘年。

有許多人很滿足於這種命運，但絕不是阿當。相反地，這對他而言比監獄還要令人喘不過氣。阿當走在沙漠中，忘了牛隻的存在，兩眼離不開山丘的頂峰。西岸的國王谷山峰位於極為富裕的阿蒙神城，也就是底比斯的西岸，此地有無數神殿、廟宇所組成的卡納克聖地。

西岸也是國王、皇后、貴族山谷的所在地。此山谷藏有這些名人的陵寢和法老的百萬年神殿，特別是大法老拉美西斯以自己的名字所建的百萬年神殿。這些偉大的建築都是真理村的工匠所創造……眾所皆知的是，諸神毫無保留地協助並保護這些工匠完成其神聖的任務。

眾神在卡納克的神祕內殿，一如在其他普通的祈禱室向人間傳遞訊息，但又有誰能真正地了解這些訊息？阿當將這個世界用繪畫的方式在沙地上表現出來，但他的知識過於有限，因此無法進步。

他不能接受這種不公平的待遇。為什麼藏在那山丘頂峰的女神只對真理村的工匠說話？而為什麼當他乞求祂回應時，祂又變得沉默不語？陽光照耀著整座山，他卻被拋棄在他的孤寂裡，那些與他貪戀愛欲的少女們不會了解他的希望的。

為了報復，他極盡所能地在沙地上仔細畫出山丘的形狀，然後憤怒地用腳塗去，如同他可以將沉默的女神和他的不滿足用這種方式除去。

但山丘仍矗立在原地不為所動，仍是如此宏偉且高不可攀。儘管阿當孔武有力，卻無用武之處。不，不能再這樣下去。

這一次，他父親非聽他的不可。

2

索貝克遠離他的家鄉努比亞，十七歲進入警察這一行。高大健壯的他對打鬥耍木棍很在行，他的上級已注意到這個體面的黑人。在沙漠隊中的實習正好讓他的特長有所表現，因為他抓過不下二十個貝都因小偷，其中有三個是危險份子，專門攻擊沙漠商隊。

索貝克很快地獲得晉昇，二十三歲就當上警察隊長，負責護衛真理村。實際上他並不很想要這個職位，因為顧名思義他的責任重大，他不能容許自己犯下任何的錯誤。沒有一個平民能夠潛入國王谷，沒有任何一個好奇者能夠打擾工匠的清靜，索貝克的工作就是要避免這種事件，否則會立即被首相懲處。

索貝克在真理村入口處的堡壘中有一間小小的辦公室。儘管他會看也會寫，他卻對文書及整理報告這種行政工作毫無興趣，而交給手下去辦。行政部門撥給他一張矮桌子加上三個凳子便等於所有的家具，如此一來也容易維持辦公室的整潔。

索貝克大部份的時間都在外頭，走遍圍繞著禁區的小山丘，就算是下午兩點烈日當空也照常進行。他很清楚每一條小路、每一個山脊以及每一條斜坡，而且不停地四處探查。若有不尋常的狀況，不論是誰都會受到不客氣的盤查，甚至送到西岸讓首相掌管的法庭遭嚴厲的審判。

自清晨七點起，他都要前日夜班的哨兵做報告。對於他的問題「有沒有事？」，回答是「報告隊長：沒有」才可以去睡覺。但是這天早上，第一個哨兵顯得很緊張。

「隊長，出了一點狀況。」

「發生了什麼事？」

「我們的一個士兵昨晚死掉了。」

「他受到攻擊嗎？」索貝克開始擔心。

「倒不是……否則，我們應該會發現兇手。您要不要看一下屍體？」

索貝克走出辦公室查看這個可憐的屍首。

「頭顱破裂，太陽穴受傷。」他檢視說道。

「若經過這麼一跌，也就不足為奇了。」哨兵猜想。「這是他第一次夜間站哨，而且他不清楚這一帶。他踩到石頭，從斜坡上滾了下去。這不是第一次發生也不會是最後一次。」

索貝克盤問其他的哨兵，沒有人發現有任何人闖入。看來明顯是一樁可怕的意外。

* * *

「阿當，你在這裡幹什麼？你應該是在牧場的啊！」

「一切都結束了，爸。」

「你在說什麼？」

「我不會繼承你的衣缽。」

他父親坐在蘆席上，把編繩子用的草紙線放下。雙眼無法置信地望著兒子。

「你瘋了不成？」

「我厭倦了當個農夫。」

「你已說過上百次了……沒有人可以一輩子吃喝玩樂的！我可沒有跟你一樣有過這種奇怪的念頭，我為了養活家人認真地工作。我讓你媽幸福，我養活四個孩子，你和你三個姐姐，而現在我已成為這塊田和一大塊地的地主……這樣還不算成功嗎？等我死了，你到時候什麼都不缺，而且你後半輩子也會感激我的。你可知道今年是非常好的一年，老天爺也很幫忙？今年的收成會很好，不過我們不會繳很多稅，因為糧稅處給我一些有利的條件。你總不會想要毀掉這一切吧？」

「我要建立自己的生活。」

「別說大話了。你以為這樣胡說八道就能夠餵飽牲口嗎？」

「牛隻沒有我也一樣會吃草，何況要找到人替代我也並不困難。」

他父親因焦慮而聲音開始顫抖。

「你到底怎麼了，阿當？」

「我要作畫。」

「但你是一個農夫，一個農夫的兒子呀！為什麼要做不可能的事？」

「因為這是我的命運。」

「兒子，你可要小心！你體內有一把不祥的火在燃燒。如果你不把它熄了，你會毀了自己。」

阿當臉上有一抹悲傷的微笑。

「你錯了，爸。」

父親拿起一個洋蔥啃咬（※註：古埃及以洋蔥為主食。）。「你真正想要的是什麼？」

「我想進入真理村的行會。」

「你八成是瘋了，阿當。」

「你認為我不夠格？」

「夠不夠格我怎麼會知道？這簡直是太瘋狂了……而且你根本不知道這些工匠的生活有多辛苦！他們過著不見天日的生活，沒有自由，而且必須服從殘酷的上司……那些石匠因為辛勞，手臂都彎了，腿也痛，腰也痠，他們幾乎是累得半死不活！更別說是雕塑匠了。用剪刀總比用鋤頭刨土來得累人。到了晚上，他們還得挑燈做夜工，而且根本沒有休息的日子！」

「你似乎很了解真理村的事情。」

「大家都是這麼說的……為什麼不相信？」

「因為謠言總是謊言。」

「我不需要自己的兒子來教訓我！聽我的忠告，你日子會過得很好。像你這種怪脾氣，怎麼能忍受任何的規定？不需一秒鐘，你馬上就會反抗！好好當個農夫吧，像我、像你的祖先一樣，你終究會過得快樂的。隨著年齡漸長，你會安靜下來，並且會對自己年輕時的叛逆感到可笑。」

「你完全無法了解我，爸。這個話題沒有再繼續下去的意義了。」

農夫把他的洋蔥丟得老遠。「鬧夠了。你是我的兒子，你就得聽我的話。」

「永別了。」

阿當轉身背向父親，後者拿起木製工具朝他背部打下去。

阿當慢慢地轉過身來。

當農夫看到這個強壯小子的眼神時，完全被嚇住了，一直後退到貼著牆壁。

一個滿臉皺紋的矮婦人原本躲在工具間，這時衝了出來，抓住她兒子的右手臂。

「我求求你，不要打你爸爸。」

阿當在她前額上吻了一下。

「妳也是，媽，妳不了解我，但我不會怪妳的。妳放心，我走了，而且不會再回來。」

「如果你走出這個家門，你就不是我的兒子，我死後什麼也不會留給你。」他父親警告著說。

「隨你便。」

「你的下場會很慘的！」

「那又有什麼關係？」

當他跨出家門的那一刻，阿當知道他再也不會回來了。

沿著麥田一路走著，阿當深深地吸了一口氣。一個全新的生活在他面前正要展開。

3

阿當離開了耕作區，朝真理村走去。烈日的灼熱和沙漠的乾旱都不會讓他感到畏懼，一心只想獲得肯定的答案：真理村的大門，也許會為他而開。

這天傍晚，被驢子踩平的小路上不見任何人影。平常每天都有人趕著驢子載送飲水、食物和所有行會工作上所需要的東西。

阿當熱愛沙漠。他一邊感覺光裸的雙腳接觸著滾燙的沙子，一邊細細地品嚐它無情的力量。他的靈魂與沙漠合為一體，在沙漠中行走數日而不會感到疲倦。

但這一回，阿當無法再走遠。前方五個護衛真理村的堡壘橫擋住他的去路。阿當已瞧見哨兵的目光從未離開他身上，於是筆直走向堡壘，乾脆面對警衛，順便知道有幾分希望。

兩個弓箭手從堡壘走出來。阿當繼續往前走，雙臂在身體兩側垂下，以便讓他們知道他並沒有帶任何武器。

「站住！」

阿當停止不動。

年紀較大的弓箭手是個努比亞人，他朝阿當走過來。另一個站在一旁拉開弓並且瞄準他。

「你是誰？」

「我名叫阿當，我要去敲真理村行會的大門。」

「有通行證嗎？」

「沒有。」

「那麼，是誰推薦你的？」

「沒有人推薦我。」

「年輕人，你在開我玩笑？」

「我會畫畫，所以我想到真理村工作。」

「你應該知道這裡是禁區。」

「我想見工匠師傅，向他證明我的能力。」

「我有命令在身。如果你不馬上給我滾開，我會用侮辱警衛的罪名來逮補你。」

「我並沒有什麼惡意……請給我一個嘗試的機會。」

「給我滾開！」

阿當向周圍山丘上瞥了一眼。

「你休想從那兒溜進去。」弓箭手警告道。「否則你會被揍扁。」

阿當大可以一拳把警衛打昏，同時滾向地面避開另一個人的弓箭，然後強行進入。問題是要避開多少個弓箭手才能到達村子的大門呢？

儘管氣惱，他也只能折回。

一離開哨兵的視線範圍，他就在一塊岩石上坐下來，決定先觀察這條小路有什麼動靜。一定會有辦法成功的。

阿當的母親不斷以淚洗面，三個女兒都安慰不了她。做父親的不得不雇用三個農夫來取代他年輕力壯的兒子。他對這個兒子辜負了他的期望而生氣不已，於是去見代書，想請他代筆寫信給首相的辦公府。他用堅決且無法挽回的態度下了一個決定。根據法律，他有權利除去阿當的繼承權，而把他所有的財產留給他的妻子使用。一旦她去世，則由三個女兒平分繼承財產。

但這個遺囑的安排仍然無法讓農夫消氣。由於阿當已經瘋了，一定要讓他走回正路，最好的辦法就是讓公權力來治他。

因此，阿當的父親又去見勞役部的負責人。這個書記吹毛求疵，脾氣甚壞，而且有些憤世嫉俗。他的職務不但辛苦而且乏味，他用過許多手段希望得到晉升的機會去東岸的城裡工作，但都沒有任何結果。在氾濫期的前幾個月裡，他負責雇用苦力去修理溝渠、修築河堤，而且盡可能付最低的酬勞。由於自願者少之又少，因此需要強制徵召苦力，同時以減稅的方式說服一些地主出借他們的農夫。這種工作常常要花上許多時間，而且吃力不討好。

所以，當書記一看到阿當的父親走進他的辦公室，先準備聽他大發牢騷，再對他所提出的要求如同往常一般一概拒絕。

「我不是來煩你的，」農夫先讓他放心。「我是來請你幫個忙。」

「不行，」書記回答道。「法律就是法律，儘管我們已認識很多年，我還是沒辦法給你任何的特權。如果一個地主開了先例否認勞役的必要性，尼羅河氾濫所帶來的利益都將失去，而埃及也會毀了！」

「我不是這個意思，我是希望跟你談談我的兒子。」

「你的兒子？他又不需要服勞役！」

「他才剛離開農場。」

「要去那裡？」

「我根本不知道……他自以為是畫家，可憐的阿當已失去理性了。」

「你該不會是在告訴我他已經不管農場的事、也不管放牧了？」

「很不幸地正是如此。」

「簡直是豈有此理！」

「他母親和我都感到很沮喪，但我們沒辦法阻止他離開。」

「用棍子狠狠揍一頓不就得了！」

農夫低下頭。

「我已試過了，可是阿當是個年輕力壯的小夥子……這個小子變得有點暴力！我一度認為他準備要打我。」

「做兒子的打父親！」書記叫道。「應該要把他拉到法庭前面給他判刑才對。」

「我有另一個主意。」

「說來聽聽。」

「既然他已不算是我的兒子，而且又離開了我家，為什麼還要讓他免除勞役？」

「我來徵召他，看我的。」

「我們甚至可以出更高招。」

「我不懂你的意思。」

農夫開始低聲耳語。

「這個混小子需要一點教訓，你不認為嗎？如果我們給他吃點苦頭，他會永遠記得這個教訓而避免再犯下大錯。如果我們放任不管，你和我日後可是要負責任的。」

書記覺得他的話很有道理。

「你有什麼建議？」

「假設你徵召阿當去服勞役而他又不從……他這時會被視為逃役。你就可以抓他來坐牢，再找幾個壯漢好好地揍他一頓，好讓他改邪歸正。」

「這個不成問題……可是你要拿什麼來交換？」

「一條乳牛。」

書記開始垂涎。舉手之勞就可以發一筆小財。

「一言為定。」

「當然啦，我會再加上幾袋種籽。對阿當也不要教訓得太過火……他一定得回到農場。」

4

阿當感覺到額頭上有一個濕濕涼涼的東西，馬上睜開了雙眼。

一條黃色的母狗正用鼻子嗅他而且毫無敵意。天還未亮，一陣清風吹過底比斯西岸和通往真理村的小徑。

阿當輕輕地撫摸牠，直到一陣驢蹄聲響起牠才走開。驢隊由前頭一隻步伐規律的驢子帶隊，載滿了食物朝工匠村的方向前進。帶頭的那隻驢子非常熟悉這條路線，因此步伐絲毫不猶豫。

阿當看著他們經過，心中充滿了羨慕。他們和他一樣，知道要往那兒去，只是他們可以通過堡壘這段關卡。

在驢隊後方不遠處，跟著五十幾個挑水夫，右手握著一根木杖敲打地面，一方面讓步伐一致，另外也可以驅趕毒蛇；左肩挑著一根又長又粗的扁擔，掛著一個裝有好幾公升水的大羊皮囊。

黃狗離開了阿當，回到主人身邊。牠的主人年紀已經很大，步伐非常吃力。阿當趕上他。

「要不要我幫忙？」

「這是我的工作，小夥子……也做不了多久了，不過在回三角洲老家之前也已經夠我生活。如果你幫我忙，我可能付不起。」

「沒關係。」擔子一落到阿當肩上，變得輕如鴻毛。

「每天都是這樣子嗎？」

「是的，小夥子。真理村的工匠不能缺少任何一樣東西，尤其是水！早上送過最重要的第一趟之後，一整天還有其他好幾趟。如果因為某個原因而需要量增加，挑水夫的人數也會跟著增多。我們不是唯一為真理村工作的僕從；其他還有洗衣工、麵包師傅、釀麥酒師傅、屠夫、鍋匠、樵夫、織工、皮匠等等！法老要真理村的工匠們享有最舒適的生活條件。」

「你已經進入過村子裡了嗎？」

「沒有。我是被認可的挑水夫，所以可以到北邊入口處的大水池，將皮囊的水倒出來；還有另一個水池靠近南邊的牆。真理村的居民到那裡將水罐裝滿。」

「怎麼樣才能通過圍牆？」

「只有行會的人才可以。僕從只能住在外頭。你為什麼問這些問題？」

「因為我想進入行會成為畫匠。」

「你不可能靠著挑水就可以進入那裡。」

「我應該要敲正門，找上一名工匠，向他解釋……」

「別指望了！這些人既不多話也不好客，而且像你這個樣子，肯定不會受到他們的喜愛。搞不好還得蹲幾年的牢。不要忘記每一個挑水夫那些衛兵都認識……」

「你曾經跟他們講過話嗎？」

「偶爾一兩句，都是講天氣和家人。」

「他們從未和你談到工作？」

「這些人嘴巴守得可緊呢，小夥子，他們絕不會違背自己的誓言。多嘴的人馬上就會被開除。」

「總是會有新進人員吧！」

「很少。你應該聽我的話，忘了這些白日夢……世界上還有很多其他的事好做，強過把你自己關在真理村裡頭，日以繼夜為法老的光榮而工作。你仔細想想，會發現這不是一個令人稱羨的生活。以你的體格來看，一定有許多女孩喜歡你。好好享受個幾年，然後趁早結婚，生幾個漂亮的孩子，再找一個好的工作，不要找像挑水這樣辛苦的工作。」

「村子裡沒有女人嗎？」

「有，而且她們都有小孩，不過她們都得和男人一樣遵守真理村的規定。最令人驚奇的是，她們一點也不八卦。」

「你見過她們嗎？」

「看過幾個。」

「她們美嗎？」

「有醜有美……你為何那麼固執？」

「這麼說來，她們可以走出村子囉？」

「所有的居民都有這個權利。他們可以在真理村和第一關堡壘間自由走動。甚至有人說他們有時會到東岸，不過這不干我的事。」

「所以說，我可能碰得到一名工匠！」

「首先你得先確認他真的是行會的人，因為吹牛冒充的人不少。接下來的問題是他絕對不會和你講話。」

「堡壘一共有幾個？」

「五個。一般人也稱之為『五道牆』，你要知道，每一處的哨兵都監視著任何一個接近村子的人。他們的布署非常有效率，你可以相信我，而且每一個山丘都有嚴密的監視，尤其是自從新的安全隊長索貝克上任之後。這個努比亞人比較好勇鬥狠，而且喜歡表現自己的本事。他大部份的手下都和他一樣來自同一個部落，對他唯命是從。換句話說，他們是不會被收買的。他們這麼地怕他，因此會立刻檢舉賄賂人的名字。」

阿當下了一個決定：他無論如何一定要通過第一個堡壘，並且跟裡面的人說話。

「如果你向警衛說你生病了，而我是你的堂弟，來幫助你挑水，他們會不會通融？」

「我們不妨試試，不過不會有什麼結果的。」

當他瞧見第一個堡壘的警衛時，阿當知道自己的運氣很好：哨兵才剛剛換班，不是早上的弓箭手，他不用冒著被認出來的危險。

「你看起來好像不太舒服。」警衛向挑水夫說道。阿當攙扶著他。

「我完全沒有力氣了……所以我叫這個小子來幫忙。」

「他是你的家人嗎？」

「他是我的一個堂弟。」

「你能為他擔保他嗎？」

「我快要停止這份工作了，他想要取代我。」

「到第二個檢查站。」

第一個勝利！阿當很高興自己堅持到底。如果運氣一直這麼好，他可以就近看到村子，然後遇見也許會了解他的一名工匠。

第二道關卡比第一道來得嚴格，而第三道又更加嚴格，但警衛發現挑水夫看來很衰弱，不像是裝的。由於水要準時送到，而沒有一個警衛願意離開工作崗位去幫老人家做這件吃力的事情，便讓這兩個人通過。

第四個關卡也易如反掌，到了第五個也就是最後一個堡壘時，前面一陣熱鬧。驢隊的苦力開始從驢子上把貨卸下，整理裝滿蔬菜、魚干、肉類、水果、橄欖油和香料的籃子和瓶罐。

大夥兒相互叫罵、責備動作太慢，或者互相開玩笑，到處都是人聲和笑聲……有個警衛做手勢要挑水夫前進，把皮囊內的水倒進一只巨大的甕裡，阿當用讚嘆的眼光看著這個甕。是何許陶匠有如此天份，創造出如此巨大的器皿呢？

對年輕的阿當而言，這是他在真理村所看見的第一個奇蹟。

5

有個矮壯的男子向阿當問話。

「小夥子，你看來似乎很驚訝。」

「這個巨甕是誰做出來的？」

「是一個在真理村工作的陶匠。」

「他是怎麼做的？」

「你真的很好奇。」

阿當的臉上閃耀著光彩。想必他面前的這個人一定是村裡的工匠之一！

「不，這不是好奇！我想要成為畫匠進入行會。」

「喔……過來解釋給我聽。」

矮壯的男子把阿當帶到第五個、也就是最後一個堡壘的另一邊，旁邊有一整排鞋匠、織工和鍋匠的工作坊。他請阿當在石丘腳下的一塊大石頭上坐下。

「年輕人，你對真理村了解多少？」

「完全不了解，只知道一點點……但我很肯定這裡就是我應該住的地方。」

「為什麼？」

「我唯一的興趣就是繪畫。你要我畫給你看嗎？」

「你能夠把我的樣子在沙地上畫出來嗎？」

阿當目不轉睛地看著他，開始用一塊尖火石快速而精確地畫出形狀。

「好了……你覺得如何？」

「你好像很有天份。在那兒學的？」

「沒有人教我！我是一個農夫的兒子，我常常花上好幾個小時把我觀察的東西畫出來。不過我還缺乏一些技巧，我相信可以在這裡學到。而且我要彩繪，讓我的畫更加生動！」

「你不但有志氣而且很有才華……不過要進入真理村這還不夠。」

「需要其他什麼條件？」

「我帶你去見一個人，他應該可以完全回答你這些問題。」

阿當簡直不敢相信自己的耳朵。看來他當初的大膽是對的！在短短的幾個小時裡，他從原先的世界進入另一個世界，而且馬上就要實現他的夢想了。

沿著村子的工作坊外面一路走著，他發現這些看起來高不可攀的牆壁其實是用很輕的木頭蓋的，拆起來和蓋起來一樣容易。

矮壯的男子打斷了他的思緒。

「有些僕人並不是每天都住在這裡……只有需要他們的時候才會來。」

「你也是其中之一嗎？」

「我是洗衣工。一個很骯髒的工作，不騙你！我甚至連女人的髒內褲都得洗。不管是村子裡的或是其他地方，女人的內褲都一樣髒。」

矮壯的男子朝第五個堡壘的方向走去。

阿當停下站住。

「這……你要帶我去那裡？」

「你總不會認為不需要經過嚴格的盤問就可以直接進入真理村吧？只管跟我來，不會讓你失望的。」

阿當穿越崗哨站的門檻，在一個努比亞弓箭手嘲諷的眼光下經過一個昏暗的走廊，來到一間辦公室，裡面坐著一個和他一樣高壯的黑人。

「早安，索貝克，」洗衣工打著招呼。「我帶來一位偷渡客，他利用幫忙挑水夫的藉口成功地穿過五道牆。希望我的報酬和立下的這個大功成正比。」

阿當猛然轉過身想要逃跑。

兩個努比亞弓箭手立刻上前抓住他，阿當用手肘讓第一個吃了個拐子，跟著用膝蓋踢向第二個的鼠蹊部。阿當大可以趁這個時候逃跑，但他卻一把將洗衣工舉起挾在腋下。

「你居然背叛我，我要讓你後悔！」

「不要殺我，我只是遵守規定而已！」

阿當感到有一把匕首抵住他的背部。

「鬧夠了，」索貝克喝道。「把他放下，你也給我安靜下來，否則只有死路一條。」

阿當知道他不是說著玩的，於是把洗衣工放在地上，洗衣工立即溜之大吉。

「給他戴上銬鐐。」索貝克命令道。

手腳都被銬上的阿當被一把摔向辦公室的一角。他的頭狠狠地撞上牆壁，但卻不哼一聲。

「你還真挺得住嘛。」索貝克注意到這一點。「誰派你來的？」

「沒有人派我來。我想要進入行會成為畫匠。」

「有意思……你沒有更好的藉口嗎？」

「我說的是實話！」

「喔，是嗎？許多人都認為自己講的是實話……不過在這個辦公室裡，有很多人最後都改變了主意，承認自己在說謊。算他們聰明，不是嗎？」

「我沒有說謊。」

「你手腳工夫表現得不錯，我很佩服，連我的手下都出醜了。他們會受到懲罰的，而你呢，我要你告訴我，是誰雇用你、你來自何處、而且為什麼會在這裡。」

「我是農夫的兒子，我想和真理村的工匠說話。」

「告訴他什麼？」

「告訴他我想成為畫匠的願望。」

「你這小子可真頑固……不錯，可是你最好不要讓我失去耐性。」

「我真的沒有其他的好說，因為我所說的都是事實。」

索貝克摸著下巴。

「小子，你要了解我的立場：我的任務是用所有的手段來全面保護真理村的安全。上級很重視我的能力和我的認真工作態度，我可不想毀了自己的名譽。」

「為什麼您不讓我和工匠談談？」阿當問他。

「因為我不相信你所編的故事，小子，沒錯，是很感人，但卻令人難以置信。我從未見過有人來到村子的大門直接要求進入。」

「我沒有任何的關係和靠山，也沒有人可以推薦我，這一切我都不在乎，因為我只要達到我的目的！請您讓我和一個畫匠談談，我相信可以說服他的。」

在一剎那間，索貝克似乎有點動搖。

「你膽子還真大，不過對我起不了什麼作用。有不少人渴望知道真理村內工匠的祕密，而且為了達到目的不惜付出任何代價。你正是其中幕後主使者之一所派來的……我要你說出這個主使者的名字。」

阿當充滿了憤怒，試著要站起來，但他的銬鐐實在太緊。

「您錯了，我向您發誓您真的誤會了！」

「現在我先不問你的名字，因為我知道你一定會說謊。看你這麼厲害，相信你所負的任務應該是非常重要。到目前為止，我也不過抓了幾個無關緊要的罪犯……而你可不同了。如果你馬上招供，也許可以少受點罪。」

「素描、繪畫、拜師……我並沒有其他的意圖。」

「恭喜你，朋友，看來你是真的什麼都不怕。一般人挺不了這麼久。不過你最後終究要吐實，就算你的脾氣比別人還硬。我本來可以現在就懲治你，但我想先把你軟化，讓工作更容易進行。讓你坐個十幾天的黑牢，你就不會這麼頑固，話也會比較多了。」

6

寡言結束了一段在努比亞長時間的旅行，當中他參觀了金礦、採石場以及拉美西斯大帝所建的無數神廟，其中有阿布辛伯的兩座神廟，它們是為神光、星之女神、以及拉美西斯大帝早逝的妻子尼菲達莉皇后所建。寡言在綠洲待了幾個星期，自己一個人在沙漠中，絲毫不畏懼毒蛇猛獸。

寡言出身自真理村的一個古老家族，命中注定要製作眾神、貴族及行會工匠的雕像，繼承從金字塔時代就已留下的傳統。隨著年齡漸長，他的責任也愈來愈大，之後就輪到他將這個技能傳給下一代。

然而他還有一個條件尚未完成：他還未聽到神的召喚。要行會的大門為他開啟，光有一個工匠父親和擁有本事是不夠的。行會的每個成員名字都會冠上「聽到神的召喚」，每個人都知道其中意義而從不提起它。

寡言知道只有行會才會喜歡，再說他也不會說謊：他的確沒有聽見這個不可或缺的召喚。他的話是如此地少，以致於別人給他一個別名「寡言」。他為了什麼都沒有聽到而感到悲傷。

他的父親和行會高層的人都贊成寡言只有這樣做才對：探索真理村之外的世界，如果諸神同意，他終究會聽見召喚的。

但他不能忍受生活在離真理村以外太遠的地方，真理村是他出生、成長的地方，對他從小就受到嚴格的管教也從無怨尤。因為不可能回去，他愈來愈迷失、變成了一個孤獨的影子，而感到無比的悲傷。

寡言原本希望這趟旅行和努比亞宏偉的景觀可以為他帶來必要的條件，而聽見那神祕的召喚；但什麼都沒發生，他只好繼續流浪，從一個普通的工作換到另一個。

在努比亞，他曾經試著忘記真理村和他敬佩的師傅們；但所做的努力完全枉然。他也曾回到底比斯，受雇當建築工人，在離卡那克神廟不遠處蓋房子。

建築老闆是五十幾歲的鰥夫，有一個女兒，自從有一次從屋頂上摔下之後便跛著走路。他不喜歡多話的人，也不喜歡自大的人。寡言的態度令他非常滿意。他很謙虛，是同事的好榜樣，但他們卻不喜歡他：因為他們覺得他太認真、太勤勞、太沉默。而且，只要他在的時候，一點都不刻意地，他的同事們的缺點便自然而然地顯露出來。

多虧這個新同事，老闆得以足足提前一個月完成一棟兩層樓的房子。買主非常高興，不斷地讚美老闆，並且又交給了他兩塊新的工地。

同事都回家了，而寡言還在擦拭工具，如同真理村的一位工匠所教的。

「我剛收到一甕清涼的麥酒，」老闆對他說。「要不要來跟我喝一杯？」

「我不想打擾您。」

「我請你。」

於是老闆和他坐在工人休息的小木屋內的席子上。麥酒非常好喝。

「寡言，你跟別人不太一樣。你打那兒來的？」

「就在這一帶。」

「你有家人嗎？」

「不多。」

「也許你不太想講……隨你便。你幾歲了？」

「二十六歲。」

「也該是你定下來的時候了，不是嗎？我很會看人的：你工作的方式非常傑出，你也不會停止進步。在你身上有一個很少見的優點：你熱愛工作。工作會讓你忘記一切，有時候是太過了一些……你應該要為你的未來做打算。我已經開始老了，關節又疼痛，走路也愈來愈跛。在雇用你之前，我已決定要找一個工頭開始在工地裡慢慢取代我，但要找到一個可以信任的人是很困難的事。你要不要這個職位？」

「不，老闆，我不是做工頭的料。」

「你錯了，寡言，你會是一個很好的工頭，我可以確定這點。我的這個建議可能來得太突然……至少考慮一下吧。」

寡言搖搖頭。

「我想請你幫個忙。我的女兒負責管理一個花園，離這兒走路大約一個小時，在尼羅河氾濫期，她需要一些陶器來保護幼苗。你願不願意幫忙把它們搬到驢子背上，然後送去給她？」

「當然。」

「我會給你一些酬勞的。」

「我要現在就去嗎？」

「如果可能的話……我女兒名叫卡萊兒。」

老闆把路徑解釋得很詳細，因此寡言不可能會迷路。

驢子慢條斯理步伐穩健地向前行。寡言跟在驢子身旁，並且留意東西的重量對驢子會不會太重。他經過了幾條小路，來到一條黃土路上，兩旁有一些菜園區隔開來的白色小房子。

一陣溫和的北風剛剛吹起，意味著這是一個平靜的夜晚，一家人團聚一起，聊著白天所發生的芝麻小事，或者聽著說書人講故事，讓大家開懷大笑，也引起無限幻想。

寡言想起老闆的提議，知道他不可能會接受。他只想在一個地方定居下來，但如果沒有聽見神的召喚，就變得不可能了。再過幾個星期，他將出發到北部，跟著游牧民族一起流浪。

有時候他也會有說謊的衝動，他想一路衝到真理村，騙人說他終於聽見神的召喚，讓行會的大門開啟。但真理村這個名字不是沒有道理……它是瑪亞特女神的所在地，真理是他們日常生活的精神糧食，而說謊者的面具終有一天會被拆穿。「你要仇視謊言，因為它會毀了言語。」他一直如此被教導著。「上帝不喜歡謊言。謊言本身也經不起考驗。帶著謊話旅遊的人永遠達不到目的地，也抵不了碼頭。」

不，寡言絕不能低頭。就算他無法進入真理村，至少他尊重這些原則。儘管只是一個小小的安慰，卻也許是支持他活下去的力量。

尼羅河上刮起一道強風，激起的水流和天空一樣地藍。傳說中在尼羅河淹死的人，他們的罪名會被奧塞利斯神的法庭洗去，然後在另一個世界的天堂重新開始。

他很想衝到河岸跳進水裡，拒絕游泳，感謝死亡快點來臨，讓他忘記這種沒有希望的日子……這是他聽到唯一的召喚。不過有一個細節使他不能立刻跳進尼羅河裡：他受人之託必須忠人之事。一旦任務完成，仁慈的河水就可以幫助他解脫，將他的靈魂帶往別處。

驢子離開了小路，經過一口井的左邊，直走到一個用矮牆圍著的小花園。看來這頭驢子不是第一次來這裡，而且牠記得怎麼走。

花園裡的石榴樹、角豆樹，還有一棵不知名的樹形成了涼快的樹蔭，矢車菊、水仙花、金盞花正怒放著。但花朵的美麗遠遠比不上那位正在種花、穿著一身白袍、一塵不染的年輕少女。

她有一頭幾乎呈現金色的捲髮披在肩上，臉龐有哈托爾女神完美的輪廓，如同他曾經看過真理村一位雕匠的作品，而且她的身體柔軟得有如在風中飄揚的棕櫚葉。

驢子在一旁嚼著薊花，當年輕的少女轉過身來，用一雙如天空一般湛藍的眼睛凝視著寡言時，他覺得自己快要昏倒了。

7

「我認得這隻驢子，」她微笑著說，「但這是我第一次見到您。」

「我……我幫您的父親給您帶來陶器。」

寡言是個身材適中的年輕人，不矮也不高，身體結實，褐色的髮絲垂在飽滿的前額上，灰碧色的眼睛讓他的臉上看起來很有精神，同時又有點嚴肅。

「謝謝您，辛苦您了。不過……您似乎有點煩惱。」

寡言趕忙走向還在吃草的驢子，慌亂地將陶器從籃筐裡卸下。

他鼓不起勇氣再望她一眼。是什麼樣的魔法能夠讓一個女孩如此美麗？她五官的線條是如此清晰，皮膚白淨，四肢修長而柔軟，整個人散發著光芒，美得有如幻影，好像一個過於迷人卻無法持久的夢，一接觸她，就馬上消失無蹤。

「沒有打碎嗎？」她問道。

就連她的嗓音都如此富有魔力！溫柔、甜美、悅耳卻含有一種堅定，而且清亮活潑地如一股清泉。

「不，不用……我來拿這些陶器。」

「要不要我幫忙？」

「應該沒有……」

當寡言穿過花園的門檻時，一隻黑狗對他吠著，同時舉起前腿趴在寡言的肩膀上，對著他的眼睛和耳朵一味地舔著。

由於雙手抱滿了陶器，寡言只好任由它去。

「小黑接納你了，」卡萊兒開心地解釋著。「奇怪的是，它本來不太喜歡陌生人，只會對老朋友這樣。」

「我很榮幸。」

「您叫什麼名字？」

「寡言。」

「好特殊……」

「它的由來沒有什麼意思。」

「我還是很想聽。」

「我怕您會感到無聊。」

「請到花園的後頭坐坐。」

小黑收回前腿放回地上，寡言這才能回應少女的指示。小黑有著長而結實的嘴，光滑的短毛，尾巴又粗又長，淺褐色的眼睛炯炯有神，這時一路伴隨著牠的女主人。

「有了牠我什麼都不怕，」卡萊兒說道。「牠速度又快又勇猛。」

寡言將陶器放在草地上，然後在金色的花叢邊坐下。

「我從未看過這種花。」他承認道。

「那是菊花，只會在這兒開放，不但高雅，而且非常有用。它們所含的物質可以用來治療發炎、血液循環不良和腰痛。」

「您是醫生嗎？」

「不是，不過我有幸讓奈菲莉照料過，她是一名非常優秀的醫生。我母親過世後，她就一直照顧我，儘管很忙。她的先生帕札爾是前任的首相，在退休後和先生一起回卡納克之前，她把大部份的知識傳授給我。現在我則用它來減輕我身邊周遭朋友的病痛。我喜歡在這個花園裡沉思，和樹木說話。您也許認為我很奇怪，可是我相信植物也有它們的語言。在它們的面前要懂得謙虛才聽得到它們說話。」

「努比亞的巫師和您的想法一樣。」

「您在那兒待過嗎？」

「待過幾個月。這棵長著棕灰色樹皮、白綠相間橢圓形葉子的叫什麼樹？」

「安息香樹。它所結的果子很有肉，把樹幹切開的時候會流出一種黃色的膠狀香膏，非常珍貴。我比較喜歡角豆樹，它的枝葉婆娑，果肉有蜂蜜的味道，而且可以忍受乾旱和熾熱的風，您不覺得它象徵著生命的溫和嗎？」

小黑在寡言的腳邊睡覺，他只要一起身就會吵醒牠。

「您還沒有告訴我為什麼您叫『寡言』。」

「如果我依照它的意思，我就什麼都不該向您說。」

「是一個大祕密嗎？」卡萊兒邊問邊將一個陶器反過來插進軟土以便保護她的植物。等到根部冒出來，容器會破裂，碎片會與泥土混合。

寡言實在不想告訴她有關他的事情，但他又如何能抗拒得了卡萊兒呢？

「我在工匠村子裡長大，也就是真理村，我的父親在當地曾經是一名雕刻匠。就我所知，他和我的母親給我取了一個祕密的名字，等我也成為雕刻匠的時候才會告訴我。在這之前我必須保持沉默、觀察和聽話。」

「這一刻何時來臨？」

「永遠不會。」

「但是……為什麼？」

「因為我永遠不會成為一名雕刻匠，命運另有所安排。」

「那麼……您打算做什麼？」

「我不知道。」

卡萊兒用濕土圍在角豆樹的四周，讓澆水的時候水分不易流失。

「您會在我父親的地方做很久嗎？」

「他希望我當他的工頭。」

「您有沒有告訴他真理村的事情？」

「沒有……只有您知道我的過去。它即將完全成為過去。我完全不知道工匠的祕密，我只是一個和別人沒有兩樣的工人。」

「您感到很痛苦，對不對？」

「請不要認為我野心太大。我只是……這也不重要了。抗拒命運是沒有用的，應該要接受它的安排。」

「您不覺得自己太年輕，不該說這樣的話嗎？」

「我……我不好意思再打擾您了。」

「至於工頭的職位呢？」

「您父親對我真的很好，但我承當不起這個責任，如果讓他失望，我會很難過。」

「我相信您低估了自己。為何不試試呢？現在我想請您幫我忙。」

少女望著她的狗，不一會兒牠便張開了眼睛，然後坐起來。絕大部份的時候，她甚至不需要開口，小黑就可以清楚地知道卡萊兒的意思。

沒有了小黑在旁邊睡覺，寡言於是站起來，學著卡萊兒的動作，參與花園的工作。他好久沒有享受如此平靜、遠離苦惱的一刻。看著這個少女，心裡感到非常快樂，也忘卻了他的疑惑和痛苦。

小黑經過一陣溫柔的撫摸後，又回到樹蔭底下繼續睡覺。

「每個夜晚，」卡萊兒說道，「黑暗試著吞噬光明。因為光明勇敢地奮鬥，所以將黑暗打退。凝望著東山日出的人都會看到一棵碧綠的洋槐樹，它象徵著陽光再生的凱旋。每個人都可以看到這棵樹。若要欣賞它的美，只需懂得去看。每當我面臨困境的時候，就是這種想法帶領我走出困境。生命的美不在於我們，但我們卻可以去把握它。」

寡言很欣賞卡萊兒的一舉一動，她不疾不徐，卻很有效率，動作精準而優美。

可惜的是，園子裡的工作快要完成，他必須回城裡。

「我們去小水溝那兒洗個手吧。」她提議道。

土地測量員、灌溉專家和苦力都善盡其職，農田和花園分別被格子狀分佈的溝渠分隔開來。

寡言跪在卡萊兒的身旁，聞著她身上混合著茉莉與蓮花的香氣。正如他無法對自己說謊，他知道他無可救藥地愛上了她。

8

索貝克很討厭宴會的場合，但他不得不參加底比斯西岸警察每年一度的聖宴，而在宴會過程中會宣布人員的晉升、調動以及退休離職。大家趁這個機會殺幾條豬打打牙祭，並且盡情地喝首相請客的紅酒。

索貝克因位居要職而成為所有人注目的焦點。許多人雖然身為警察，好奇心仍然不減，他的同事們問他是否有發現真理村的一些祕密，當然也少不了開玩笑地問他是否和村子裡無法抗拒他魅力的女人發生親密關係。

索貝克只管吃喝，任由他們去說。

「聽說你很喜歡你的新職務。」勞役部的書記向他低聲說道，索貝克非常討厭他的眼紅。

「我沒什麼好抱怨的。」

「有人傳言說，警衛當中死了一個人……」

「一個新兵半夜跌到山谷裡。這個調查已經結案了。」

「可憐的小鬼……還沒有在底比斯享受過。家家有本難唸的經……至於我呢，則是一直抓不到一個農夫逃避勞役的兒子。」

「這種情形應該很常見。」

「你錯了，索貝克。大家都得參加勞役，如果逃避的話，會被處很重的刑罰。再加上這個小子雖然只有十六歲，卻身強力壯，逮捕他的時候應該有好戲可看。」

書記所描述的對象完全符合索貝克不久前關進牢裡的密探。

「這個小夥子有沒有犯下其他的罪行？」索貝克問道。

「阿當和他爸吵了一架，所以做父親的想要給他一點教訓，好讓他回到農場裡。問題是如果涉及潛逃罪……法庭可能會判很重的刑。」

「他的兄弟難道沒有透露給你一些管用的消息嗎？」

「阿當只有姐妹。」

「那就奇怪了……身為家中的獨子，不是可以免服勞役的嗎？」

「你說得對，我因此只好將訴訟法稍微改了一下，好讓他的父親達到目的。他是我的老朋友。誰沒幹過這種事？」

＊　＊　＊

關了幾天的黑牢，阿當的驕傲並沒有被磨去，他直挺挺地站在索貝克面前。

「怎麼樣，小子，決定向我說實話了嗎？」

「還是那些我說過的話。」

「論固執，你還真是箇中的佼佼者！要是平常的話，我早就用我的方式來盤問你了，不過你運氣很好，真的很好。」

「您終於相信我了？」

「我聽到一些關於你的事實：你名叫阿當，是個逃役者。」

「但是……這怎麼可能？我父親是個農夫，而我是他的獨子啊！」

「我也知道這個。你有麻煩了，小子，而且麻煩可大了。幸好這個負責勞役的書記不是我的朋友，你的罪案也不屬於我負責。我只有一句忠告：儘快離開這個地方，忘記這一切。」

＊　＊　＊

這個時間是工地休息的時候，如同往常一般，寡言吃完飯後離開小木屋和他的四個同事，一人獨處。他的同事有一個是敘利亞人，三個是埃及人。

「你們有沒有聽到一個最新的消息？」敘利亞人問道。

「我們會被加薪？」年紀最大，五十來歲，有個大啤酒肚的埃及人猜道。

「那個新來的送陶器去給老闆的女兒。」

「你在開玩笑！每次都是老闆親自送過去。沒有人可以接近他的女兒，因為她長得真是漂亮。二十三歲了，一直都還沒結婚。有人說她是個女巫，而且知道那些植物的祕密。」

「我一點都沒有開玩笑。真的是那個新來的把陶器送過去。」

「喔，這麼說來老闆是很喜歡他囉。」

「這個傢伙老是一言不發，他工作比我們來得快又好，而且會拍老闆的馬屁……老闆會提拔他做工頭，你們看著好了。」

啤酒肚的埃及人表示不滿。

「以年資來講，應該是我得到這個職位的。」

「你終於搞懂了！這個王八蛋準備從你手中搶走這個職位，將來是他下命令來指揮我們。」

「我們到時得跟著他的腳步……他鐵定會把我們給累垮的，我們可不能讓他得逞。你有什麼點子，敘利亞？」

「我們把他解決掉。」

「用什麼方法？」

「明天，等他在市集買完東西出來，我們會讓他明白的。」

寡言用模子把一百多塊的大磚塊做完，這些磚塊是要用在為一名軍人家眷所蓋的房子地基上。對真理村的工匠兒子而言，這種工作易如反掌。在他還是青少年的時候，寡言已開始玩著各式大小的石磚，到最後自己都有辦法做模子。

「你的技巧真的很特別。」老闆審視著說。

「我有一點天份而且肯花時間。」

「你知道的遠比你表現出來的還要多，對不對？」

「請不要這樣認為。」

「無所謂……對於我的提議你考慮得如何了？」

「請給我一點時間。」

「好的，我希望別人不會來把你拐走。」

「您放心。」

「我相信你。」

寡言猜想他老闆的策略是讓他見到他的女兒，自己被她所吸引，然後向她求婚，再來接受工頭的職位，最後成家立業。如此一來，他必須來管理這個家族企業。

老闆是一個老實人，他這樣做是為了女兒的幸福著想。寡言一點也不會怪他。這種手段本來是不會成功的，但寡言卻瘋狂地愛上了她。就算他未來的岳父給他規劃的將來似乎有點像監獄，而他原本也不會自投羅網，但他已無法想像沒有這位少女的生活。

幸好有她，她美麗的五官和她所散發出來的光芒，他沒有一頭栽進尼羅河來結束他流浪的日子。儘管如此，他會尊重她的感受，也不會強迫她結婚而只為了讓她父親高興。

如何向一位女性開口表達這種強烈的愛意，而她卻有可能會被嚇跑？寡言想著千百種理由，但這些理由看起來一個比一個可笑。他只好面對事實：把對她的愛深深埋藏在心裡，帶著一個不可能實現的美夢按照原訂計劃往北走。

寡言在老闆給他住的小房間裡了無睡意。他認為雖然自己做了正確的決定，卻仍然無法靜下心來。真理村的一切、永無止盡的路途、卡萊兒湛藍的眼睛、尼羅河的流水……所有的思緒都混淆在一起，如同喝醉一般。

為她生活、做她的僕人、一輩子永遠留在她身邊而不求回報……也許是一個辦法。但她也許會厭煩，最後結婚去了。屆時分開的痛苦會更加令人心碎。

寡言沒有別的選擇。

明天早上，他會把手上的工作完成，再到市集買東西，然後永遠離開底比斯。

9

阿當決定暫時離開西岸幾個星期，因此坐上渡船。但他仍舊不會忘記他的目的：說服一名真理村的工匠推薦他。在東岸停留了一個禮拜之後，阿當游過尼羅河，穿越最高的山丘，試著接近真理村。

渡船停泊在靠近河岸的一個市集，人們在那兒採購肉類、酒類、橄欖油、蔬菜、麵包、蛋糕、水果、香料、魚類、衣服和涼鞋。大部分的小販都是女人，也是使用磅秤的專家。她們舒適地靠坐在摺疊椅上，與上門的客戶激烈地討價還價，講到口乾舌燥的時候就用吸管喝一口啤酒。

阿當一看到這麼多的食物，突然感覺到飢腸轆轆。監牢裡的食物當然無法填飽肚子，他很想啃新鮮的洋蔥，配上一塊牛肉乾，再來一塊鬆軟的蛋糕。不過要用什麼來交換呢？他身上沒有任何東西可以讓他交換食物。

看來他只有偷偷摸摸地去偷麵包店裡的長麵包，而且要小心翼翼地避開狒狒警察，這種猴子受過特別的訓練，知道怎麼追捕小偷，同時會緊咬住他們的小腿防止逃跑。

一名寡婦想要用一疋布來交換一袋小麥，但是老闆覺得布料太普通；兩人開始爭論起來，看來還有得吵。一個胸前抱著小孩，有著褐色頭髮的美麗婦人希望用新鮮的魚來交換一個小水罐；一旁賣韭蔥的小販拚命地吹噓他的蔬菜是最好的。

阿當溜入人群之中，想要從後面靠近那些店鋪，他準備利用糕餅店老闆娘不注意的時候下手；但是有一隻狒狒警察正坐在老闆的後面，監視著來往看熱鬧的人。

「你高興，我也高興！」香水店老闆向一名剛換得一整罐沒藥（※註：沒藥，橄欖科密兒拉屬。

樹脂黏而有香味，多產於印度、阿拉伯及東非洲等地。可供做藥劑及香料。）的貴族總管稱道。阿當無法騙過那隻齜牙裂嘴的猴子，寧可離牠遠一點兒。餓得前胸貼後背的阿當只好隨著一名年輕人走出市集，這名年輕人年紀比他稍長，體格不如他來得健壯。他手中的袋子裝滿了青菜和水果。

有三個人腳步急促地跟在年輕人的後頭，阿當覺得有點奇怪，便跟了上去。

到了小路的盡頭，那三個壞蛋一齊朝他們的獵物撲上去。敘利亞人猛擊寡言的腰部，另外兩個則扣住他的手臂，硬把他面朝下壓倒在地上。

敘利亞人一腳踩在被害人的頸子上。

「我們要好好教訓你一頓，然後給我們滾出這個地方，這裡用不著你。」

寡言想要翻過身，但他的肋骨被狠狠踢了一腳，痛得他大叫一聲。

「如果你反抗，我們就揍得更兇。」

「你們這些膽小鬼，有種就來跟我打。」阿當挑釁著。

他衝向敘利亞人，一把抓住他的脖子丟向牆壁。另外兩個同夥試圖捶向阿當，他捉住第一個擋在前面，防止另一個的攻擊，馬上又在他的肚子上補上一拳。

寡言嘗試要站起來，卻感到眼冒金星，跌跪在地上。阿當用雙拳將敘利亞人打昏，另外兩個一路逃跑，而被兩名警察攔截下來，一隻狒狒對他們咧出尖尖的利牙。

「全部都不許動！」其中一名警察喝令道。「你們全部都被逮捕了。」

寡言醒過來的時候，太陽早已高掛在天空。他趴在一張窄床上，雙臂垂在兩側，腰部傳來一陣熱熱的、舒暢的感覺。

一隻非常柔細的手將藥膏塗抹在疼痛的地方。突然間，寡言意識到他一絲不掛，而卡萊兒正在幫他按摩。

「請不要動。」她要求著。「為了達到效果，必須讓藥膏均勻滲入挫傷的地方。」

「我在什麼地方？」

「我父親家。您被三個工人攻擊，昏迷了過去。這些壞人已被捉住關起來，是別人把您帶來這裡。您已睡了二十幾個小時，因為我讓您喝下有鎮痛作用的熱湯。至於這個藥膏，它是用天仙子、青芹、沒藥所製成，擦了之後，您的傷口很快就會癒合。」

「我記得有一個人來救我……」

「一個年輕人，他也被關了。」

「這不公平！他為我冒生命的危險，而他卻……」

「根據警察的說法是他有違法的事情。」

「我得起來去為他作證。」

「明天就會在首相的法庭開庭審理。我父親已提出訴訟，因為案子很嚴重，所以立即接受審理。您現在當務之急就是趕快恢復健康。請您把身體轉過來。」

「但是我……」

「我們都已過了害羞的年紀了。」

寡言閉上眼睛。卡萊兒在他的額頭、左肩和右膝蓋塗上藥膏。

「攻擊我的人希望我離開這裡。」

「您不用再擔心，他們將會被判很重的刑，我父親會再雇用其他的工人。他現在比以前更希望您能夠接受工頭這個職位。」

「我怕自己人緣不夠好。」

「我父親非常欣賞您的才幹。他不知道您在真理村受過訓諫，我也沒有出賣您的祕密。」

「謝謝您，卡萊兒。」

「我有一個請求……一旦您下了決定之後，我希望是第一個知道結果的人。」

她用一塊亞麻布將傷口包紮起來，亞麻布飄著底比斯鄉間清新的氣味。

寡言坐起身。

「卡萊兒，我想告訴您一件事……」

她用湛藍而澄澈的雙眼溫柔地望著他，而他卻不敢握她的手，也不敢將他的感情表達出來。

「我一直都是在能力比我好的人手下工作，我也知道自己無法安排別人的工作……這是我的個性。」

「也就是說您會拒絕？」

「我應該思考如何幫助救我的那個男孩。沒有他，我也許已經不在了。」

「您講的有道理。」她用非常悲傷的語氣承認道。「應該要以他為優先。」

「卡萊兒……」

「對不起，我有很多工作要做。」

無法猜透她的心思，她輕輕地走出了房間。

寡言很想留住她，告訴她他是多麼愚蠢，不知道如何對她敞開心房。而剛剛才關上的門，也許永遠不會再度開啟了。他實在應該把卡萊兒抱在懷裡親吻，但他太尊敬她了。

藥膏很快就發揮了作用，慢慢地，痛楚消失了。但他很遺憾那些攻擊他的人沒有把他給殺了。活在世界上有什麼意義？反正他沒有聽到神的召喚，而且他也不會和他心愛的人結婚。

等到他的救命恩人一判決無罪，寡言就立即離開。

10

首相所派遣主持當日法庭審問的法官是一名年紀很大，而且很有經驗的人。他身上穿著一件寬大的袍子，兩條肩帶在脖子後面打一個結，金色的項鍊掛有一個瑪亞特女神的墜子。

瑪亞特女神端坐著，手上握著生命之鑰。祂頭頂上有一根羽毛，帶領鳥兒飛向正確的方向。女神同時代表正義、真理與秩序，所以是法庭上真正的主宰。

在法官的腳邊放著一塊布，上面有四十根指揮棒，象徵著一個真正的法治國家。

「在瑪亞特女神的保護下，以法老之名，」法官宣布著。「今日的審問正式開始。願真理如鼻孔所呼吸的氣息，將體內的邪惡趕走。我將公正地對待貧人和富人，也將保護弱小不受強權欺侮，同時將每個人與邪惡的暴力隔開。把昨天在市集巷子裡打架的嫌犯押上來。」

敘利亞人和另外兩個共犯沒有否認事實，並且乞求法庭的寬恕。由一名女商人、一名織布工、一名翻譯以及一名後備軍人所組成的陪審團，判決這三名服五年的公共勞役。如果再犯，則刑期加重三倍。

當阿當被帶到法官面前時，他不肯低下頭。儘管法庭的氣氛很莊嚴、陪審團的表情很嚴肅，阿當皆不為所動。

「你名叫阿當，而且自稱救了被害人。」

「這是事實。」

警察證實了阿當的話，接著寡言也出面作證。

「我背部受到攻擊，他們將我面朝下強壓在地面上，我完全無法抵抗。如果沒有這位年輕人前來救我，我很有可能會被殺了。他一個人對付三個，需要有很大的勇氣。」

「本庭同意上述說詞，」法官附和道，「但在場的書記申訴阿當犯下逃役罪行。」

坐在第一排的書記露出滿意的笑容。

「阿當義勇的行為值得陪審團網開一面。」寡言求情道。「難道不能原諒他因為年輕而犯下的錯誤嗎？」

「法律就是法律，而且勞役本身是為了集體的利益著想。」

索貝克走上前。

「身為真理村的安全警察隊隊長，我同意寡言的看法。」

法官皺起眉頭。

「您用什麼理由來干涉這次的審問？」

「用我們所有人對瑪亞特女神所秉持對法律的尊重。阿當既然是一名農夫的獨子，自然可以免除勞役。」

「書記的報告並沒有提到這很重要的一點。」法官察覺道。

「因此這份文件有作假的行為，作者應受到嚴格的懲罰。」

書記開始笑不出來。

阿當驚訝地看著索貝克。他做夢也不會想到這名警察會來幫助他。

「立即逮捕這名不實的書記，」法官下令道。「而且當庭開釋阿當。」

寡言幾乎沒有聽見這個裁決，因為有很長一段時刻，他的眼睛一直注視著法官胸前的瑪亞特雕像墜子。

瑪亞特女神的所在處就是真理村。此地最能象徵正義，而它的祕密是由金坊工匠的一切動作來揭露。在此之前寡言一直都沒有理解這個道理。

望著女神，他的心靈終於開啟。

女神的雕像愈來愈大，大到無限，充滿了整個法庭的大廳，甚至穿透屋頂達到天空。瑪亞特比人類更寬廣，祂能擴散到宇宙之中，而且祂的生命來自光明。

寡言又看到真理村的房子、工作坊和神廟。他聽到了召喚，瑪亞特的聲音告訴他回到真理村，完成他被賦予的任務。

「我不會再說第二遍，」法官生氣地說道。「寡言，我問您是否滿意。您有沒有聽見？」

「有，當然有啊，我聽見了！」

寡言慢慢地步出法庭，望著西峰——真理村的守護者。

「我想跟你說話，」阿當向他說，「但你看起來實在很奇怪。」

寡言腦海裡仍縈繞著神的召喚，幾乎認不出他的救命恩人。

「原諒我，我一直想向你道謝。如果我還活著，是多虧你救了我。」

「嘿！我喜歡多管閒事。」

「你喜歡打架嗎，阿當？」

「在鄉下要懂得自我防衛。有時候只要講話的音量一提高，人們就為了芝麻小事打了起來。」

「你住那裡？」

「西岸，不過我已永遠離開我家的農場了。我渴死了，你不會嗎？」

「請你喝杯麥酒是我最起碼該做的事。」

寡言取來一甕麥酒，兩人於是坐在尼羅河畔的一棵棕櫚樹蔭底下。

「你為什麼離開家庭？」

「因為我不想繼承父親的衣缽，當一名農夫。」

「那你對未來有什麼打算？」

「我只有一個興趣：作畫。只有一個地方可以讓我發揮我的才能，同時學到我所欠缺的，那就是真理村。我曾經試過走近它，希望可以潛入這個地方，但似乎是不可能的事。不過，我卻沒有放棄我的目標……它是我唯一活著的目的。」

「你還很年輕，可以改變你的想法。」

「肯定不會的！打從我小時候開始，我一直觀察大自然、動物、農人、書記……而且我畫他們。你要不要我畫給你看？」

「當然好啊。」

阿當把一根乾枯的棕櫚枝葉末端折斷，在地上仔細地畫出法官的長相、他的項鍊和瑪亞特女神的雕像。

這是阿當第一次感到緊張。他平常對自己的才能很有自信，所以不在乎別人的批評。這一次，他焦慮地等待著這個年紀比他大、冷靜而又沉著的朋友給他評語。

寡言一點都不急。

「算是很成功。」他下評論。「你天生對比例很有概念，而且畫得也很準確。」

「那麼……你覺得我的確有天份？」

「我想是。」

「太美妙了！我是個自由的人，而且我會畫畫！」

「你還是有很多東西要學習。」

「我不需要任何人教我！」阿當說道。「到目前為止，我都是自己一個人摸索，將來也一樣。」

「既然如此，為什麼你想加入真理村的行會？」

這相互矛盾的想法像鞭子似地抽在這個業餘藝術家的身上。

「因為……因為行會可以讓我整天畫畫和彩繪，而不需要做其他的事情。」

「你想行會會需要你嗎？」

「我會向行會證明我是最優秀的！」

「誇大肯定不是進入真理村最好的辦法。」

「這不是誇大，而是比火還要熾熱的欲望！我知道我應該要去那裡，也一定會去，不管有任何的阻礙。」

「光有熱情可能還不夠。」

阿當抬頭望向天際。

「這不只是熱情，而是我聽見的一個召喚，一個如此強烈、無可抗拒的召喚，我不得不順從它。真理村是我真正的故鄉，是我應該在那裡生活的地方，而不是別處……總之你不會了解的。」

「我想我可以了解。」

阿當睜大了眼睛，充滿驚訝。

「你之所以這樣說是基於同情，但是你會控制自己的感情，你太冷靜而無法了解我的熱情。」

「真理村，」寡言說出真相，「它是我的故鄉。」

11

阿當如此猛烈地抓住寡言的肩膀，讓寡言以為自己快要被捏碎了。

「這不是真的，不可能的……你在開我玩笑！」

「等你認識我較久以後，你就會知道我不會騙人。」

「這麼說……你應該知道怎麼進入真理村！」

「遠比你想像中的還要困難。若要招募一名新的工匠，必須要獲得行會全體會員、法老以及首相的同意。而且會優先考慮雕塑匠或工匠的家族。」

「難道從來不用外面的人嗎？」

「只有在建廟的工地中，比如說像卡納克，被觀察了很久的人才有機會加入。」

「你想讓我了解我是一點機會都沒有……但我絕對不會放棄。」

「申請加入真理村需要通過評審庭的考試，不過還有其他的條件，首先不能有債務、要擁有一個皮囊、一把摺疊椅，還有用來製作扶手椅的木頭。」

「這可要一筆數目！」

「大概相當於一個新手七個月的薪水，是為了要證明他有本事工作。」

「我是一個畫家，不是木匠！」

「真理村有它的規定，不是你可以改變的。」

「還有其他的條件嗎？」

「你已知道全部。」

「你呢，為什麼你離開了真理村？」

「每個人都可以自由出去，如果他願意……而我，我不算真正的進入。」

「你的意思是？」

「我在真理村長大，遇見過許多非常優秀的人物，我的家人希望我成為雕塑匠。」

「你拒絕了嗎？」

「不是，」寡言回答，「我並不想作弊。我已具備了一切必要條件，也希望在那兒繼續生活，但是我缺少最重要的一項：我沒有聽見神的召喚。也因此我決定四處旅行，希望終於有一天會聽見。」

「那麼……你聽見了嗎？」

「經過了這些年的流浪，就是今天，在法庭上我聽見了。我欠你很多，阿當，真的不知道如何感謝你。在小路上，如果沒有你拔刀相助，我也不會到法官面前作證，也不會聽見召喚。很不幸的，我不能幫你的忙。每個申請者都要自己想辦法。如果受到別人幫助，他的資格就會被取消。」

「而你……你確定會被接受嗎？」

「一點都不確定。認識我的人也許會為我說情，可是恐怕還不夠。」

「告訴我你所知道關於真理村的一切。」阿當要求道。

「對我而言，它和其他一般的村子沒有兩樣。我並不知道它任何的祕密。」

「你何時會回去？」

「就是明天。」

「可是……皮囊、摺疊椅和木頭呢？」

「我全都交給一個人為我保藏。」

「你應該不需要任何的通行證吧！」

「這倒是真的，我被允許通過五道關卡，可以直接找評審庭。不過也僅止於此。」

「你已經是一個成熟的人，你看起來和石頭一樣很有耐心，和高山一樣寧靜……行會應該會欣賞像你這樣、有這種個性的人。」

「最重要的是聽見神的召喚，而且說服評審庭我已聽見召喚。」

「如果是這樣，我會成功的。」

寡言將手放在阿當的肩膀上。

「我誠心地祝福你。儘管命運安排我們分手，我不會忘記欠你的一份情。」

多虧載陶器的這頭驢子，寡言得以找到卡萊兒的花園。南風吹起，尼羅河上波濤洶湧，沙子也不斷地吹打牲口、人們和房屋。

寡言將驢子牽進已經有兩頭乳牛的牲畜棚，然後折回小徑。他既平靜又苦惱。平靜的是因為聽見了神的召喚，帶給他無法想像的力量，如同他決定要通過真理村的大門和探索它的祕密；苦惱的是如果他說服了評審庭，他將永遠失去他所愛的女人。

經過了狂風吹掃，花園裡空無一人。寡言滿懷感觸地望著他和卡萊兒兩人親手種植的花木。他多麼希望能和卡萊兒一起看著它們茁壯、開花到結果。但真理村瑪亞特女神的召喚讓他無法抗拒，他只有一個選擇：重新回到失去的故鄉，揭開它的神祕。

忘卻過去幾年的空白和迷惑，寡言的感覺就像度過了漫長的一夜，而且原以為自己走不出來。面對光輝的未來，他決定不能讓它失敗。

「您找我嗎？」

卡萊兒出現在眼前，身上披了一條羊毛披肩，神情有點煩憂。

「我剛剛在小木屋裡，」她解釋著。「我一直期待你的到來。」

「您希望第一個知道我所做的決定，所以我來實現我的承諾。」

「您決定拒絕工頭這個職位，對不對？」

「對，可是是為了一個很特殊的原因，因此我想告訴您。」

卡萊兒深藍色的眼睛充滿了悲傷。

「我想不需要了……」

「求求您聽我說！」

他走近她，卡萊兒沒有避開。

「我可不可以……將您擁在懷中？」

卡萊兒沒有回答，靜靜地站著不動。寡言溫柔地把她擁入懷裡，似乎深怕她會碎裂。他感覺到彼此的心跳加速。

「我愛您至靈魂深處，卡萊兒，您是我生命中的第一個女人，也會是最後一個。但也正因為我深愛著您，所以不願讓您受苦。」

她渾然忘我地依偎著他，享受這片刻的幸福。

「你怎麼能夠讓我受苦，寡言？」

「我聽見了真理村的召喚，而且我必須要回應。如果委員會拒絕了我，我將會崩潰而無法生活下去。如果我被接受，我將在工匠村裡生活，遠離世俗。」

「你的決定不會有所改變？」

「我已聽見神的召喚，卡萊兒，它的力量和我對妳的愛一樣的強烈。如果可以忘記它，我會這樣做。但我不想矇騙妳，也不想欺騙我自己。」

「你會和村子裡的女人結婚嗎？」

「我會一輩子不結婚，也將會在我的單身房子裡每天思念著妳。」

「你會封閉自己嗎？」

「我可以偶爾離開真理村來看妳，但這對我們倆不都是一種折磨？」

「吻我。」

兩人的身體熱情又溫柔地依偎在一起。他們徜徉在角豆樹下相互擁抱著，濃密的枝葉為這對情人抵擋北風的吹襲。

他們互訴衷曲，沐浴在若隱若現的陽光底下，小黑則在一旁盡責地守護著這對愛侶。

12

阿當有三種選擇來獲得他所需要的摺疊椅、木頭和皮囊。第一，用買的，不過他卻沒有任何東西可以作為交換；第二，向他父親開口要求，但他不會再見到這個人，因為他對父親已沒有任何的感情存在。第三，冒著被捕的危險用偷的。可是萬一被關到牢裡，他就永遠也進不了真理村。再說，如果真理村的工匠問他如何得到這三種東西，他只好撒謊。一旦謊言被拆穿，真理村的大門將永遠對他關閉。

只有一條出路：阿當必須以工作的方式來得到他所需要的東西。七個月的工作時間……實在太長了！他寧可少睡一點來縮短這個時間，以便早日申請加入行會。

阿當看到一個老頭子坐在一張板凳上打盹。

「對不起吵醒你，老爺爺……請問你皮匠區怎麼走？」

「你去那裡做什麼，小夥子？」

「去找工作。」

「那不是一個好玩的工作……你為什麼要到那裡找工作？」

「這你管不著。」

「隨你便，小子……往北走，出了城，左邊有小棕樹林，接著一直往前走，就會聞到味道，你跟著味道走就對了。」

阿當照著老頭的指示，很快就找到了皮匠區。那些用來鞣皮、裝在大桶裡的尿液、肥料及鞣料發出一陣陣嗆鼻的味道。倉庫裡堆放了許多羊皮、山羊皮、牛皮以及羚羊皮等各種沙漠動物的皮。

攤子上擺滿了準備賣給市場的腰帶、皮帶、涼鞋和皮囊。

阿當的眼光固定在一個很漂亮的皮囊上。

「你需要什麼東西嗎？」一個五十來歲、滿臉鬍渣的男子問他。

「工作。」

「你有沒有經驗？」

「我本來是農夫。」

「你為什麼離開了農地？」

「這是我的問題。」

「你可不怎麼友善喔！」

「您是不是老闆？」

「可以算是……我一點也不喜歡你盯著我的皮袋看。依我看，你不是來找工作，而是想趁機偷我的東西。」

阿當露出微笑。

「您誤會了……很不幸地我沒有其他的選擇，只好來為您工作。」

「我給你一個更好的差事。」

皮匠做了一個手勢。

兩名工人原本在工作坊用鹽巴與油鞣皮，這時走了出來。他們倆個子不高，肩膀很寬。

「你們倆給我教訓一下這個臭小子……我不相信他敢去告狀，以後也不敢想來偷我們的東西了。」

這兩名滿臉橫肉的工人嘿嘿地奸笑著。但還來不及高興老闆給的這個樂子，阿當早已撲向第一個，並朝他的下巴猛踢一腳，對方立刻倒在地上不省人事。他的同事傻了眼，想要反擊卻動作太慢，拳頭落了空。阿當毫不含糊地一拳擊中對手的脖子，他當場倒下昏死過去。

老闆臉色發白，一路退到角落的攤子上。

「要什麼儘管拿，然後請你走開！」

「我只想要工作換取一個漂亮的皮袋，之後我就走人。」

「你喜歡的這只皮袋是個上等貨……我建議你一個較便宜的。」

「我寧可要上等貨。一個條件，老闆：我不要休假，不要有工作時數限制。我沒有時間可以浪費，只想快點得到這只皮囊。我東西放那裡？」

「跟我來……」

皮匠對阿當的工作能力感到極度驚訝。他從不喊累、天剛亮就起床、不曾有過任何抱怨，而且一個人做好幾個學徒的工作。他很快就找到竅門，有效率地將攤在三腳架上的皮革拉長和鞣皮。

由於阿當的學習能力很好，因此老闆便傳授他如何給一張上等皮潤滑、上油，以避免嚴重的水分流失。

一個晚上，老闆等到所有的工人都走了之後，便找阿當說話。

「你不太和其他的同事來往。」

「井水不犯河水。我不想留在這兒一輩子，也不想交朋友。」

「也許你錯了……這個行業沒有你想像的那麼低賤。你看這個……」

「這是洋槐樹的莢果。」

「它們的鞣質含量很高，洋槐樹皮也一樣。這種產品對鞣皮的工作幫助很大，好的皮件更是不可或缺。比方說，一個好的皮件，甚至是……」

「我只對皮袋有興趣。」

「有人向我訂一個皮套，用來給卡納克神廟的官員裝文件。我要親手做這個小小的神聖物品……如果你喜歡，我另外給你做個一模一樣的來付你的薪水。」

「再加上原先的那個皮袋？」

「當然啦。」

「您為什麼要做這樣的提議？」

「如果你這麼想要這只皮袋，是為了要給某人炫耀。再加上這個皮套，你一定可以達到目的。而且你讓我很意外。我還沒有碰到過像你這樣的人。假使你做我的助手，一定前途看好。我只有女兒沒有兒子，我得有人繼承我的事業。」

「我只對皮袋感興趣。如果加上皮套，我也不反對。至於其他，我不會待在這裡發霉。」

「你會改變主意的。」

「別抱太大的希望。」

「看著好了，小子，我們等著看……」

阿當一天只需要三到四個小時的睡眠。他總是第一個到達工作坊，也是最後一個離開，晚上睡在一間自己用蘆竹搭蓋的小屋裡。天氣逐漸轉熱，他只用老闆給他的一件粗麻蓋被，阿當很能夠忍受這些很差的生活條件。

當他回到小屋時，天早已暗了。突然，他察覺有人在屋子裡。

「是誰在這裡？」

被子底下一陣蠕動。

阿當掀開被子，發現有個女孩，她手腳笨拙地遮掩下體和胸部。她長得不美也不醜，大約二十來歲。

「妳是誰？」

「我是你老闆的表妹……我在工作坊注意到你。我很喜歡你，所以不想再繼續等下去。」

「妳說的對，我的寶貝。」

她躺著伸出雙臂抱住阿當，他脫下了腰布。

「我已經開始有需要，」他坦承道。「而妳來得正是時候。」

她迎接這個強壯的身體，伴隨著一陣呻吟。

一份好的工作、一個光明的前景、一個待他不錯的老闆、一個體貼又開放的情人……阿當夫復何求？

13

當寡言告訴卡萊兒父親他準備離去時，卡萊兒的父親感到非常生氣，並且威脅他如果不把房子蓋完，便要到法庭告他。

寡言不想逃避他的義務，於是答應老闆在未完成道義上的責任之前，不會離開底比斯。

老闆冷靜下來之後，便請寡言坐下。

「請原諒我發脾氣。」

「您沒有錯，就算我得獨自負責工地，我也會把工作如期完成。」

「為什麼你拒絕當工頭和娶我的女兒？」

「她沒有告訴您嗎？」

「沒有，但我知道她很傷心。除了你之外還會有什麼原因？」

「這是真的，我很喜歡您的女兒。」

「那我真的不懂了！如果是她拒絕你，讓我來說服她。」

「您認為她如此聽話嗎？」

「她不得不聽！」

「請不要折磨她了，我的決定是不會有所改變的。」

「為什麼這麼堅決？」

「因為我想進入真理村的行會。」

「但……這是不可能的事呀！你有什麼背景？」

「我在工匠村裡長大。」

「原來如此……這也就是為什麼你工作方式跟別人不同！我猜再怎麼和你爭論也不會改變你的決心。」

「的確不會。」

「我也很傷心……我們三個人原本可以快快樂樂過日子的。把這個房子蓋完，你就可以走了。」

* * *

平常需要三個月才做得完的工作，阿當用不到十五天的時間就已完成。他鞣皮的功夫無人能出其右，而且他做的東西不但賣得最多，價格也賣得最好。細心的阿當會在鞣皮之前花上很多的功夫把皮刮平，他天生就有追求品質的特性，他剛剛完成的一雙涼鞋也只有一個大地主才能買得起。

阿當用皮刀把柔軟的山羊皮割成條狀，準備用來貼在一名車騎中校所訂製的盾牌上。

「你就是那個新來的？」

一個刺耳而且不客氣的聲音在耳邊響起。阿當並未轉過身，繼續專注於他的工作。

「莫希中校正在跟你講話呢，他不喜歡人家背對著他。」

「我不負責接待客人……請您去找老闆。」

「我是對你感興趣。聽說你壯得跟一頭牛一樣，而且你把兩個擅長打架的壯漢給撂倒在地上。」

「我沒花什麼力氣……是他們兩人自己互相撞倒。」

莫希一把抓住阿當強迫他看著自己。

「我討厭人家把我當傻瓜，小子！」

「請立刻把手放開。」

阿當褐色的眼睛露出強烈的怒火，讓莫希立即鬆了手，不自覺地倒退一步。眼前的這個男人個子矮小、圓臉、頭髮很黑且貼在頭上，厚厚的嘴唇、四肢圓滾、胸膛又寬又厚。這個軍官看起來很有自信，而且深褐色的眼睛充滿了驕傲和自大。

「你敢對我動粗？」

「我請您對我尊重一點。」

「沒問題，小夥子，我的盾牌好了嗎？」

「我正在處理。」

「給我看。」

阿當照著做了。

「還要加上一些釘子和鐵片。我要有一個非常堅固的盾牌，讓所有最好的軍人都要眼紅。」

「我盡量。」

「你想不想辭掉這個工作投入軍隊？依你這種體格，一定馬上被錄取。」

「我對軍人生活一點兒也不感興趣。」

「你錯了，它有許多數不清的好處。」

「對你很好，對我很少。」

「朋友，你還年輕而且性子太烈！如果你在我的隊上，我會讓你軟化的。」

「軟化正是我對獸皮所做的工作。」

「你假使夠聰明的話，就應該來底比斯最大的軍營，告訴他們是莫希中校薦舉你。現在先把我的盾牌儘快弄好。我明天會派士兵過來拿。」

莫希一走，老闆就出現在工作間。

「有沒有事，阿當？」

「我們不可能成為朋友的。」

「這個莫希有點來頭……他很有野心，有人說他很快就要晉升重要官位了。他的盾牌做完了嗎？」

「如果您希望的話，我可以在半夜就把它完成。」

「最好不要惹莫希生氣。」

「明天晚上我將會做完所有應該支付皮袋的工作。」

「我知道，我知道……我們明天再討論。」

阿當醒來的時候，老闆的表妹正趴睡著。他欣賞了一會兒讓他多次達到快感的誘人臀部，但沒多久，他的眼光立即被清晨的第一道曙光所吸引。陽光透過蘆竹牆，照耀著兩件物品：一只皮袋和一個皮套。

阿當起身撫摸它們，它們具有最上乘的質地。

「你喜歡它們，對不對？」半睡半醒的表妹用略帶刺耳的聲音問他。

「兩件小小的傑作。」

「就像我的胸部嗎？」

「隨妳高興。」

「老闆送給你的。」

「錯了，小姐，我是用工作來賺取的。」

「我們什麼時候結婚？」

「妳想嗎？」

「當然啦，因為皮革廠遲早是你的。」

阿當一巴掌打在她的屁股上。「今天又是美好的開始！」

「快去見老闆，再快快回來見我。」她用挑逗的口氣乞求他。

* * *

寡言在晨曦中離開了工地。他剛結束房子的工作，這棟房子準備給一名糕餅店老闆和他的第二任太太跟兩個小孩一起住。他已履行了他的合約，可以離開東岸，坐上渡船回真理村。

這次，他原想儘快到花園見卡萊兒最後一面。可是這樣做何嘗不是加深彼此分別的傷痛？

寡言一直埋首於工作中，讓自己不要去想她，但她的倩影不斷地出現在腦海中。他強迫自己不再和她說話幾乎是無法克服的困難，該是離開城裡的時候了。如果多留幾天，他或許不再有勇氣離開。

清晨的微風帶有一股淡淡的清香和甜美。滿載貨物的渡船利用風力和水流斜向地前進著。睡眼惺忪的旅客結束了他們的夜晚，開始了新的一天。

寡言第一個跳上河畔，當他爬上斜坡時，卻愣在原地不動。

卡萊兒就在那裡，坐在一棵棕櫚樹下。

他急急忙忙地向她跑過去，伸出手幫她站起來。

「我跟你一起走。」她說道。

14

皮匠丟下正在啃的一塊麵包，匆忙往阿當的方向跑過去。

「你去那裡？」

「我已做完了工作，你也付了我錢，所以我要走了。」

「簡直是莫名其妙！你難道不喜歡我表妹嗎？」

「她胸大無腦。」

「你不想繼承我的事業嗎？」

「依你的年紀，聽力應該還沒有問題才對。我已得到我所要的東西，如同我原先告訴你的，我要重新上路了。」

「考慮一下吧，阿當！」

「永別了，老闆。」

他將皮革一事拋在腦後，開始計劃如何獲得製造扶手椅的木頭。他大可用皮套來換取木頭，但卻捨不得。說不定它是申請進入真理村的另一個王牌。

現在他所應該做的是找到一個木匠給他工作，而不是留在皮匠那裡浪費時間。

上午過了一半，阿當已來到了一家木工店。店裡有二十幾個學徒和二十幾名經驗豐富的師傅，正在製造一些簡單但很堅固的家具。老闆是個六十來歲的人，身體粗壯、上唇露在小鬍子外面，看起來不是很友善。

「叫什麼名字？」

「阿當。」

「有沒有工作經驗？」

「我當過農夫和皮匠。」

「被炒魷魚了？」

「不是，是我自己決定要走的。」

「為什麼？」

「這跟您無關。」

「當然跟我有關，小子。如果你不回答，那就另謀高就吧。」

阿當喜歡他這種咄咄逼人的語氣，興起了鬥嘴的念頭。

「我父親是個保守而軟弱的人，我之前的皮革店老闆是個投機取巧的井底之蛙。我原本可以繼承前者或後者的事業，不過我卻想找一個更好的師傅。」

「你年紀多大？」

「十六歲。不過因為我的體格，看起來比實際年齡還要成熟。您決定用我了還是我去找別人？」

「你真正要的是什麼？」

「用最少的工作天數去換取製作扶手椅的木頭，加上一把木頭摺疊椅。」

「你可知道它們的代價？」

「對一個不願花力氣的懶人要五個月。對我則不超過一個月。」

「你難道從不睡覺？」

「盡可能少睡，如果我有工作要完成的話。」

「然後呢？」

「一旦我獲得想要的東西，我就走人。」

「你不想真正投入這個行業嗎？」

「我沒有其他好說的了。現在看您的意思。」

「你真是個有意思的年輕人。在這裡，我是老大，而且我不喜歡強出頭的人。假如你可以聽話，我們不妨試一試。」

「我可不可以馬上開始工作？」

「既然你想要的是木頭，那麼就從砍柴開始。我的樵夫會教你如何使用一把斧頭。」

* * *

卡萊兒和寡言沿著麥田、經過棕櫚樹與梧桐樹慢慢地朝真理村的方向前進。

「真理村不是一個普通的村子，」他向卡萊兒解釋著。「他們不會讓你進入的。」

「除非我們共同生活在同一個屋簷底下，成為一對夫妻。」

他停下來把她抱在懷裡。

「妳願意嗎……妳真的希望嗎？」

「你有所懷疑？」

空氣前所未有地怡人、天空如此湛藍、陽光如此燦爛。但寡言知道這種幸福不會持久。

「別的女人會讓你過得不快樂，最後離她們而去。我會試著幫助你進入行會，說服他們妳不只是我的妻子，對真理村的工作也會有所貢獻，但……」

「不需要這樣做。」

他要卡萊兒放棄，是不是她的願望不切實際？

「是不需要這樣做，」她平靜而堅定地重覆著他的話。「因為我也聽見了神的召喚。」

「她用什麼樣的方式？」

「當我凝望著沉默之神所在的西峰時。祂是不是保護著所有的法老和王后永垂不朽的靈魂所居住的谷地？祂會不會是真理村工匠的祕密主宰？祂的聲音透過風聲傳來，擴大了我的心靈。現在，我知道我會終其一生去探索、去了解、並且去服侍祂。只有一個地方能夠讓我完成這個任務。」

「我會用全力來幫助妳，卡萊兒，沒有妳我不會獨自一人進入村子的大門。」

兩人手握著手，眼光凝視著西峰。他們繼續地朝真理村走去。愛情讓他們結合在一起，從此永不分離。他們希望共同生活，不管是精神上的或是物質上的，都能夠同甘共苦。就算要經過許多的考驗，他們既不會抱怨、也不會後悔，儘管面臨失敗的威脅，他們也絕不退縮。

通往村子的路有兩條。第一條接近拉美西斯大帝的百萬神廟，但是有衛兵二十四小時管制，只允許真理村的工匠通過。第二條是唯一一條准許申請進入真理村的人通過。

卡萊兒和寡言繼續往前走，在他們的右邊是阿孟霍特普神殿，左邊則是傑梅山丘。阿孟霍特普的父親是阿孟霍特普三世法老的大臣、著名的智者哈布。傑梅山丘則是原神的墓地。他們離開了農地，進入沙漠。

五座堡壘的第一座即為聖地的界線。這個聖地隸屬於「底比斯西方百萬年偉大陵墓」組織，簡稱為「大陵墓」。此一組織由負責建造和裝飾法老及皇后陵墓的工匠所組成，除了真理村以外，其領土包含國王與皇后兩個谷地。

卡萊兒知道自己正走向另一個未知的世界，它近在咫尺卻又如此遙遠。這個世界的人們仍然會愛、會痛苦、也會與日常生活奮鬥，只是他們的工作是用平凡無奇的物質將永恒具體化。

自從聽見神的召喚之後，卡萊兒用全然不同的方式來感受寡言。他全身所湧現的創作欲望令她著迷，不過他仍然需要那些不可或缺的工具來實現它。

警衛還是一如往常地不友善。

「兩位的通行證。」

「我們沒有通行證。」

「那麼回去你們原來的地方。」

「我名叫寡言，是納布師的兒子，他是真理村的工匠首長。請叫人通知我父親我已結束了旅行，想要和我的妻子進入村子。」

警衛將這個情況傳達給他的同事，再由他的同事傳達給第二道關卡，如此繼續下去一直傳到索貝克的辦公室。他下命令准許這對夫妻通過「五道牆」來到他面前。

從他懷有敵意的眼光裡，卡萊兒和寡言感覺到他們離成功的路還有一段距離。

「你們的說辭讓我覺得很可疑，」索貝克用傲慢的口氣說道。「如果你們敢騙我，你們將會付出很高的代價。」

15

隊長索貝克並沒有請來人坐下。他一夜沒睡好，所吃的蠶豆加料晚餐也尚未消化，他咒罵著天氣的悶熱，也受不了別人跟他作對。

「您應該認識工匠首長納布師的。」寡言平靜地問道。

「你當我是個白痴啊？我不認識的是你！而且納布師根本就沒有兒子。」

「以世俗的字眼而言完全正確。」

「你在鬼扯些什麼……」

「我的雙親已過世，納布師收養了我。在真理村的工匠眼中，我是他的兒子。因為您剛上任不久，所以這是您第一次聽到我的名字。」

索貝克用手掌拍著額頭。

「老是這些故事，老是這些神祕的事情……你教我怎麼去查證？我又不能進入村子！」

「請讓我和大門的守衛說話。他會通知我父親的。」

「可以接受……而這一位又是誰？」

「卡萊兒，我的妻子。」

「她是誰的女兒？」

「她父親是一名東岸的建築商人。」

「啊……所以她不住在村子裡！」

「還沒，不過她將會和我一起住在那裡。」

索貝克用食指指控著寡言。

「有什麼可以證明你們已經結婚了？」

「您非常清楚不需要任何的文件手續。」

「我也很清楚你們應該要住在同一個屋簷下……它在那裡？」

「如果您允許我們出去到達助手區，我可以告訴您在那裡。」

「走吧。」

有些工匠屬於行會的助手階級，可以被允許在村子的外圍蓋一些簡單的住所。歐貝德就是一個例子，他來自敘利亞，是個四十幾歲的鐵匠，短腿粗臂，留個大鬍子。他的工作是製造和修理鐵器。

一看到寡言，歐貝德馬上從鐵舖走出來迎向他，高興地擁抱這個年輕人。

「你終於回來了！我一直很肯定你並沒有消失無蹤。罕默賽書記生病了，你父親也開始絕望了。」

索貝克感到不耐煩，便打斷他們的話。

「你尋我開心！這個房子是歐貝德的，不是你的。」

鐵匠出面調解。

「你叫什麼名字，隊長？」

「這個人聲稱自己已經和這名女人結婚了，但他們卻沒有房子。」

歐貝德望著卡萊兒。

「我的天啊，她真是美麗！假使她要選我做丈夫，我會毫不猶豫地馬上娶她。你的消息不太靈通，隊長，我剛把我的房間送給小倆口兒，他們可以光明正大地住進去。這裡就是他們的家，也會在這兒履行夫妻之實。」

索貝克惱怒不已，開始辯論起來。

「如果這個女孩不是出於自願，如果這兩個人實際上是兄妹關係，如果……」

「擁抱我。」卡萊兒向寡言要求。於是他抱起卡萊兒跨過房子的門檻。

「我很敬佩您負責認真的工作態度，索貝克隊長。」寡言說道，「卡萊兒和我彼此相愛，我們是丈夫和妻子的關係，而且我們要去向愛情女神哈托爾祈禱，感謝祂賜給我們的幸福。」

「你總不會要進去實地觀察，然後再寫報告吧？」鐵匠對警察問道。

在歐貝德洪亮的笑聲中，索貝克走回辦公室的方向。他要知道有關寡言的一切。如果寡言有任何的疏失，他絕對不會放過他的。

這溫柔的一夜，小房間裡破舊的床就成了兩人的愛之鄉！他們彼此的身體完美而緊密地結合在一起，而不由自主地沉醉在欲望和溫柔的境界裡。

「多麼快樂的一刻。」太陽升起時，寡言說道。「哪一位女神可以將這一刻轉化成永恆？」

「我的愛，昨夜睡在你身旁，你的手放在我身上，我已成為你的妻子。永遠不要離開我，也希望沒有任何人能夠拆散我們。」

寡言環抱著她，這時響起了一個聲音。

「這對新人起床了沒？」鐵匠扯著嗓門問，「我給小倆口帶來一些吃的東西。」

香甜的牛奶、熱熱的烘餅、新鮮的乳酪、無花果……真是一頓豐盛的早餐！

「你的妻子真是和女神一樣美麗，寡言，而且她一定有數不完的優點，不過……你有沒有事先告訴她你並不是帶她來天堂？這個村子是一個封閉的世界，對所有的新面孔都懷有敵意，尤其是當新來的人可能比其他人優秀的時候。」

「我丈夫對我沒有任何的隱瞞。」卡萊兒說道。

「喔……您難道不會害怕？」

「我和他一樣已聽見了召喚。」

「好吧……看來我的警告沒有用。如果我是你們，我會忘掉真理村到河岸定居下來，好好享受生活。你們的年紀這麼輕，卻要關在這個村子裡，一心只能進行神祕的創作……算了，每個人都有自己的命運。」

「我的腰布太破舊了，」寡言嘆著氣。「妳穿上新裙子，會給他們更好的印象。」

「我希望評審庭不是只光看一個人的表面。」

「說實話，我不知道他們的標準是什麼，甚至不知道會是那些人。」

「你會擔心嗎？」

「我怕會失敗，辜負了妳對我的期望，也對不起我的父親。」

「我也很擔心。但我知道除了要真誠、表現真實的自我之外，沒有其他的選擇。」

「還有一個細節令我擔心：我已符合所有的物質條件，但他們會對妳做什麼樣的要求？」

「我們只好看著辦。」

鐵匠叫喚寡言。

「這是你當初離開前交給我的東西，已經好多年了。」歐貝德交還給他一只皮囊、一塊為了用來做扶手椅的上好木頭，以及一張木頭摺椅。「我實在很想了解為什麼你當時具備了這些必須的條件，而且身為著名工匠的義子，卻沒有出現在評審庭面前？」

「因為當時我沒有聽到神的召喚。」

「就是為了要聽見這個召喚，所以你遠離他鄉去旅行這麼久的時間？」

「是的，而且我已了解祂是如此接近，以致於它的力量大得讓我聽不見。」鐵匠嘆了一口氣。

「謝謝你的坦誠，不過我實在什麼都沒聽懂……我還是祝你好運。」

這個早晨的天氣很好，太陽熱得讓人無法忍受。夫妻兩人來到警衛站，心情好一點的索貝克正在吃早點。

「我找不到任何理由把你們關起來。」他看著他們。「你們可以出去，然後到北邊的大門。」

寡言和卡萊兒照著他的話去做。圍住村子的牆壁看起來高不可攀。

關閉的大門左邊有兩個警衛，其中之一站上午四點到下午四點的崗哨。他手上持有一根大木棍，有一個草房可以避開日曬，但不被允許進入大門。他和同事一樣住在農耕區，離真理村很遠。

這名警衛方頭寬肩，非常精於所有的武術，而薪水卻不高，偶爾加上他當交易證人所獲得的補助而已。

「我名叫寡言，是納布師的兒子。我的妻子卡萊兒和我一樣，已聽見召喚，請你打開真理村的大門。」

「你們沒有被獲准進入。」

16

樵夫的皮膚曬得跟木炭一樣黑，口中不斷嚼著女貞樹的葉子。一隻似乎非常清楚要往那裡去的老山羊，帶領著其他十幾隻走在樵夫和阿當前面。

「我們到底是來砍柴還是來放羊？」

「不要這麼沒有耐心，年輕人，照我看，你並不了解這一行。有了這些羊群，我可以省下不少時間和精力。」

老山羊在沙漠的盡頭找到一棵洋槐樹，開始吃起離牠最近的葉子。其他的羊隻一看到這些美味的樹葉，便上前搶著啃嚼。

「我們到那棵棕樹下坐坐，先讓牠們工作。我帶來了一些麵包、洋蔥和一袋清涼的水。」

「我不想休息，只想砍柴，砍很多很多的柴。」

「做什麼用？」

「我需要夠做一張扶手椅所用的木頭量。」

「你有房子要添家具？」

「我需要這些木頭。」

「每個人都有自己的祕密，你不想說也對，免得禍從口出。至於我，則是離了兩次婚，只因為我太信任她們。到最後她們讓我完全破產，只好淪落到今天當個樵夫，為木匠工作。」

「我們什麼時候開始？」

「看這些勤勞的羊群，試著去感激牠們吧。」

這些山羊用後蹄站立，起勁地吃著樹上的葉子。當牠們吃到搆不著的高度時，樵夫便走過來幫牠們一把。他用一根繩子綁在較高的枝幹上，然後用力往下拉，讓山羊吃得到這些葉子，牠們高興地享受這一頓美味。

「看看這個工作成果！小夥子。這棵洋槐樹已完全被清理乾淨，換我們上場了。」

樵夫遞了一把斧頭給阿當，青銅製的刀鋒呈弓狀。阿當精準地將木幹上的小樹枝一一砍掉，接著連氣都沒換便大力地朝樹幹砍下，樵夫看得目瞪口呆。這個年輕人不但永遠不會累，連他的動作看起來都像是一個經驗老道的行家。

「你動作實在是太快了……照這個速度，你很快地就會沒事可做了。」

「放心，我一點也不想當樵夫。等我一砍完這棵，叫你的羊群再挑另一棵。」

「可是老闆說……」

「是我在操刀，不是老闆。」

樵夫決定不想製造眼前的麻煩。況且，羊群已開始尋找下一棵的美味大餐。當他翹著二郎腿休息的時候，阿當已一刀砍下第二棵洋槐樹。

* * *

寡言和卡萊兒耐心地等了三天。鐵匠歐貝德每天一言不發地為他們帶來一些粗茶淡飯，就好像是接到一個只負責看管而不准開口的命令。隊長索貝克經過面前也從不跟他們說一句話。

他們兩人看著滿載食物和其他用品的驢隊到來，在卸貨的過程中有大門的警衛監視著這些載送的僕從。

「他們讓我們等這麼久是正常的過程嗎？」卡萊兒問道。

「我不知道。內部的人想做什麼就做什麼。」

「有你在身邊，等待不是一件苦事，再說，這個地方是如此神奇，連時光都如蜜糖一樣甜。」

寡言分享著妻子的沉靜。自從與她在一起，也幸虧有她的存在，寡言再也不怕任何事情。假使評審庭的目的是要讓他們屈服於焦慮的情緒因而放棄，那就錯了。沙漠中，他們身處在宏偉的西峰腳下荒野的山丘中，一些人為永生而聚集創作的地點就近在咫尺，不正是一種幸福嗎？

到了第三天太陽已西沉的時候，大門的警衛過來找他們。

「寡言，你是否仍堅持申請進入真理村的行會？」

「我的決定從未改變。」

「卡萊兒妳呢？」

「我也一樣。」

「我和我的同事負責送信的工作。你們去見評審庭之前，希不希望給你們的親戚寫封信？」

寡言搖搖頭，他的妻子也跟他一樣搖搖頭。

「那麼跟我來。」

夜幕很快地降臨。所有的僕從都已到他們在平地的家中睡覺，而村子籠罩在一片黑暗之中，如同被遺棄一般。

儘管卡萊兒的意志堅定，仍感到她的心臟緊縮。所有溫柔的神奇都已隨著西沉的太陽消失，只剩下令人沉悶而難受的畏懼。

夫妻倆跟著警衛來到北門的一公尺前面，也是真理村的主要入口處。

「在這裡等我。」

寡言緊緊地握著妻子的手。

警衛蹲下去點燃一根火把，就不再管他們。天際中只見幾隻老鷹在逐漸消失的紅光中飛舞。大門被打開一半。

一名戴著黑色假髮、身著白色長腰布的人在門檻前站住，他的年紀很大，右手持著一根多節的木杖。寡言認出他是一名脾氣古怪而且不好惹的石匠。

「你們是誰，敢來打擾真理村的寧靜？」

「我是寡言，納布師的兒子，還有我的妻子卡萊兒。」

「評審庭知道你們嗎？」

「我們希望向它提出申請。」

「什麼樣的申請？」

「加入工匠的行會並且住在真理村。」

「你的條件都符合了嗎？」

寡言將皮袋、摺椅和製造扶手椅的木頭拿出來。這名老者一一檢查，沒有說什麼。

「妳呢，卡萊兒？」

「我聽見了西峰的召喚。」

手持木杖的老者思索了很久，心裡衡量著如何回答。

「以法老之名，你們發誓不管在任何情況下，絕對不告訴任何人你們所將見到的人，以及所聽到的一切。」

夫妻倆起了宣誓。

「如果你們違背了誓言，將會受到地獄來的魔鬼永遠的折磨！請跟我來。」

寡言和卡萊兒跟在老人的後面，進入了半開的大門。走進門後，他們模糊地看見一條小路，兩旁有幾間房子，但還來不及看清這個神祕的世界，他們已往左邊走去，在門廊的前方撞上兩名工匠。

黑暗中他看不清楚他們的長相。

其中一名上前拉住卡萊兒的手腕，寡言立即有所反應。

「你要帶她去那裡？」

「如果你拒絕服從我們的規定，請馬上離開這個村子。」

「你要信任他。」卡萊兒說著。

工匠帶著卡萊兒離開。

寡言感到孤寂的痛苦，也擔心未來的困難。他原本希望兩人不會被拆散，並且結合彼此的力量共同面對委員會的評審，現在他得獨自面對他們。

「時候到了。」一手持木杖的老人說道。

17

四棵洋槐樹。

在樵夫驚異的眼光下，阿當用破紀錄的簡短時間內劈砍了四棵洋槐樹。樵夫吞吞吐吐、含糊不清地向木匠老闆報告。看到工坊前面堆放的木柴，老闆也不得不相信。阿當學會如何使用一把特別的鋸子，將木頭依長度鋸開，以取得連行家都會眼紅的上好木段。

阿當對樵夫和老闆之間的爭論漠不關心，只對準備要送的貨物感興趣：扇子柄、梳子、小碟子、小杯子、小型的家具、箱子以及凳子。

木匠老闆朝阿當走過來。

「該做什麼我交代得很清楚，而你卻不把它放在眼裡。你可知道砍伐一棵樹需要許可證？而我現在還得去向官府解釋你這種勤勞的行為！」

「這是您的問題，老闆，我不但讓您進度提前，而且還讓您省下不少薪水。我還要砍多少木柴才能夠換取我想要的木頭？」

「你不用再砍柴了。」

「您要開除我？」

「搞不好這是最好的選擇，不過如果我記得沒錯，你不是要學怎麼做一張扶手椅和一把摺椅嗎？」

「您的記性很好。」

「沒有人像一頭野牛一樣橫衝直撞就進了工坊。我雇用了一些工作很細心的師傅，他們在這裡已經待了好幾年，學徒們也都很乖。我擔心你可能做不來。」

「我們不妨試試看。」

「我警告你：你只要越軌一次，我就炒你魷魚。」

兩人於是達成協議。

「我可以現在就開始嗎？」

「等到明天再說，你……」

「我沒有時間可以浪費。」

當老闆將阿當介紹給其他的工人時，工坊裡的氣氛變得很冷淡。他們面無表情地看著他，暗示他並不受歡迎。

「各位請把阿當當作學徒。」老闆說道。「他會幫助你們完成進度落後的工作，誰有需要都可以找他。」

「他會什麼？」工坊裡資格最老的師傅問道。

「學習。」阿當回答。「誰要開始教我？」

「拿這個。」

老師傅遞給阿當一種小型的橫口斧，木柄的其中一面平坦，幾乎成九十度直角上揚，青銅製的刀刃由細皮帶纏繞固定在上面。

「露兩手給我們瞧瞧。」他挖苦地叫他做。

阿當仔細看著刀鋒，並且用手指摸過刀緣，然後環視整個工坊，似乎要把工坊占為己有一般。他眼光在一個砧板上停留了一會兒，便拿起一塊木板用橫口斧把表面刨平。

「是誰教你的？」老師傅驚訝地問他。

「一把工具一定是配合加工物而設計。這把工具是為了刨平用的，不是嗎？」

「你並不是新手……」

「直到目前為止我都不需要任何人，但我懷疑是不是永遠都不需要。您沒有其他的東西可以示範給我看了嗎？」

老闆做了一個手勢要其他的工人離開。

「你到底是何許人，小夥子？」

「一個想要學習如何製造一把摺椅的人。」

「你是不是打算搶我的飯碗？」

「這點您大可放心！一旦我得到我想要的東西，我就走人。」

「好吧……看著我。」

老闆坐在一個板凳上，右手持著一把木槌，左手握著一把鑿子。他將一塊很窄的木板用膝蓋夾緊固定住，在上頭鑿出非常整齊的榫孔。

「該你了。」

阿當坐在老闆原先坐的位子上，絲毫不差地模仿他的動作。

「我無法相信你從來沒有做過這一行！」

「您高興怎麼想就怎麼想。我們繼續。」

工坊裡有好幾種斧頭、鋸子、刀子和鑿子。阿當每一樣都試，而且下手幾乎都毫不遲疑。他的手很穩，動作也很精準。

老闆簡直不敢置信。他示範如何將一塊切割完美的木板用燕尾榫接合，再用雙頭木栓和扣釘加強固定。他又教阿當種種技巧，用木楔或木栓該注意的地方、雄榫與榫孔結合的藝術、木箱的鎖要如何讓箱子摔下時內容物不會掉出來，以及製造盒子及椅子的完美裝配方法。

阿當的一雙巧手很快就熟悉且牢記這一切，甚至有時候比他的師傅還要來得靈活。

「你是天生的木匠，小子，你沒有不能解決的困難，你會有輝煌騰達的一天。」

「我要做多少張凳子才可以換取我的摺椅？」

「十幾張就夠了……不過我相信你會上癮的！」

「請教我如何用莖桿編席椅。」

「明天再說。」

「您累了嗎？」

老闆受到他的刺激，便將編好的植物莖稈包在椅面上，牢固得可以承受相當大的重量。夜晚過得很快，老闆不斷地給他越來越複雜的考驗，而他一次都沒有讓他失望過。

當老闆感到睏倦時，阿當已完成了他的第一張凳子。

這一天是放假日，所有的工人都休息，只有阿當例外。他坐在梧桐樹下工作，使用木槌和鑿子讓他感到很有趣，而且也喜歡和木頭鬥智。他用一塊磨平的石頭將凳子的表面磨得非常光滑，加上經驗的累積，他已經可以製造一個既美觀又堅固的家具。

「你就是阿當？」一個高高瘦瘦、留著短短黑髮的女孩問他。

「我就是。」

「我可以坐下嗎？」

「請便。」

她穿著一件短袖襯衫，裙子長度到膝蓋上面，古銅色的皮膚加上一雙挑逗的眼睛，手上拿著一根莎草紙的甜稈吸著玩。

「你知道人家怎麼說你嗎?阿當。梧桐樹碧綠的葉子飄著蜂蜜的香味，蒼白的樹皮，所結的果實比雞血石還要紅。它的樹蔭很涼爽，但我好熱，熱得讓人受不了……你可不可以幫我把襯衫脫掉?」

「我很忙。」

她自行脫下輕便的衣衫，露出胸前的兩個小蘋果，並且愛撫著阿當結實的大腿。

「你不喜歡我對梧桐樹的描述?」

「我的老闆是妳的什麼人?」

她收斂起笑容。

「我……我是他的姪女。」

「我開始很有經驗了:我的每一任老闆都會派漂亮的女孩來套我的話，同時也想把我留住。」

「你錯了，我……」

「別再撒謊了。妳可以跟叔叔說，我告訴他的都是實話，而且我也不想當個木匠。多虧他我才進步得很快，而我也即將要擁有一把摺椅了。」

「你不會留在這兒?」

「我有更好的出路。」

「但是你的未來……」

「讓我自己去傷腦筋。我所看到眼前的未來，是一位漂亮的女孩想跟我做愛。」

18

整個底比斯城的居民都感到非常興奮，因為有個已經確定的傳聞：拉美西斯大帝就要從位於三角洲的首都披拉美西斯市來到這兒，而且他要在卡納克皇宮待上幾個星期。有些朝臣認為他只是來度假，或者是閉關在廟裡暫時退休，也有的人認為年紀已大的國王準備要宣布一些重要的決定。

拉美西斯掌管埃及已有五十七年之久，而且即將邁入八十高齡。當他在位的第二十一年裡，為了要建立一個和平與繁榮的新世代，而與西臺國簽訂了一個永遠不會為後人所遺忘的和平條約。但他本人卻承受了幾個不幸的事件：他的父親塞特奇、母親托亞、以及他至愛的妻子尼菲達莉皇后相繼去世，他很親近的幾個朋友也先後離開人間。兩年前，原本要繼承他王位而且很有學問的兒子卡拉，也不幸地已經過世。他的另一個兒子梅仁達目前要承擔起繼位的重責大任。

由於拉美西斯年紀已大，加上患有嚴重的風濕病，因此已開始讓梅仁達接管上、下埃及兩地。雖然如此，忠誠的艾梅尼書記所編的王令仍須由他本人親自簽署，而艾梅尼雖然一如往常勤勞，脾氣卻越來越執拗。

埃及人民皆肯定法老的治國。因為他，真理戰勝了謊言，惡人有惡報，尼羅河水定期氾濫，黑暗向光明低頭。眾所皆知，法老有幾百萬隻耳朵，連藏在洞穴裡的聲音都聽得見，他的眼睛比天上的星星更為明亮。法老好比馴服尼羅河的渠道、眾人歇息的廣殿、鐵造的堡壘、盛夏中的清泉、寒冬中的暖被，人民敬愛他們的法老，因為他比尼羅河水更能讓埃及蒼綠和繁榮。

拉美西斯大帝坐在轎子中來到卡納克皇宮，由阿孟神的大祭司、首相、底比斯市長，以及其他官員迎接；這些官員想到馬上就要親睹這位早已名揚海外的偉大國王，不禁起了一陣騷動。輕騎中校莫希負責拉美西斯大帝的安全戒備，並且盡其所能地表現他的忠貞與才能。

儘管拉美西斯大帝的年紀已老，仍然和繼位時一樣令人印象深刻。慣於發號施令的大法老有著長長的鷹勾鼻、一對線條優美的圓耳、堅定的下巴和銳利的眼神。

卡納克皇宮非常地美侖美奐，令人賞心悅目。立柱式的宴客大廳地板和牆上，綴有蓮花、莎草紙、蟲魚鳥獸等生動的畫面。象徵太陽循環不息的橢圓形飾框裡，繪有白底藍字的拉美西斯名字。牆壁的頂端有矢車菊、麗春花圖案的條框作為裝飾。

大法老一身白袍、白色與金色混合的腰布、手腕上有金色的手環、白色涼鞋，坐上金色的木製寶座，凡是參加此次特別會議的人士都感覺到拉美西斯大帝仍穩定地為國家掌舵。

「陛下，」底比斯市長說道，「您的大駕光臨讓阿蒙神城感到無上的喜悅。亦父亦母的您，您的英明讓市民生活在幸福之中。但願您的金言繼續豐富吾等的心靈。您是快樂的主宰，所有叛逆法老的人都會自動毀滅。」

「在旅遊途中，朕已審閱了關於你管理朕心愛的底比斯市的報告，你是一位好市長，不過要多加注意新區居民的生活條件。有些清潔管理工程進度已經太落後。」

「我們會遵照您的指示立刻去辦，而且會趕上進度。陛下，請允許我向您建議頒發金鍊勛章給輕騎中校莫希？他負責您在底比斯的安全措施，而且身為精銳部隊隊長的他表現良好，貢獻良多。」

拉美西斯表示同意的手勢有點疲倦。長久以來他對頒贈勛章及追求榮譽的遊戲已不再感興趣，太多的達官貴人為此而喪失了他們的靈魂。

對莫希而言，大好的事業正要開始。首相以法老之名肯定莫希的功勞，當他自首相的手中接過細細的金鍊時，莫希知道不但自己馬上會晉升為上校，也同時進入了富有的底比斯市高級領導階層。他厚厚的嘴唇閃現出志得意滿的光彩，不過拉美西斯並未多看他一眼，並且授勛儀式非常短暫，他因此感到有些失望。

「朕收到西岸總督的一封信，」大法老提道，「它的內容是朕此行的真正目的。讓他上前陳情。」

身軀肥胖的總督阿布利來到法老跟前，並向他鞠躬。

「陛下，我想向您提醒一個不尋常的情況。自您榮耀的祖先圖特摩斯一世在位時期，真理村的工匠即自行組成一個團體。它已存在有超過三個世紀之久，並且它在國王谷地挖掘陵墓……您看現在是不是改善這個制度的時候？」

「你對它有什麼不滿？」

這個直接了當的問題使得書記很為難。

「陛下，我不是對它不滿，但是這個行會要求每天給他們送一大堆東西，使我們的預算負擔過於沉重。有好些粗工都被分配到那裡工作，而且，因為真理村居民的行為需要保密，所以根本不可能監視他們的工作和課徵他們的稅。有許多的官員不了解這個享有高度特權的行會的真正作用。」

「你有什麼建議？」

總督覺得受到鼓勵而繼續說下去，很明顯地，法老似乎欣賞他的論調。

「我建議撤銷真理村並且解散它的工匠。村子所占的面積不太大，可以將它變成倉庫。我們這樣會省下一大筆費用，還不包括那些從不繳稅的家族和個人所該付的稅。撤銷這個陳舊過時的組織會非常有利於國家。」

現在只剩拉美西斯來做出決定，是否實際執行這項計劃。

「你可知道真理村的任務是什麼？」法老問道。

總督開始有點緊張。

「知道，陛下……如同我先前說的，挖掘在位法老王、皇后和其親友的陵寢。」

「朕本人的陵寢早在我就位的第二年便開始興建，你大概認為真理村的工匠無所事事，因為朕活得這麼久，所以他們的工作早已完成。」

「不，不，陛下，我知道他們有其它的工作，我的意思不是說……」

「法老執行他的使命，在人間建造神城。他以建造神殿、雕塑神像來行善。在布巴斯提斯、阿特利比斯、比拉美西斯、孟斐斯、赫利奧波利斯、赫爾莫波利斯、阿比多斯、底比斯、也德夫、伊樂反丁，以及上埃及和下埃及。此一偉大的傑作，用各種不同形式進行，傑作的核心為真理村他們所建築的法老長眠之所。這也就是為什麼朕的先父塞特裔決定擴大真理村，因為萬物的基本根源，其實就來自於你們這些缺乏視野的凡夫俗子所稱的陵墓，但實際上卻是光明之源。工匠天天與死亡抗爭，他們是為了法老的『卡』而努力完成我的陵寢，法老的『卡』不屬於任何一位個別的法老，而是法老所代代相傳的『氣』。不過像你這種心胸狹小、毫無智慧的書記能體會這一切嗎？你要知道朕此次來底比斯的唯一目的就是擴大真理工匠村、提昇他們的創作能力和鞏固真理村的穩定。這也成為朕後半生的任務，因為世上沒有比真理村更重要的事情。」

19

拉美西斯大帝在皇宮的花園裡休息。這個花園每天有專人在照顧著，裡面種有棕櫚樹、棗樹、樫樹和池塘邊的柳樹，沙徑兩旁有毛莨、矢車菊和虞美人。年老的法老坐在舒適的椅子裡，頭靠在枕頭上，對面是由綠色小木柱支撐的獨棟別墅。法老旁邊的矮桌上擺著清淡的啤酒、葡萄、無花果和蘋果，他享受著甫自北方吹起的微風，欣賞天空的雞冠鳥和燕子在落日的餘暉中飛翔。

賓客的來臨將法老從回憶中拉回到現實。正在向他鞠躬的人名叫拉默塞；父親為郵差的拉默塞雖然名聲不響，卻是拉美西斯大帝王朝中屬一屬二的高官，法老就位第五年洪水三月十日時，他被任命為「真理村與陵寢書記」。拉美西斯親自選擇了當時經驗已經很豐富的拉默塞擔任這個艱難的職務。在此之前，拉默塞在生命之屋接受教育，然後被訓練成書記助理，後來擔任卡納克阿蒙神殿管理畜牲的會計書記、法老財政、檔案和書信書記，最後決定出世成為「真理村的人」。

法老讓書記拉默塞自己決定，因為對拉默塞而言，這是生命中的一大轉變。他原已習慣了廣大的卡納克和圖特摩斯四世、哈普之子阿孟霍特普智者的諸多神廟，最後卻放棄了輕鬆而奢華的生活，決定接管工匠真理村和它的祕密。

拉默塞並未猶豫很久：這是一個很特殊的機會，值得去嘗試。他一上任就按照國王的命令，要求真理村的工匠在保留預定地建造拉美西斯的陵墓，同時間擴大工匠行會的保護神——哈托爾——的神廟。

八十七歲的拉默塞已退休居住在村子裡，由於他受到眾人的愛戴，因此所有重要的決定都會徵詢他的意見。

為了來晉見法老，拉默塞穿上他典禮用的服裝：長袖打摺襯衫、摺紋長袍和皮製涼鞋。因為法老，他才得以體驗真理村的生活，守護它的昌盛。他很高興能在生命結束之前向法老答謝這一切。

「拉默塞，你記不記得你最喜歡唸給書記學員聽的一段經文：『向你的先人學習，懂得善用你的知識力量』。智者將其智慧轉化成文字：參考它、研究它、閱讀它、不斷地閱讀它。」

「陛下，儘管我的視力不好，我仍舊繼續用它來審視我自己。」

「你是不是也記得我在位第十七年的時候，你和我最得力的首相巴札爾共同組辦一場盛大的節日？當年的我們都還年輕，有用不完的精力。現在的你和我一樣垂垂老矣，卻仍是真理村最受崇敬的長者，也是唯一一位有資格冠上『瑪亞特書記』的頭銜。」

「是您讓我有這個機會在我的生命中能為瑪亞特服務，行會每天都活在瑪亞特的精神之中。不過我即將走完生命的旅程。」

「你是否照原先的計劃，準備了三座靠近村子的陵墓？」

「是的，陛下。第一座我用來紀念諸神和您的祖先如阿孟霍特普一世和他的妻子、荷倫赫布法老和圖特摩斯四世，他們對行會做了許多的貢獻，我也將您的名字刻在這座陵寢的石碑上。第二座是用來紀念我命名為西方和清波的兩頭牛，還有照顧牠們的牧人。第三座則是為了我自己和我最親愛的人（※註：此三座陵墓現今的編號為7號，212號及250號）。」

「寡言也屬於其中之一嗎？」

「他是我餘生的最大快樂。陛下，您很清楚儘管我為哈托爾、偉大之母圖維莉絲，甚至其他外來的神祇供奉了雕像、石碑和其他的祭品，祈禱能有孩子，但我的妻子慕特和我終究無法獲得。因此我細心地打點身後的事，並且不忘培養肯希爾書記做為我的接班人。但我最看重也最喜愛的人是寡言。當他離開村子到外面的世界做長時間的旅行時，我知道他有一天一定會回來，只是擔心在他回來之前我已不在人間。幸好評審庭剛剛讓聽見召喚的他通過加入行會。他現在已成為真理村的使徒，我也確信日後他會扮演一個很重要的角色，而不是一名石匠或雕匠而已。」

「你們給他取了什麼名號？」

「尼菲-霍特普，陛下。」

「尼菲，意味著『完整、美麗、仁慈』，而霍特普則是『平靜、洋溢、奉獻』……你們準備讓他肩負重責大任！」

「霍特普，內心洋溢著平靜，也許只有在他生命結束的時候才能擁有，而且必須是一名真正具有尼菲品德的工匠。我得告訴您，寡言不是自己一人出現在真理村的大門前。」

「誰陪他前來？」

「他的妻子，名叫卡萊兒，古語是歐蓓海特，也是指『光明燦爛』。她堅定不移的態度、全身散發出來的光芒，讓評審委員留下非常深刻的印象。她很美麗、聰明、謙遜，而且無法想像她自己的潛力有多大。這對夫妻心手相連，再大的困難也不會拆散他們倆人。委員會保留了卡萊兒做為尼菲妻子的法號。依我看，他們將是行會的希望。」

「這位年輕的女孩來自何處？」

「她是底比斯人，已過逝的王室御醫長奈菲莉的義女。」

「奈菲莉……她曾經神奇地把我的病給治好。如果卡萊兒繼承了她的才能，將是行會的幸運。拉默塞，你誠實地告訴我：你是否對你的接班人肯希爾的能力有所懷疑？」

「不會，陛下，儘管他的脾氣不好，而且執行任務有時會過份嚴格。我不會後悔選擇了他、也不會後悔給了他我的家具、書架、田地和牛隻。再說他也不過是陵寢書記……工匠長、石匠、雕匠和畫匠都和他一樣重要。他也許尚未了解這一點，不過他會隨著時間而有所改變的。」

「最近這幾年，有好幾位工匠位置的缺都沒有補滿。」拉美西斯提醒道。他身為行會的最高首長，總是很注意行會的發展。「行會的成員可以到四十名，但現在只有三十人。」

「連費爾也算進去的話是三十一名，陛下。」

「這樣的人數可否讓正在進行的工程如期完工？」

「我只有讓他們了解一個道理：質勝於量。您很清楚，最主要的是金坊能夠完全發揮它創造的功能。在這一方面我並不擔心，我相信尼菲的加入等於是有了光輝燦爛的未來。」

「你的話像是一顆定心丸，拉默塞，因為有人對真理村的敵意愈來愈大。那些高官一心只想中飽私囊，而且自成一個不利的集團，只顧自己的未來而不管國家的大前提。對他們而言，行會是一個不合理的存在，因此千方百計想除去它。」

「但是是您在掌管，陛下！」

「在我有生之年，真理村不用擔心那些妒嫉者和毀謗者。我希望我的兒子梅仁達能夠追隨我的步履，並且了解如果沒有行會的所作所為，埃及的偉大光明將會衰落，乃至完全熄滅。但是，當一個人掌握了大權之後，誰又能預言他會採取的行動呢？」

「我有信心，陛下。」

拉美西斯大帝知道拉默塞一直是個宅心仁厚的好人，而且他清明的智慧照亮著行會，但他也知道行會的處境很危險。法老雖然平息了中東的戰爭，卻沒有平息任何的憎恨及野心。只有正義化身的女神瑪亞特能夠阻止人類走向貪污、邪惡及毀滅之路。

自從金字塔時代以來，法老的執政一直都依賴一個工匠行會，此行會擁有金坊的奧祕，而且善於將永生銘刻於石碑上。當新王朝的創立者把底比斯擢升為首都時，便由真理村的工匠團體承傳火把。

這支火把正是文明存在的基本要素。

「我忘了一件有趣的事，陛下。不久前有一個出乎意料的人向我們提出申請，但我不知道該不該用這種小事來煩擾您。」

20

「你請說，拉默塞。」

「絕大部份申請入行會的人都會遭到拒絕，儘管他們是出身自經驗豐富的工匠，也證明了他們的能力。這一次是個十六歲的年輕小夥子，沒有任何可靠的推薦函。他是個農夫之子，做過皮匠和木匠……和索貝克一樣的固執，索貝克是安全警察隊的隊長，也甚至不得不將這個小夥子第二次關進牢裡！」

「他是否達到入會的所有要求？」

「是的，陛下，但是……」

「行會的成員有許多是來自外界，你本身即為一個例子。就讓這個孩子自己去面對真理村評審的考驗吧。」

拉美西斯的眼光飄向遙遠的地方。

陵寢老書記與法老頗有同感，法老有種洞察先機的天賦。在他的有生之年，法老經常有些預感，能看穿未來的牆，而與平常人的反應有所不同。

「陛下，您真的認為這個孩子……」

「讓他親自面對工匠的考驗，也讓工匠不要輕率地做出決定。如果他可以通過那些考驗，這個年輕人也許會在真理村的歷史上扮演一個決定性的角色。」

「我會去向索貝克說。您希望去視察您的陵寢嗎？」

「當然，不過我想起了一件事，卡的聖殿要給予擴大。你已負責過它的建築，你再決定擴大工程的開工日子和計劃。」

拉默塞感到極度的快樂。

「這是真理村莫大的幸福！經由『智女』的指示，我們會選出最好的日期。」

拉美西斯還記得他年輕的時候，也聽見過神的召喚。他也曾經想過和工匠一樣地生活，將思想轉化成光輝的作品，但他父親塞特喬選擇了他做為繼承人，讓埃及一路追隨瑪亞特，並且維持人間與天上的關係。他從未懈怠過他的責任，也幸好是如此。

* * *

索貝克將大牢的門打開。

「你可不可以停止製造噪音？」

「我想把牢裡的牆打個洞，而且我做得到。」他回答著。

赤手空拳的阿當已經結結實實地把磚牆打破了一個洞！

「如果你不馬上停止，我就把你銬起來。」

「您毫無理由把我關在這裡，我已經帶來了申請進入村子的必要東西。」

「你以為你比我還要清楚這裡的規定？」

「就這一方面，是的。」

索貝克搔一搔左眼下方的疤痕，那是他在努比亞的大草原裡與一隻豹子殊死戰所得到的紀念品。

「你真的開始把我惹毛了，小子。我要親自教訓你，讓你一輩子再也不想在警察面前開口。」

阿當仍是不服。

他和索貝克一樣孔武有力，只是後者稍微高一點，右手握有一根木棍。
有個警衛氣喘噓噓地跑過來。
「隊長，隊長！我一定要向您報告，而且是馬上！」
「沒時間。」
「是跟這名囚犯有關。」
看到他部下一副慌張的樣子，索貝克於是聽他報告。他把牢門砰一聲地關上。
阿當想像索貝克會拿著棍子用何種方式來整他。假使他的棍子舉得高一點，他就可以制住他的手臂，然後一頭撞向他的胸部。不過索貝克也是個行家，不會沒頭沒腦地出拳。這場打鬥對阿當不會很容易，也許他鬥不過索貝克，但他也不會全身而退的，因為阿當會跟他拚命。
有人打開牢門。
「你出來。」索貝克命令道，手上一直握有木棍。
「您想要從我背部攻擊？」
「我會很願意對你飽以老拳，不過我接到一個命令，有個警衛會帶你到村子的正門。」
阿當直起身子。
「這個國家還是有法律的。」
「出來，否則後果你負責。」
「如果有機會再見面，索貝克，我們再把這個帳當面算清楚。」
「滾！」
「沒有拿回我的東西我不走。」
索貝克咬緊牙根，將皮袋、皮套、成捆的木頭，還有阿當親手製作的摺椅全數交還給他。阿當帶著這些珍貴的財產，昂然地走出堡壘，像一名戰勝沙場的將軍。

陪伴阿當的努比亞警衛是個壯漢，但一站在阿當旁邊，看起來簡直是矮小瘦弱。

「你不應該和索貝克作對，」他說出他的感覺。「他是一個記仇的人，只要一有機會，他就不會放過你。」

「但願如此……否則是我饒不了他。」

「他可是警察隊的隊長！」

「重要的不是一個人的頭銜，而是他的能耐。如果他找我麻煩，他可得留點神。」

警衛不再和他講理。阿當愈接近目的地就愈興奮。這一次，警衛可無法再阻止他進入村子的大門了。

他不知道接下來會發生什麼事，但這並不重要。他會說服評審委員他已聽見召喚，所有的大門應該為他而開。

烈日當頭，它的炎熱反而使阿當更加生龍活虎，根本感受不到夏天的酷熱。工匠村位於沙漠中，對他更為有利。

「我只到這裡，」警衛說道。「你自己往前走。」

阿當一點兒也不猶豫。他踩著堅定的步伐，穿過第五個堡壘，也就是最後一道關卡與村子周圍的空間。

這個早晨就要結束，所有的助手都離開了工坊，來到遮雨棚下用午餐。他們覺得好奇而注視著年輕人經過。

正門的警衛擋住他的去路。

「你打算去那裡？」

「我叫阿當，我希望進入真理村，而且我也帶了必要的物品。」
「你確定嗎？」
「完全確定。」
「如果你錯了，會有苦頭吃。換作是你，我絕不會冒這個危險，而回到原來的地方。」
「你只管留在你原來的地方，不用管我到那裡。」
「我已經警告過你了。」
「不要再囉嗦了，把村子的大門打開吧。」
警衛慢慢地將大門打開。
有那麼一刻，阿當停止了呼吸。終於，他的美夢成真！

21

兩名工匠走出村子。一個在阿當後面，另一個在前。

「跟我來。」前面那個命令道。

「但……我不進去嗎？」

「如果你繼續問這些沒有用的問題，我們連評審庭都不帶你去。」

阿當抑制住自己的憤怒。在這個神祕的地方，他還不了解遊戲的規則，他要避免犯下致命的錯誤。

三個人轉身離開村子的正門，朝真理村主廟的圍牆走去，離神廟不遠處蓋有一座獻給哈托爾女神的小禮堂。高聳的牆將老百姓的視線擋在牆外。

緊閉的門前，有九個人坐在木頭椅子上，排列成一個半圓形，他們身著簡單的腰布，只有一名老者穿著白色的長袍。

「我是拉默塞書記，你現在身處於底比斯西方偉大而崇高的百萬年陵園聖地。這裡是瑪亞特女神主宰的光明王國。你要誠懇、不說謊、心口如一，否則祂會將你排除在真理村之外。」

評審庭的成員看起來不是很友善，阿當寧可看著面容慈祥的老書記拉默塞。

「你是誰？有什麼要求？」

「我叫阿當，我要一輩子作畫。」

「你父親是工匠嗎？」其中一位評審員問道。

「不，是農夫，我們已永遠斷絕父子關係。」

「你曾做過什麼工作？」

「皮匠和木匠，為了要達到你們的要求。」

阿當不等他們的允許，便直接把他的包袱放在地上。

「這就是皮袋。」他驕傲地宣布著。「我又加上了一個上好的皮套。」

這兩樣物品被一一傳過去檢視。

有一名愛嘮叨的評審開口說話。

「我們要求的是一只皮袋，而不加上這個皮套。」

「做的比被要求做的還要多，是不是一種缺點？」

「是的，是一種缺點。」

「對我來講卻不是！」阿當反駁道。「只有懶惰與平庸的人會不加思考地服從命令，因為他們害怕別人，也害怕自己。因為他們總是屈服，而從不主動，最後變得比石頭還要呆滯。」

「你既然這麼會說大話，為什麼你只給我們看一張摺椅而沒有連帶完成扶手椅？你既然喜歡做多出人家要求你的事，為什麼只滿足於給我們看木頭，而不是將作品完成。」

「我上了你們的當，」阿當發覺這點，很氣評審員，也生自己的氣。「我當時卻不懂得解題……可不可以再給我一次機會？」

「你到摺椅上坐下。」愛嘮叨的評審員命令他。

當他一屁股坐上摺椅，阿當馬上聽到一陣可怕的聲響。很顯然地，這把摺椅無法承受他的重量。

「我寧可站著。」

「所以，你連這件物品的品質都沒有檢查過。你不但傲慢、而且疏忽再加上無能。」

「你們要求的是一把摺椅，這就是你們要的！」

「你的回答太牽強，年輕人。難不成你只會吹牛而且是個懦夫？」

阿當緊緊地握著拳頭。

「你們錯了，我試著要讓你們滿意，但我的目的不是要製造家具。我會畫畫，而且我可以證明。」

另一個工匠把一隻毛筆、一張用過的莎草紙、和一罐黑色的墨水放在阿當的面前。

「好吧，讓你證明！」

於是阿當跪下來。他眼光固定在老書記拉默塞的臉上，畫出他的肖像。他的手並沒有抖，但他不習慣這一類的文具用品，用起來反而變得有點棘手。

「我可以畫得更好，」他說道，「但這是我第一次使用毛筆，也是我第一次用墨水在莎草紙上作畫……平常我都只在沙地上畫。」

緊張加上匆促，阿當畫壞了額頭和耳朵部份。拉默塞的畫像看起來糟透了。

「請讓我重新再來一次。」

大家傳閱著畫像。沒有人做出任何評語。

「你對真理村知道多少？」拉默塞問道。

「它擁有繪畫的祕密，我要知道這個祕密。」

「你要用它來做什麼？」

「我將透視生命……而且這個旅程永遠沒有盡頭。」

「我們這裡不需要思想家，只需要專家。」一名工匠反駁他。

「請教我素描和彩繪，」阿當堅持道，「這樣你們就會知道我能做什麼。」

「你訂婚了嗎？」

「沒有，但我認識過幾個女孩，對我而言，她們是生活上的娛樂之一，除此之外沒有什麼。」

「你難道不想結婚嗎？」

「當然不想！我不想要屋子裡有個女人和一大群小孩。我到底要跟你們說幾次，我唯一的目的是畫出生活和描繪生命？」

「要求你保密對你會不會很為難？」

「對無法揭露它的人而言，是他太笨！」

「你可知道必須服從很嚴格的規定？」

「如果它不妨礙我的進步，我會儘量忍受它。但我不會服從那些愚蠢的命令。」

「你是否能夠判斷它們是否愚蠢？」

「沒有人可以為我訂下該走的路。」

愛嘮叨的評審又重新攻擊阿當。

「你說出這種話，難道你認為自己夠格加入我們的行會？」

「是由你們來決定……你們一開始要求我要誠懇，因此我很誠懇。」

「你是不是一個有耐心的人？」

「不是，而且我也不想成為有耐心的人。」

「你是不是認為自己的性格是如此完美，因此不需要有任何的修正？」

「我不會去想這個問題。是欲望讓一個人達到目的，而不是他的性格。有敵人是很正常的事：要不，是我太脆弱，結果讓他們打倒我，要不，就是我擊敗他們。無論如何，爭鬥是無可避免的；也因此我總是隨時備戰。」

「你沒有聽說過真理村是一個平靜的避風港，這裡是禁止爭吵的？」

「只要有男人和女人在一起，就絕對不可能。平靜不存在這個世界上的任何一個角落。」

「你肯定你需要我們？」

「你們是唯一擁有我無法自己得到這種知識的人。」

「你還有其他什麼可以說服我們的說辭？」拉默塞問道。

「沒有。」

「那麼我們要進行磋商，你等待我們的決議，它將是最終的審判。」

老書記向那兩名帶阿當來的工匠做一個手勢，要他們把他帶回村子的北門。

「需要等很久嗎？」

沒有人回答他。

22

拉默塞尚未從震驚中恢復過來。他經常主持評審庭，但這是第一次碰到這樣的申請者。很明顯地，阿當非常不受到工匠評審的喜愛，再加上另一個老愛嘮叨的現任陵寢書記肯希爾，也就是拉默塞的繼位者。

至少，他希望商議過程不會太久，而不要像寡言參與的那一場所引起的激烈辯論。肯希爾在那一次所持的態度尤其咄咄逼人，他認為寡言這個年輕人有如此多的長處，自然有很多的工作等著他，真理村對他而言將會過於狹隘。不過大多數的工匠評審並不同意他的看法，而且他們對寡言特殊的人格留下非常深刻的印象。

拉默塞必須用盡他所有的權力去阻止其他兩名工匠偏向肯希爾，而對納布師的義子投下反對票。由於大家的投票決定必須一致，老書記花了很長的時間才稍稍改變了肯希爾的負面看法。

至於卡萊兒，決審的過程則相當短暫。評審庭由哈托爾神的女祭司們所組成，她們都住在真理村內。當她提到西峰之神的召喚時，評審庭受到相當程度的感動。別稱「智女」的評審長，歡喜地接納了尼菲寡言的妻子。

「有誰要發言？」拉默塞問道。

一名雕匠舉手表示。

「這個阿當高傲自大又很好鬥，也不懂得交際手腕，但我相信他真的聽見了召喚。在這一點上，也唯一只有這一點，我們要做出判決。」

另一名畫匠被允許發言。

「我不同意你的說法。就當他已聽見召喚，我也不反對。可是他聽到的是什麼樣的召喚？他只是要完成自己的理想，而不是我們行會的整體融合。我們會教他技術，而他卻什麼也無法給我們。讓他走自己的路，畢竟這條路與我們的相去甚遠。」

嘮叨的肯希爾激烈地插進他的話。

「有一股莫名的火在這個孩子體內燃燒，這把火讓你們感到不舒服，因為你們只喜歡溫和平淡的人！哈，這不是一個普通的工匠，只會一味地聽他師傅的話，而不懂得去思考，以致於平庸到不被人注意！如果讓他加入我們，等於是冒著狂風暴雨橫掃村子的危險，而擾亂了這裡既有的習慣。曾幾何時真理村的工匠變得如此怕事，連這麼一個特殊的人才都不敢接納？他的確擁有才華，你們也都看到了！畫壞了，好吧，但又怎麼樣？那是因為他沒有過這種經驗，可是看看這幅不同凡響的肖像！你們給我舉例，有那一個受過正規訓練的畫匠有能力做到這一點？」

「不管怎麼樣，」雕匠反駁道，「你可以肯定的是這個壯小子絕對會拒絕服從，而且踐踏我們的規定。」

「如果發生這種事，他將會被逐出村子外；不過我相信為了達到目的，他會懂得低頭的。」

「說到他的目的，難道他不會只是一個好奇份子，想要挖掘我們行會的祕密？」

「他也不是第一個！而且你們所有人都知道，好奇份子夾在我們之中是沒有機會混太久的。」

拉默塞對他同事肯希爾的態度感到十分的驚奇，他一個接一個地反駁所有不利阿當的理由。這個陵寢書記平常不會這麼激昂地參與辯論。

對阿當最有敵意的幾名工匠意志開始動搖。

「我們是需要像尼菲這種穩重詳和的人，」肯希爾繼續說下去，「但也需要阿當這種滿腔熱情的人。如果他能體會出在這裡的創作理念，可以想像他在陵寢的牆壁上會有多麼輝煌燦爛的畫作！你們相信我，值得冒險一試。」

工匠首長納布師加入討論。

「我們行會的職志不在於冒險，而在於維繫金坊的傳統和保存真理村的祕密。這個孩子不會與我們有同樣的定見，而會有投機份子的行為表現。」

拉默塞感覺到工匠首長反對的態度很堅定，因此不得不開口說話。

「我很榮幸地能有機會與國王談過話，」老書記提道，「我們也談到了這個孩子的事情。如果我沒有誤解拉美西斯大帝的意思，他是覺得阿當似乎懷有特殊的精氣，而為了行會的最大利益，我們不能漠視它。」

「會不會是指……塞特的精氣？」工匠首長問道。

「國王沒有加以說明。」

「但指的正是這個，不是嗎？」

評審們不禁起了一陣寒顫。塞特神是殺死奧塞利斯的兇手，祂化身為超乎自然的生物，有人將之比喻成一種犬類，也有人說是歐卡皮鹿，祂具有宇宙的能量，人類覺得有時是善，有時是惡。但若沒有它便無法與黑暗對抗，讓每天早晨的光明重生。也只有拉美西斯的父親這樣一位有勇氣的法老，才敢以源自塞特的名字而取名為塞特裔。在他之前，沒有任何一位法老能夠承受如此沉重的象徵，因此為了減輕這個沉重的負擔，塞特裔在阿比多斯建造了一座最大也最輝煌的奧塞利斯神廟。

一般而言，懷有塞特精氣的人有一種極端與暴力的傾向，只有以瑪亞特為基本精神而建立的社會才能夠疏通這股氣。但目的在創造美好與和諧的工匠團體，是不是應該摒除這一類的人？

「國王有沒有向您下任何有關阿當的命令？」工匠首長問拉默塞。

「沒有，但他要求我們用明辨是非的眼光來看待這件事。」

「還需要多說嗎？」肯希爾加上一句。「我們就順著法老的意思去做就對了，要知道他是真理村的最高領袖。」

連最具遲疑態度的工匠也因此被說服，但納布師仍然不放棄。

「法老批准我成為工匠團首長，也就是說他信任我評估申請入行會者的條件。因此，我不能怠忽職守。為何對這個孩子的要求不能和別的工匠一樣？」

「你是唯一反對阿當入會的人，」肯希爾說道，「而我們的表決必須一致。這種單獨反對的立場難道不能讓你改變主意？」

「我們不能讓行會冒這種險。」

「冒險是生活的一部份，若在它面前退縮，將導致停滯不前，乃至死亡。」

平常很冷靜的工匠團首長幾乎到了發火的邊緣。

「我發現這個孩子已經讓我們達到意見分歧的地步！這種結果不正是提醒我們要多加謹慎嗎？」

「不要太誇張，納布！對於其他的申請者，我們也有過激烈的討論。」

「的確，但我們最後都能意見一致。」

「我們必須打破僵局。」拉默塞決定道。「你願不願意接受被說服？」

「不行。」納布回答。「我擔心這個少年會擾亂村裡的和諧，並耽誤了我們的工作。」

「難道你沒有能力可以防止這種災難的發生嗎？」肯希爾反問他。

「我不會高估自己的能力。」

拉默塞很清楚繼續鬥嘴下去是不會讓他的立場軟化的。

「老是反對不是積極的態度，納布。你有什麼建議可化解這個僵局？」

「給阿當更多的考驗。如果他真的聽見了召喚，也真的能夠走出自己的一條路，大門會為他而開的。」

工匠首長向大家說明了他的計劃。

所有的人都同意這個計劃，甚至包括肯希爾，不過他還是嘮嘮叨叨地認為沒有必要如此大費周章。

23

「還需要很久嗎？」阿當問兩名其中坐在他旁邊的一名工匠。

「我不知道。」

「他們總不會需要幾天來做出決定吧？」

「曾經有過這種情形。」

「當這種情形發生時，是好還是壞？」

「視情況而定。」

「你們每年接受多少申請者入會？」

「沒有一定的標準。」

「那麼有沒有人數的限制？」

「這不是你可以知道的。」

「目前你們人數有多少？」

「你自己去問法老。」

「你們之中一定有才華很高的畫匠吧？」

「每個人都盡其所能。」

阿當明瞭再問這名工匠也問不出個所以然；至於他的同事則是一名啞巴。然而阿當一點也不感到氣餒。如果他面對的那些評審員是正直的人，他們會了解他強烈的意志力。

有個人從村子西邊的牆角走過來。阿當立即認出這個人，馬上站起來向他打招呼。

「寡言！他們讓你入會了嗎？」

「我的運氣很好。」

「至少，你是願意和我談真理村的人！」

「不可能的，阿當。我已經發誓要保密，而守信是最重要的。」

「那麼你不再是我的朋友了！」

「我當然還是你的朋友，而且我相信你一定會成功的。」

「你可不可以幫我向他們說好話？」

「很不幸地，不行，是評審庭來決定，而且只有他們能決定。」

「我已經猜到了，你不算是我真正的朋友……然而，我曾經救過你一命。」

「我永遠不會忘記。」

「你已經忘記了，你已經屬於另一個世界……而且你甚至拒絕幫我忙。」

「我不能幫你這個忙。你必須自己去面對這個考驗。」

「我還得謝謝你的忠告，寡言。」

「行會給我取了一個新的名字：尼菲。另外我也要告訴你我已經結婚了。」

「啊……她漂亮嗎？」

「卡萊兒是一個完美的女人。評審庭已接受她進入真理村。」

「你運氣簡直太好了！你出生的那一天，服侍哈托爾的七仙女一定都圍在你的搖籃邊，而且慷慨地送給你這麼多才能當做禮物。他們賦予你什麼任務？」

「這個我也不能告訴你。」

「喔，對了，我忘記了……在你的眼裡，我根本已經不存在了。」

「阿當……」

「走開，尼菲。我寧可自己一人和警衛在一起。他們雖然不會比你多話，但我不在乎，他們不是我的朋友。」

「你要有信心。既然你已聽見召喚，評審員不會排斥你的。」

尼菲將手放在阿當的肩上。

「我相信你會成功，我的朋友。我知道你體內的一把火會將所有的障礙都燒盡。」

當尼菲離開的時候，阿當有一股衝動想跟在他後面混進真理村；但他有可能會永遠被拒絕。

接近傍晚時分，評審之一終於出現。阿當全身肌肉緊繃，就好像要進行最後一場殊死戰。

「我們已經做了決定。」評審員宣布道。「我們允許你加入村外助理團，由隊長貝肯負責。你去找他報到，他會告訴你該做什麼事情。」

「村外助理團……這代表什麼意思？」

評審沒答話便離開，後面跟著那兩名工匠。

「等等……我要求一個清楚的解釋！」

大門的警衛阻擋在他前面。

「冷靜一下！你已經知道了這個決定，你也只好接受它。否則你就走人，也不要再回來這裡了。助理團也沒有那麼糟糕。你可以當陶匠、樵夫、洗衣工、園丁、挑水夫、漁夫、麵包師傅、屠夫、啤酒釀造工或鞋匠。這些人的工作是讓真理村的工匠有更舒適的生活，而且他們也沒有什麼可以抱怨的。我自己和另外一個大門的警衛都是村外助理。」

「但是你沒有提到畫匠和彩繪匠。」

「因為他們知道那些祕密……但有什麼了不起？他們既不會比較快樂，也不會比較有錢，而且一生大部份的時間都在苦幹。你還算不賴的，相信我。試著去和陶匠貝肯和平相處，你的日子就很好過啦。」

「他住在那裡？」

「離農地不遠的地方，一間有牲畜棚的小房子。他應該要覺得滿足才對，可是這個人很愛挑釁，老是懷疑別的助理要搶他的位子。也許他是對的，再說……小心他找你麻煩。貝肯是一個怪胎，他今天得到這個位子不是偶然的。如果他不喜歡你，你就有得受了。」

「當了村外助理後，還可以入行會嗎？」

「村外就是村外。不要再自尋煩惱，只管自得其樂。目前你可以睡在助理的工坊裡。再過一段時間，你就可以在農耕區有個房子、娶個漂亮的老婆、生幾個漂亮的孩子。儘量避免當洗衣工……他們的工作很辛苦。最好的工作是漁夫或麵包師傅。如果你夠靈光，還可以瞞著稅收書記轉賣漁獲或者是麵包。」

「我要馬上去見貝肯。」

「我建議你最好不要。」

「為什麼？」

「他累了一天，不喜歡有人打擾。如果看到有陌生人上門，脾氣會變得暴躁，而且討厭你。好好去睡個覺，明天早上再去見他。」

阿當實在很想一拳把警衛打昏，然後拆掉村子的圍牆。寡言這個膽小鬼居然成了尼菲，而他，神的召喚是如此地強烈，居然被拒絕在門外淪落為助理，不見出頭天！

受到這種屈辱，除了摧毀他永遠得不到的東西，是否有別的辦法可想？

警衛坐在他的蓆子上，眼睛半閉著。阿當聽見小孩的笑聲、女人的說話聲、聊天的回聲。村子裡的生活又活絡了起來，可是他什麼也看不到。

這些被准許接觸真理村祕密的人是何許人？他們有什麼樣的才能足以說服評審庭接受他們？阿當只認識尼菲，而他們倆完全不一樣。

他必須用自己的辦法去奮鬥。沒有人會來幫助他，勸告的話不過是一種毒藥，但是他永遠不會放棄。

他朝空無一人的工坊走去，心裡知道警衛在角落中監視著他。阿當裝作進入其中一間工坊，再繞個圈子避開警衛的視線，然後小心翼翼地沿著小山丘前進，一聲不響地如一隻沙漠中的狐狸。

既然行會把他拋棄在助理間，他要給他們看他的能耐到底有多大。

24

車騎上校莫希不斷地在肥嘟嘟的手指間把玩著那條細金鍊。帶著它，莫希就成了底比斯上層社會中的重要人物之一。有了這條金鍊子，他將被邀請參加最豪華的宴會，可以接近一些有權有勢的人物，蒐集重要的機密。慢慢地，他布下的密網將讓他成為富裕的阿蒙神城的幕後領導者。

他要採取的第一步是讓底比斯市長保留現職。後者是一個小暴君，熱衷於派系鬥爭而毫無遠見。當他在這種鬥爭中消耗力量和在舞台上炫耀自己的同時，莫希再為自己的人安插職務，這樣一來就可以一點一滴地控制政府的各個部門。

事實上，這樣美好的前景還無法使他心滿意足。最重要的是能擁有真理村的祕密，雖然他曾經有過一次機會走近偷窺它。等到光之石到了手中，他將比法老本人更有勢力，也才有權力依他自己的方式統治埃及。

莫希長久以來一直懷疑真理村的工匠隱瞞著一些科學新發明，卻只讓法老據為己有。這種特權要讓它消失。在他的統治下，埃及將擁有最新的武器來消滅它的敵人，再進行連拉美西斯都無法做到的擴張政策。

若莫希換做是法老，絕不會與赫梯人簽訂和平條約，反而要趁他們衰弱的時機去消滅他們，並組成一支強大的軍隊以利統治中東與亞洲。法老不但沒有進行如此偉大的征服政策，反而漸漸地沉睡在和平中，而那些高級將領只會想到退伍之後閒居在國王賜予的鄉間別墅。莫希一想到這麼嚴重的浪費，真是哭笑不得。

「您要不要喝一點清涼的飲料？」莫希府邸的司酒官問道。

「給我來一點綠洲的白葡萄酒。」

莫希細細品嚐這個珍貴的酒，僕人站在一旁為他搧風。上好的名酒不容易取得，但莫希毫不費勁地收買了一名專給王宮送酒的釀酒師，讓他將一小部份挪給莫希。

最高的手腕不就是累積所有人的敏感資料，然後利用適當的時機再加上一些看似可信的捏造文件？莫希就是用這種手段來排擠比他資格更好、卻沒有他狡猾的年輕軍官。

「賽克塔夫人希望見您。」門房向他呈報。莫希在底比斯的市中心擁有一間漂亮的大房子。

賽克塔是他的未婚妻，有點愚蠢。莫希不得不娶她，看在她的父親是底比斯總司庫的份上，擁有巨大的財富和重要的地位……不過莫希一點也不愛她。

他還是走到一樓的大廳迎接她。莫希很為這個大廳引以為傲，因為它上有黃漆的幾扇長窗和氣派豪華的烏木家具。

「莫希，我親愛的！我本來擔心你會不在家……你覺得我怎麼樣？」

「太胖了」，這是莫希真正想回答的話。但他卻掩飾得很好，因為賽克塔老是覺得自己身材太胖，問題是每天不斷地吃著糕餅甜點，她永遠瘦不下來。

「妳比以前更可人，親愛的，這件綠色的長裙真合妳的身材。」

「我就知道你一定會喜歡。」她邊說邊搖擺腰身。

「我有個小小的問題：我有一個重要的客人要來，他的脾氣不太好。妳可不可以耐心地等一下，然後我們共進晚餐？」

她露出笨拙的笑容表示同意。

「太好了，親愛的。」

他用力地把她拉進懷裡，賽克塔沒有反抗。

她的胸部非常豐滿、一頭濃髮染成金色、淡藍色的眼睛、喜歡撒嬌，總愛故作小女孩的樣子。

實際上，她常覺得很無聊。她的母親已過世，而越來越喜歡追求年輕女孩的父親，總是盡量滿足她的任性，只要她看上的東西，一定會買給自己。久而久之，她的生活變得越來越無趣，而不斷地追求一切能夠治癒她神經衰弱的娛樂。酗酒曾經讓她快樂一時，卻沒有趕走她的寂寞。賽克塔夢想希望自己再回到嬰兒時代，讓母親與奶媽溺愛，並躲在襁褓中受到保護。

當她第一次在宴會中遇見莫希，她覺得他太肥胖、粗俗而自大，但他卻帶給她一種新鮮感，一種害怕的感覺。他有一種毫無抑制的獸性，似乎隨時準備將擋住他去路的人用車輪輾死。與莫希結婚的這個決定讓賽克塔興起了一陣寒顫，這種感覺也許可以治癒她的倦怠感。

「我們還要等多久才結婚？」

「這要由你來決定囉，親愛的。自從拉美西斯大帝頒贈給你金鍊勛章，我爸便認為你是底比斯未來最有權位的人之一。」

「我不會讓他失望的。」

賽克塔輕咬著莫希的右耳。

「那我呢？親愛的，你也不會讓我失望吧？」

「妳可以放一百二十個心。」

總管因為他們親密的行為感到有點尷尬，於是敲了敲沒有關上的門來引起他們的注意。

「什麼事？」莫希問他。

「您的訪客已來到。」

「讓他等一下，給我把門關上！」

賽克塔的一雙眼睛似乎要把莫希吃進肚裡。

「我們的婚禮你說怎麼樣嘛？」

「當然是越快越好，只需要籌備婚禮的時間，我們要準備一場盛大的宴會，教底比斯所有的貴族都要羨慕我們的幸福。」

「要不要讓我來張羅？」

「妳一定會辦得盡善盡美，親愛的。」

莫希開始揉捏他未婚妻的乳房，後者發出一陣舒服的呻吟。

「對於我們的結婚合約，爸爸的要求相當嚴格。」

「什麼合約？」莫希感到很意外。

「因為他龐大的財產，儘管他認為我們會很幸福快樂，將來也會有很多的小孩，他認為我們的婚約還是需要採取財產分開制。但這有什麼關係？我最溫柔、最親愛的，我們就不要把法律與感情混在一起。愛撫我吧。」

莫希繼續愛撫她，卻沒有先前那麼熱情。這個消息對他簡直是晴天霹靂，因為霸占她父親的財產是他追求權力的重要步驟之一。

「你好像很煩惱，我的猛獅……該不會是因為這個法律上的芝麻蒜皮小事讓你煩惱吧？」

「沒有，當然不是……妳會住在這裡，對不對？」

「如果我們要住在底比斯，那是理所當然。這棟房子非常漂亮，而且地點很好，爸爸決定馬上幫你把貸款還清，這樣房子就屬於你的了。」

「他真的很慷慨……我要如何謝謝他？」

「給他女兒瘋狂的愛！」

她熱情地擁吻他。

「我們將來也會有一間別墅在底比斯的鄉間，另一間在中埃及，還有很漂亮的一間在孟斐斯……這些不動產都要保留在我的名下，不過這是另外一個小細節。」

莫希實在很想粗魯地強暴她，面對她的挑逗，他再也無法把持住，可是他必須去接見客人。他已經自剛才出乎意料的打擊中恢復正常。長久以來，莫希了解到虛偽與謊言是最可怕的利器，用它們可以把不利於自己的局面反轉過來。他會裝成一副被擊敗的模樣，才能夠好好地準備致命的反擊。若賽克塔的父親認為可以掌控像他這樣的人，那就大錯特錯。

「對不起，我的小親親，這個會面對我真的很重要。」

「我了解……我去準備婚禮的事宜。晚上見，我們一起用餐。」

25

莫希對他的大房子感到非常地驕傲。這棟房子原本為一個底比斯老貴族所有，妻子的過世讓他受到極大的打擊。莫希努力地說服他，終於成功地用很低的價格買下它。由於軍方單位批准他一項非常優惠的貸款，因此莫希在各方面占盡所有的便宜。再加上他故作大方的準岳父，使莫希比原定計劃的時間還要早成為房子的主人。事實上賽克塔的父親是為了想將這個未來的女婿引入上流社會，讓他看來很有錢，也沒有財務上的問題，而骨子裡是他這個貴族，而且是他自己一人在操控這一切。莫希會讓他為這個羞辱付出慘痛的代價。

兩層樓高的房子建築在一個加高的平台上，以防止潮濕。一樓的房間留給僕人，由總管負責；莫希只吃自家師傅做的麵包，而且他有洗衣工為他小心仔細地清洗所有的衣物。通往每層樓的階梯上擺飾著插有各式鮮花的花瓶，只要稍微不新鮮，就會立刻被換新。

一樓有幾間接待廳，二樓則有主人的辦公室、房間和衛浴間。莫希叫工人建造了完善的排水系統，以排除使用過的污水，整個房子的舒適與方便幾乎與法老的皇宮不相上下。

莫希非常討厭花園和泥土，他認為有園丁和農夫來照顧就已足夠了。像他這樣高尚的人就應該住在底比斯這種大城市。

莫希走進天花板挑高的接待廳，品味著大廳的清涼空氣，由於通風設施經過巧妙的設計，因此炎炎夏日也不覺得熱。沒有任何事情比酷熱讓人更討厭。

他一心想見的人坐在一張彩色布料包覆的扶手椅上，正從一只裝有清水且帶有香味的陶皿中洗淨手腳。

「歡迎你的光臨，達克泰。你覺得我的房子如何？」

「真教人喜愛，莫希上校，我還沒見過比這個更漂亮的房子。」

達克泰身材矮胖，留個大鬍子。黑色的眼珠在狡猾的臉上滴溜溜地轉。過短的腿走起路來顯得很笨拙，不過如果需要攻擊對手時，他可以和一條蛇一樣的靈活。

他出生於孟斐斯，父親是希臘數學家和波斯化學家，因為他喜歡做科學研究，所以很年輕的時候就已受到注意。缺乏道德觀念的他，很快地就意識到竊取別人的構想再做一點小小的努力加以完成，便可以躍升一大步。但這只是為了他遠大目標所使用的一個策略。他的最終目的是要讓埃及掃除所有的迷信，成為唯一一個純科學的王國，一個讓人類可以主宰大自然的科學王國。

達克泰具有技術師和發明家的天份，很快地就受到孟斐斯市長的器重，之後又得到底比斯市長的看重。在底比斯，他試著去破解古代智慧的奧祕。他曾經對尼羅河的氾濫預先做出精準的計算，也改進了觀測星象的方法。這些對他不過是小事；在未來，他將提出新的世界觀，讓埃及從沉睡和過時的傳統中醒來，而走上進步的大道。一旦這個如此富有和強大的帝國拋下它老舊的信仰，還有什麼做不到？

「恭喜你獲得頒發金鍊勛章，上校，您是實至名歸，而且您已成為一位說話有份量的重要人物。」

「你的話來得更有份量，我聽說底比斯市長非常重視你的諫言。」

「太過獎了，不過他是一個很聰明的人，和我一樣比較重視未來，而非過去。」

「我也聽說了你的某些想法和高層的人有所衝突。」

達克泰摸了摸他厚厚的鬍子。

「很難否認，上校。卡納克的大祭司和他手下的專家不同意我的研究，但我不會怕他們的。」

「你對自己似乎很有信心！」

「我的對手們將會被一股洪流淹沒，這股比尼羅河還要強大的洪流就是人類原始的好奇心。我們都需要累積知識，也就是因為我不斷地滿足這種需要，才有今天小小的成就。我們的國家太過於傳統，進步就會過於緩慢。不過，要節省時間是有可能的，而且絕對可以節省許多的時間……」

「用什麼樣的方法？」

「霸占真理村的祕密。」

莫希喝了一口白葡萄酒藉以掩飾他內心的激動。

「我不太懂你的意思……它不是一個建築行會之類的嗎？」

達克泰拿起一塊帶有香味的毛巾將額頭潤濕。

「我原先也一直這麼認為……但我錯了。它不但聚集了具有特殊才能的所有工匠，而且還擁有一些非常重要的祕密。」

「祕密……什麼樣的祕密？」

「您可能會認為我誇大其詞，我想這些祕密是和永生有關。真理村的行會負責準備法老復生的陵寢，對不對？在我認為，某些行會的會員懂得煉金術，可以將大麥變成黃金，更別說其他的奇蹟了。」

「你有沒有試著去破解這個奧祕？」

「不只一次，上校，但始終都沒有成功。真理村只歸法老和首相所管，每一次我要求參觀都被行政單位打回票。我甚至有很多任職高階的朋友，但一直都沒辦法進入這個村子。」

「你這種想法會不會有點……不夠謹慎？」

「我已經好幾次向別人說過同樣的話，但所有的人都對我嗤之以鼻。」

「人家的確是這樣向我報告。事實上，我一直希望聽你親口說，因為，我把這件事當真。」

達克泰驚訝不已。

「我受寵若驚，上校。可是，你是如何被我說服的？」

「因為真理村也是我一直掛念的重要事情之一。我曾經和你一樣嘗試想要知道這座村子的高牆背後到底隱藏了些什麼，但沒有達到目的。若是一個祕密被保護得這麼好，表示一定是個極為重要的祕密。」

「非常明智的推斷！上校。」

莫希兩眼注視著他的訪客。

「這不是一個推斷。」

「我……我不了解您的意思。」

「我看到了真理村的祕密。」

達克泰猛然站起身，雙手顫抖著。

「它是什麼？」

「不要這麼沒有耐性。我要送你一個禮物，那就是我向你肯定它是存在的。我需要你的幫助，讓我們倆將它占為己有。你願不願意和我達成一項協議？」

26

達克泰的兩隻黑小眼睛盯著莫希，似乎想要看穿他腦袋裡所打的主意。

「您說一項協議……是什麼樣的協議？」

「你是一位傑出的科學家，但你的研究面臨一道無法穿越的牆，也就是真理村的牆。基於私人因素，我決定要盡我最大的力量來摧毀這個古老的組織，但首先要把它的寶藏和它的祕密奪到手，然後再摧毀它。我們可以結合你我的力量來達到這個目的。」

達克泰顯得有些不知所措。

「你不但聰明，而且很有才能，」莫希繼續說道，「但你缺少物質上的支援。不久以後，我將擁有底比斯最大的一筆財富，而且打算把它用來擴張我的勢力。」

「您的目標是在軍隊中獲得一個很高的職位？我猜想。」

「那是理所當然的，但這只是一個步驟。埃及已經又老又病了，達克泰。拉美西斯統治了太長的一段時間，他現在不過是一個昏庸的老暴君，無法看清未來和做出正確的決定。這種太長期的統治害國家陷入了停滯不動的危險。」

莫希的訪客臉色變得很蒼白。

「您……您所說的不是您所想的！」

「我頭腦很清醒，這是一個優點，一個想要謀得高職而不可或缺的優點。」

「就拉美西斯本人而言，他非常偉大！我從來沒有聽到任何批評他和反對他的聲音……因為他，我們才有和平時代的來臨，不是嗎？」

「這個和平時代不過是新戰爭的開端，而埃及卻沒有任何的準備。拉美西斯不久之後就要向西天報到，沒有人可以取代他。已過時的文明形態將會隨他而去。我早就意識到這一點。你也是，達克泰。你只管讓那些構想概念進步就好；我來負責行政單位的事情。這就是我們協議的基本原則。為了要實現計劃，我們必須要掌控形成埃及的力量的每一個重要部份。其中最為重要的，就是真理村。」

「您忘了還有軍隊、警察，以及……」

「再一次跟你重覆：我來處理。法老王的財富和他的精銳部隊是兩碼子事，我總有一天會控制部隊的，有關係的是工匠的神祕科學，它一方面用於創造陵寢，一方面可以讓法老擁有無止盡的黃金。」

達克泰開始感興趣。

「您似乎對真理村知道得很多……」

「我所看到的向我證明了它的科學所達到之處，你我的看法都沒有錯。」

「您不想和我說更多，是不是？」

「你接受成為我的盟友嗎？」

「這很危險，上校，而且是非常地危險……」

「完全正確。我們要小心謹慎地行事，並且意志要堅定。倘若你沒有勇氣，你可以放棄。」

如果達克泰不加入，莫希會把他除去。他不想讓已經知道他部份計劃的人繼續活下去。

達克泰很猶豫。莫希給了他一個機會讓他可以實現他最瘋狂的夢想，但所採取的路線卻危險重重。達克泰在考慮科學的最高境界時，忽略了法老王國和他的軍隊不可能不正視這種變化。莫希他的微笑和禮貌的背後有著殺手的性格。實際上他沒有給達克泰任何的選擇：他要不就義無反顧地加入，否則他會死得很慘。

「我接受，上校。讓我們共同結合我們的力量和意志力。」

上校胖胖圓圓的臉上露出高興的笑容。

「這是偉大的一刻！達克泰。因為我們，埃及終於有了未來。這是拉美西斯五年的特級酒，讓我們喝下它做為我們協議的見證。」

「對不起，我不喝酒。」

「儘管是在這種特殊的情形下？」

「我寧可在任何的情況下都保持意識清醒。」

「我喜歡有個性的人。明天起，我開始進行一連串的正式拜訪，並提出改善底比斯軍隊體制的計劃。它將不會有什麼困難，甚至還會因此獲得晉升。在我的婚禮舉行後，我會得到許多貴族的重視，然後我再一點一滴地滲透到高層部份，直到他們不能沒有我。」

「至於我這邊，」達克泰說明道，「我很有希望被提名為底比斯中央實驗所的所長助理。」

「只要我未來的岳父說一句話，這個位子就是你的。你還需要一點時間才能成為所長。」

「這將是很重要的一個階段，我可以開始進行過去不被接受的研究，同時利用新的技術資源。」

莫希馬上想到製造新的武器，讓他帶領的部隊得以戰無不勝。

「關於真理村，我們應該要討論一下，」莫希要求道，「我們要分辨出那一些可信的，那一些是不可靠的。大家都知道法老提名一個經驗豐富的書記來擔任真理村的行政工作。在很長的一段時間裡，拉默塞完成了這項任務，沒有人可以從他口中套出任何一個字。至於他的繼任者，我只知道他的名字叫肯希爾，因為他常常簽署那些正式的文件。我們要盡可能的知道有關這個人的一切。假使可以操縱他，我們就可以直接從要害切入。」

「他們應該有一個工作師傅，甚至好幾個，以及他們的階級制度……找出這些領導人物的名字和他們真正的角色是當務之急。」

「那些工匠是一定不會說的，不過助手就不一定了。」

「如果我沒說錯的話，他們是不能進到村子裡的。」

「這倒是，上校，不過他們也有參與一些工作。」

「挑水、送食物、洗衣服、我當然知道……這些有什麼用？」

達克泰露出一個滿意的笑容。

「仔細檢查這些物品，可以幫助我們知道行會的生活條件和他們大約的人數。」

「有意思。」莫希承認道。「你已經有線索了嗎？」

「只有一個，是一個洗衣工。因為我送給他一種神奇的粉，所以他洗起髒衣服來比別人還快。這只是一個開始……只要花一點代價，我們就可以獲得其他的線索。這名洗衣工跟我提起行會的生活中有一個不尋常的情形。」

達克泰先吊一吊莫希的胃口，才繼續說下去。

「行會已經有很長的一段時間沒有接受新的工匠。」他接著道，「但是有一個年輕人，名叫尼菲，真理村的評審庭都認為他值得信任。不過他的經歷很特殊，因為他離開了從小在那兒長大的村子而四處去旅行了好幾年，最後才回到真理村。」

「的確很奇怪，那麼……他會不會是有什麼虧心事？」

「我們的工作就是要把它找出來。此外，還有一個來自村外的女人和他一起回村子，應該是一個有錢底比斯人的女兒。」

「他們結婚了嗎？」

「也有待查證。」

莫希已想到幾個策略讓真理村陷入困境，而這些首領便不得不走出他們受到保護的地方。一旦牆上有裂縫，整個村子所有的牆不久便會跟著倒塌。

「親愛的達克泰，我沒有想到我們第一次的會面竟有如此豐碩的成果。」

「我也沒有想到，上校。」

「我們的任務很艱鉅，耐心也不是我的長處，可是從今天起得開始培養耐心。現在開始工作吧！」

27

陶匠貝肯對自己感到很滿意。身為真理村助理隊長的他很懂得混水摸魚，而且很會利用職務來獲取一些好處，讓他的生活過得更愉快。這就是為什麼他會把一個鞋匠的女兒弄上床。這個女孩為了父親的飯碗而不惜犧牲自己的名譽。她既不漂亮也不聰明，只是年紀比他小了二十五歲。

「過來我身邊，我的小鳥兒……我不會把妳吃掉的。」

女孩害怕地蜷縮在靠近大門的入口處。

「我不但是一個好人，而且很大方。如果妳表現得很聽話，我就請妳吃一頓豐盛的晚餐，妳爸也不用再擔心，他將可以繼續保住他的飯碗。」

年輕的她心臟快要跳到胸口，慢慢地走向前一步。

「再努力一下，我的小壞蛋，妳不會後悔的。來，先把上衣脫掉……」

她用慢得不能再慢的速度照著他的話做了。

當貝肯伸出手要去抓獵物時，大門突然被打開，他的肩膀被門猛然一撞，當場跌倒在地上。

受到驚嚇的年輕女孩看見一個強壯的年輕人像一頭生氣的公牛，並且笨拙地把她的上衣遞給她。

「妳出去。」他命令道。

當強壯的年輕人一把抓住貝肯的頭髮將他從地上拉起來時，女孩尖叫著奪門而出。

「你就是陶匠貝肯，真理村的助理隊長？」

「是，是……你要我做什麼？」

「我的名字叫阿當，我必須在最短的時間來見你，請你給我一個工作。」

「放開我，你把我弄痛了！」

阿當把他扔到床上。

「我們會合得來的，貝肯。不過我先警告你，我是個沒有什麼耐心的人。」

氣瘋了的貝肯一把站起身來。

「你可知道你正在跟什麼人講話？沒有我，你什麼工作也別想做！」

阿當把他抵在牆壁上。

「如果你給我找麻煩，我會發脾氣……當我脾氣一上來時就會無法控制。」

貝肯從阿當充滿怒火的眼神中看出他不是開玩笑的。

「好啦，好啦，你先冷靜下來！」

「我實在不喜歡像你這種人給我下命令。」

陶匠又找回一點他的自尊。

「你還是得服從我的命令。我是助理隊長，而且我要所有的工作都被做得很好。」

「那好，我可以成為你的得力助手，你絕對不會失望的！像你的工作這麼吃力，你需要一個得力的助手。」

「沒有這麼單純……」

「你少胡說。既然已經說定了，我就住在這裡。這個地方我喜歡，現在我睏了。」

「但是……這是我家呀！」

「我很討厭重覆一遍我的話，貝肯。明天天快亮的時候，不要忘記幫我帶熱的烙餅、乳酪和新鮮的牛奶。我們會有辛苦的一天。」

阿當只需要三個小時的睡眠，結果離天亮的時間還很早就已醒來，便決定起床。他拿了一塊不新鮮的麵包和一些棗子裹腹，然後走出貝肯的房子躲進牛棚，裡面有一隻很肥的母牛安靜地用眼睛觀察他。每個人都知道這個溫和的四蹄動物是愛之神哈托爾的化身之一，祂眼神的美無與倫比。

阿當所估計的事果然發生了：陶匠帶著兩個手上持有木棍的壯漢靠近房子。貝肯可不願屈服，他想好好地給阿當一頓教訓，讓這個搗亂份子不敢再來騷擾他。

阿當一看到這三個人闖進屋裡，便從牛棚走出來。聽到一陣亂棍打在床上的聲音，他本來應該還躺在那兒的。當這兩個貝肯的同夥打夠時，換阿當走進屋裡。

「你們找我嗎？」

驚慌的陶匠馬上躲到他兩名同夥的後面。第一個朝阿當撲過來，他馬上抓起一張凳子把他打昏。另一名打到了阿當的左肩，但卻狠狠地被揍了一拳，以致於鼻梁斷裂倒在地上，手呈叉字形。

「只剩你一人了，貝肯。」

貝肯幾乎要昏了過去。

「你讓我很失望。你不但是個膽小鬼，而且還很愚蠢。如果你再來一次，我就打斷你的雙臂……你也別想再做泥水工了。我的話你聽清楚了嗎？」

貝肯快速地不斷點頭。

「把這兩個娘娘腔先給我弄走，再給我帶吃的，我餓了。」

阿當帶著驕傲的神情和貝肯穿越五座堡壘，後者向警衛介紹他的新助手阿當。陵寢書記肯伊曾事先告訴他們，阿當被接受成為村外助理，但誰也沒想到他如此快就爬到這個職位。

陶匠貝肯已很久沒有這麼早到助理工作區。甚至平常都很早起的歐貝德也還在睡覺。

「全體起床！」阿當用洪量的聲音叫醒幾個獲准住在村子外圍的助理。

所有的人都驚慌、焦慮地起了床。到底真理村剛發生了什麼災難？

「貝肯發現你們全部都很懶惰。」阿當說道，「他已經受不了你們了。每個人都只顧自己的門前雪，而不管他人的瓦上霜。不能再這樣下去了。從今天起，我們全部的人都要去幫忙做物資的卸貨工作。他們的動作太慢而且雜亂無章。之後，我會去查看你們每一個人的工作情形，以確定進度有沒有落後。」

還有濃濃睡意的鐵匠不服氣。

「你在胡說些什麼……這又不是貝肯的命令！」

「這是他要我下的命令，而我要徹底執行它。」

貝肯挺起胸膛。畢竟，阿當的作法讓他挽回了他的權威。

「我已經發現你們開始有點懶散。」他說道。「因此我採取了一些新的措施，並且任用一名助手，讓他嚴格執行我的命令。」

阿當用食指比著一個身材魁梧、腿部肌肉發達的人。

「你，你馬上用跑的到草原上把早就應該在這裡的東西帶回來。我們可不是領薪水的官員只會坐在辦公桌前打瞌睡，我們是真理村的助理。如果因為習慣而開始馬虎，我們不久就會被炒魷魚。」

這個理由立刻奏效，沒有人再反抗。

「貝肯會以身作則。」阿當繼續說明。「他要在一天之中做出比前幾個月還多的陶皿。」

「對對對……我儘量努力。」

「假使每個人都認為自己的工作很重要，那麼工作會做得更好，不會更壞。我從檢查你的開始，鐵匠。」

「你想你做得來嗎？」

「你會教我的。」

28

莫希和賽克塔的婚禮非常地隆重豪華。當天有五百個賓客雲集，包括底比斯最有名望的貴族、所有的達官貴人等等，就只缺拉美西斯大帝而已，不過大法老是不出卡納克皇宮的，他在那裡和他的忠臣阿梅尼處理國政，而且後者也盡可能地減少晉見。

賽克塔爛醉地呈大字躺在枕墊上。偌大的別墅已不見賓客的蹤影。她父親正在喝一碗熱蔬菜湯來紓解頭痛，而莫希則反常的安靜，若有所思地望著蓮花池。

總司庫五十來歲，身材圓滾但很靈活，看起來總是煩惱重重。早年禿頭的他外表很像那些神廟裡的「清祭司」，而骨子裡卻一點也不像。打從孩提時代，他就精於算數，而且對管理很有興趣；他把伺候上帝的事交給別人，自己則不斷地中飽私囊，喪妻之後，更加重了他的渴望及占有欲。他也在莫希的身上發現了這種渴望，也就是因為如此，他接受了女兒的說服，讓莫希成為女婿。

「你快樂嗎？莫希。」

「這場婚禮真教人難忘。賽克塔是個完美稱職的女主人。」

「你現在已加入了上流社會……要不要談談你的未來？」

「軍隊吧，我想……不過沒什麼事可做。」

「這很正常。」總司庫說道，「幸虧有拉美西斯大帝，才能建立長久以來的和平，現在那些高級將領比較傾向於在行政方面另闢事業，而不是去和不存在的敵人作戰。你有什麼具體的抱負嗎？」

「我希望重新整頓精銳部隊，以確保整個城市的安全。」

「非常值得讚揚，不過你的眼光要放遠一點。你覺得底比斯省總司庫助理這個職位如何？到時會有好幾打的書記來幫助你解決那些惱人的問題，我也可以教你怎麼樣從管理中獲取個人最大的利益，而且不違法。」

「您對我真的很好，但我不知道自己是否有這個能力……」

「不要故作謙虛了。你和我一樣對數字很有概念，而且我相信你會做得很漂亮。」

「可是我不希望放棄軍中的事業。」

「沒有人要你放棄。你很快就會獲得晉升，如此一來你就可以在民政和軍事兩邊左右逢源，很多其他高級將領都是這麼做的。拉美西斯已經非常老了，也正在準備他的繼位人，他希望是他的兒子梅仁達來統治，但又有誰能知道梅仁達將來會怎麼做呢？」

「您曾經接近過他嗎？」

「接觸不多。他是個正直的人，幾乎是不屈不撓，脾氣和他父親一樣不太好，而且也反對革新求變。我們要有心理準備，他的執政將會很保守，不會有什麼大作為，不過我們心愛的底比斯仍會保有它目前的重要地位。話又說回來，拉美西斯也很可能長命百歲……倘若梅仁達比他先走一步，誰是繼位者將是一個問號。」

「您是否有適合的人選？」

「當然沒有！我只負責財政，不搞這種危險的權力遊戲，也不會讓我的女婿成為它的犧牲品，因此你需要有一個策略性的職位可以讓你面對各種的可能性：有需要時，你可以是名軍人，或者，你也可以是個行政人員。一旦發生問題，我女兒和她的丈夫都不會有任何的危險。」

「我碰見一個很特殊的人，他是個學者，名叫達克泰。」

「底比斯市長非常器重他。他是那種頭腦轉個不停的發明家。」

「我覺得他很友善，而且我想幫他一個忙。我們是不是可以讓他成為中央實驗所的負責人之

—？」

「絕對沒有問題，甚至是個非常好的主意。這個人也許可以把那些半夢半醒的研究員給搖醒，這麼一來，他也因職位的升遷而欠我們一個人情，或許有一天我們會用得到。莫希，你應該學一學利用人情，順便搜集有關他們的資料。他們會討厭你，但卻不得不乖乖聽你的話。」

「有一件事讓我無法釋懷，岳父大人。」

「那一件事？」

「為什麼您不信任我？」

「怎麼可能，你是這麼有前途的人！」

「如果您真的信任我，為什麼要求要有一張財產分開制的結婚合約書？」

莫希一口把剩餘的湯喝完。

「你無法想像我的財產有多少，莫希，而且我也不知道你將來會怎麼對待我女兒。你或許會有外遇、或許會想離婚……只要走錯一步，你就什麼都沒有。我只能用這種方法來保護賽克塔，沒有人可以讓我改變主意。一旦這個問題解決了，我會幫你成為一個重要人物，因為我的女婿不能是個平庸的人。你會有個享受的生活，貴族們都會羨慕你……人生夫復何求？」

「您的看法很中肯，岳父大人。」

＊　＊　＊

一對白鷺在落日餘暉中展翅飛翔。尼羅河上各式各樣的輕舟隨著北風和流水搖曳前行。其中一條有白色全新的風帆，六名船夫在船尾搖著槳，莫希上校和達克泰坐在這條船上享受清涼的風。

「底比斯市長任命我為中央實驗所的所長助理。」達克泰提道。「我猜想這全多虧您的美言，才有這個晉級。」

「我的岳父很欣賞你，也絕對猜不到你真正的人格。所長對這件事的反應如何？」

「不太好。他是個經驗豐富的人，在卡納克接受教育，他的師長都是保守學派的科學家，而他只滿足於現狀。他規定我只能做一些獲得批准的實驗，而不要自作主張。我現在被密切地監視中，所以完全沒有自由。」

「耐心點，達克泰。你的上司不會長生不死的。」

「可是我看他的身體硬朗得很。」

「世上存在著許多的方法可以除掉障礙，不是嗎？」

「我不懂您的意思，上校……」

「別故作天真了，達克泰。目前不要輕舉妄動；你就暫時遵從那些指示。你為什麼十萬火急地想要見我？」

「根據我在皇宮的內線消息得知拉美西斯大帝接見拉默塞，談了很長的時間。拉默塞是前陵寢書記，已經有好幾年沒有踏出真理村一步。拉默塞不是一個有疑心病的人；他告訴一個和我有長年之交的朝臣，說大法老對真理村有一個大計劃。」

「這已經不是什麼新聞了！上一次他正式駕臨底比斯的時候，拉美西斯把西岸總督很不客氣地說了一頓，因為他提議要關掉真理村並解散村裡的所有工匠。」

「我不想與拉美西斯作對……因為力量實在太懸殊了！」

「他只不過是一個垂垂老朽。」

「您非常清楚他是法老，是真理村的主人。我們鬥不過他的，莫希，在還來得及之前趕快放棄吧。」

「你忘了你渴望想知道的重大祕密嗎？」

「當然沒忘記，可是它們實在遙不可及。」

「你錯了，達克泰，我會證明給你看。你要記得你已走上一條不歸路。你還有什麼新的發現？」

「拉默塞書記非常高興尼菲寡言加入了真理村，因為他相信尼菲寡言會讓真理村的重要性繼續下去。」

「也就是說，拉默塞認為他會是將來的領導人物之一。」

「這只是拉默塞自己的看法，」達克泰說道，「不過他的頭銜是『瑪亞特之書記』，而且受到相當程度的敬重。還有另一個可靠的消息：尼菲已經和卡萊兒結婚。她也在同一個時間加入行會。」

莫希望著尼羅河，陷入沉思中。

「如果要削弱真理村的力量，就要先從破壞他的名譽開始。等到他名譽掃地的那一天，就連法老也護不了他，而我們成功的機會很大。」

29

「你會投降的，阿當，你一定要投降。」

「我當你是放屁，歐貝德。」

鐵匠和剛當上隊長助理的阿當在鐵匠舖裡，兩人正在比腕力，四周圍滿了觀看的工人。

「我是真理村最強壯的人，我會堅持到底。」歐貝德肯定地說。

「你在浪費你的力氣。」

阿當的手臂和石頭一樣硬，歐貝德一點都無法使它動搖。僵持了很久之後，歐貝德的手腕開始傾斜，他使盡力氣又挺了一會兒，仍然無法挽回。他像一頭受傷的野獸發出一聲嘶吼，最後終於投降。

歐貝德舉起手背擦拭額頭上的汗珠，而阿當卻一滴汗都沒流。

「到目前為止從來沒有人擊敗過我。你血管裡到底流的是什麼樣的精力？」

「你不夠專心，」阿當下評論。「當我需要的時候，我才會根據需要逐漸地製造力量。」

「你有時候會讓我感到害怕。」

「只要你是我的朋友，就沒有什麼好害怕的。」

阿當在鐵匠舖待了幾乎一整天，歐貝德教他如何製造和修理鐵製的工具。他不計較工作時間，不像其他大部份的人需要阿當不斷地激他們。

「說到朋友，你似乎不太多。」歐貝德已注意到這一點。「平常隊長避免得罪別人，而且儘量放慢工作步調。貝肯是其中的佼佼者。自從你成為他的助手之後，這裡簡直像一個蜜蜂隊。不過陵寢書記肯伊好像很滿意。」

「那麼他將會支持我。」

「別想了！這個讓人受不了的傢伙脾氣壞透了，而且蠻橫不講理。能夠躲遠就儘量躲遠他。」

「他為什麼會當上這個職位？」

「我怎麼可能會知道……大概是法老的意思吧。不過我們大家比較喜歡拉默塞，他真的很仁慈又很慷慨！他對我們好也不求我們回報。他當陵寢書記的時候，真的是一段快樂的時光。肯伊上任後，整個氣氛都改變了。」

「你為什麼不申請加入行會？」

「我太老了，而且我喜歡這一行。幹鐵匠最多只能當助理而已。」

「真不公平！」

「這是真理村的法律，不過我很心滿意足。如果你是個聰明人，就應該學學我。」

阿當走出鐵匠鋪四處去檢查是否貝肯的指示都已徹底執行。他已經這樣過了好幾個禮拜，而且開始喜歡這種徒勞無益的工作。他必須檢查水質、漁獲、肉類、蔬菜、柴薪、洗好的衣服，或者是陶器。

依照傳統，助理手中不同的工作項目會因月圓月缺而產生忙與不忙的情形，「村外人」已經了解到阿當對無能和投機取巧的人一點都不留情。採水果的女工不再浪費那麼多的時間閒聊，驢夫在趕驢的路途中也減少停下來喝水和聊天的時間。素來傾向於越閒越好的漁夫和園丁，阿當也對他們要求得更多。他親口嚐師傅做的麵包，剛開始阿當拒絕接受不完美的東西，因為問題出在麵粉的品質不好。自從這個事件之後，工人不再犯同樣的錯誤。他甚至帶給工匠蜂蜜杏仁糕，讓大家都讚不絕口。

阿當也陪牧人到沼澤邊的泥地裡，那兒的草長得很茂密，牲畜吃得非常高興；他感受著這些粗人的作伴、睡在蘆竹茅屋裡，聽他們訴苦、了解他們對鱷魚和蚊子的害怕，但儘管他們有這麼多的困難，仍然不應該一整天都在吹笛子或陪狗一起打盹，他還是得按合約給真理村供應食物。經過了剛開始的幾次衝突，阿當的平易近人使得他和大家都處得很好。

儘管如此，在往屠宰場的路上，阿當知道他可能會碰到某些困難。

「嗨，戴斯。你生病了？」

「我在休息，礙著你了？」

「今天早上有人送來一隻小羚羊和一頭牛。鍋子都準備好了，只等你切好的肉塊。」

「我手痛。」

「讓我看看。」

「你是醫生嗎？」

「我還是看一下。」

「如果你要肉，自己切！」

阿當從一名助手的手中拿過一把火石子刀，開始從牛隻的左前腿切起，完全按照儀式的規矩，因為這樣獻祭的牛才能把所有的力氣給吃到牠的人。

流到碗裡的血看起來很健康。阿當把刀刃插入關節處、挑斷筋、選出最好的幾塊肉交給廚師去料理。牛肝也是一道美味的菜。

「我沒有你來得那麼熟練，戴斯，但至少大家有東西吃。」

「最好不過。」

屠夫嘴裡嚼著一塊生肉。

「我有一個問題：你是來幹什麼的？」

屠夫用憤恨的眼光盯著阿當。

「你以為你唬得了我，臭小子？我可是屠宰的大師傅，而且也一直會是。我才不在乎你或貝肯的那些狗屁命令。」

「你憑什麼享有特權，戴斯？你已經囂張了太多年了。貝肯告訴我帶頭起哄鬧事的人就是你。你給我按照規矩好好地為真理村做事。」

所有的助手和廚師全都溜走，因為他們太了解屠夫的個性，他們擔心會惹禍上身，也不願意目睹這場無可避免的悲劇。無論如何，他們還是會偏袒戴斯的。

屠夫站起身來。他沒有阿當那麼高壯，但他的臂膀與二頭肌看起來還是會嚇壞其他所有的對手。戴斯舉起了他的刀子。

「我們今天就把這筆帳給算清楚，混小子。我要斬斷你幾根筋，讓你連路都走不了。成了殘廢看你還怎麼找我們麻煩。」

阿當把手上的刀子遠遠地丟開。

「你以為赤手空拳打得過我，可憐的白痴！」

激動的屠夫衝向阿當，刀尖對準他的肚子刺過去，阿當在最後一秒避開這一擊。屠夫撲了一個空，還來不及轉身，一隻手已被阿當扣到背後，刀子掉落在地上。阿當緊緊鉗住他的脖子，讓他幾乎要窒息。

「戴斯，你有兩個選擇：要不你跟其他人一樣遵守命令，要不我把你的脖子扭斷。我會解釋成是你自己工作出了意外。」

「你……你不敢！」

他的脖子被鉗得更緊。

「好、好、好！」

「你說話算話？」

「沒錯！」

屠夫一把被鬆開，跪在地上不住地大口吸氣。

「我肚子餓了，」阿當對廚師叫道。「給我來一塊上好的肉。」

30

阿布利朝女兒一巴掌打下去，她立刻尖叫著跑到母親的房裡躲避。阿布利是底比斯的西岸總督。自從上次拉美西斯大帝公開召見，被他嚴厲地責備以後，阿布利的精神一天比一天衰弱。他受不了他的部屬、他的僕人、甚至他的家人。只要有一點不順心的事，馬上就大發雷霆。他焦慮地等待著撤職令，然後被貶為一個小小書記，沒有公家配給的官邸、沒有抬轎、也沒有侍候周到的僕人。不但如此，他還得忍受昔日被他排擠的人嘲笑的眼光，當年他不擇手段地把這些人踩在腳下，才能爬到今天這個職位。一旦生活中沒有了奢華的排場，他的老婆一定會要求離婚，而且帶走兩個孩子。

阿布利沒有勇氣自殺。最好的解決方法大概是逃到國外重新開始另一個生涯，但想到離開底比斯這個天堂樂園，也超出他的勇氣範圍，他只有等待這個無情的廢黜。

「主人，莫希上校要求見您。」他的門房向他報告。

「我不見任何人。」

「他很堅持。」

「叫他到大廳等我。」

阿布利感到很厭煩，但還是勉強接受。

西岸總督本來想將大廳重新粉刷過，但他現在不能再有任何新的花費。他不斷地眨著眼睛踱來踱去。

莫希穿著一套最新流行的服裝，手腕上戴著鐲子，全身灑過了濃郁的香水，昂首闊步地走過來。

「謝謝您的接見，阿布利。您的官邸真是富麗堂皇。」

「您是存心來奚落我的，是不是？」

「您可不要說出去，其實我覺得國王這樣地責備您是不公平的。」

阿布利一時呆住。

「您該不會是說……您同意我的話？」

「當然啦，我親愛的總督。我覺得您的理由非常合情合理。」

恢復鎮定之後，總督心裡開始懷疑。這名年輕的軍官會不會是來挑撥離間的？

「拉美西斯的話具有法律上的效力，我們都得服從！」

「那當然，」莫希承認道。「但沒有人不會犯錯，我們至高無上的國王現在已是垂垂老者，過於依戀過去的歷史遺跡。他的偉大當然受到我們的敬愛，同時我們也要有批判的精神以便準備迎接更好的未來。」

阿布利站在那兒一動也不動。

「您的這番話非常嚴重，上校。」

「身為一名軍官，我必須保持頭腦清醒。萬一發生戰爭，而我們的軍隊卻無法作戰，埃及很可能因此而亡國，所以我向上級提出一些本意良好的改革計劃。您可以看出我並無意破壞些什麼。」

阿布利稍微放下心，在一張石凳上坐下。

「您喜歡加有八角茴香的棗子酒嗎？」

「我很喜歡。」

總督叫人給坐在他對面的莫希倒了一些。

「我憑什麼要相信您，莫希？」

「因為您處於目前的困境中，只有我支持您。您也知道我剛和底比斯總司庫的女兒結婚，我的影響力會愈來愈大。對於一個失勢的人，假使我不贊同他的意見，為何要對他感興趣？」

平常都是阿布利採取兇猛的攻勢，今天卻只有挨打的份。

「我已經快要完蛋了，也沒有任何利用的價值。」

「您錯了，阿布利。我岳父比較站在您這一邊，他很技巧地四處說您的好話，建議保留您的職位，目前的反應相當樂觀。」

「只有拉美西斯本人才可以做決定！」

「他反正已經了解您的想法，為何又去找一個意向不明確的人來取代您呢？法老雖然反對您提出的計劃，卻也清楚您無法進行。您只能照過去繼續管理你的區域，而不能去動真理村。」

「您說的是真的嗎？」

「拉美西斯是個心思細密的人，沒有人可以否認他的權力，他所下的命令是不能違背的。因為您怕失去這個職位，自然是頭一個認真監管是否他的命令被徹底執行。直到目前為止，您難道不是真理村最積極的保護者嗎？」

總督在心裡承認莫希的話不是沒有道理。

「您會保住這個職位的，」莫希向他保證，「我會幫助您鞏固您的地位。」

「天下沒有白吃的午餐……您希望我如何回報？」

「和您一樣：消滅真理村。」

「我不懂您的意思……依我看，撤除真理村是為了要所有的人民都繳稅，而沒有任何的例外。但您……您對它有什麼不滿？」

「為了讓國家現代化，這是一個必要的過程。這個行會是一個不正常的存在，所以要除去它。」

「我不知道要如何幫助您。您才剛剛向我解釋我的角色是從今以後要維護真理村不受任何攻擊！」

「那只是表面而已，親愛的阿布利，只是做表面工夫！目前暫時不要課他們的稅，也不要他們繳特別所得稅，假裝是一番好意，表現出完全配合法老的態度，這就是公開要做的。」

「那麼私底下的呢？」

「逐步地去破壞行會的基礎。」

「這要冒非常多的危險！」

「比您想像中的少，阿布利。您放心，我是個行事謹慎的人，而且知道如何在暗處進行。您本人早已學會偷襲敵人比正面攻擊來得有效。我目前的要求非常簡單：有關真理村的一切，您願不願意將您所知道的都告訴我？」

「這是小事一樁，不過這些屬於高度機密。如果我告訴了您，就等於是您的共犯。」

「不是我的共犯，是我的盟友。」

「您想做到什麼程度，莫希？」

「您真的想知道嗎？」

一個高高的金髮女人怒氣沖沖地闖了進來，打斷了他們的談話，她是總督夫人。

「你為什麼打女兒一巴掌？」

「我跟妳介紹這是莫希上校。現在不是談家事的時候。」

「你是不是應該告訴他你的脾氣愈來愈壞，讓我們簡直像是活在地獄中。」

「請稍微控制一下自己，親愛的！」

「我已經受夠了一天到晚控制自己！為什麼我活該倒楣要忍受你的火氣？叫他把你放在他的部隊裡，好讓我們獲得解脫！」

「情況會開始好轉的，我向妳保證。」

「一名軍官可以救得了你的命？」

「為什麼不行？」莫希反問道。

阿布利的妻子用輕蔑的眼光望著莫希。

「您以為自己是什麼人？請回您自己的兵營去！」

總督一把抓住他的妻子往門口拖過去。

「去安撫一下女兒，暫時不要來打擾我們。」

她終於帶著憤怒離去。

「因為拉美西斯的關係，」阿布利承認著，「我簡直像是活在地獄之中。我不應該受到這種待遇。」

「像您這樣有這麼多長處的人的確不該受到這種委屈，而毫無反應。」莫希附合道。

阿布利又重新踱起方步，完全陷入在自己的思考中，莫希在一旁小心地不打斷他的思路。

「我並不想知道您葫蘆裡賣什麼膏藥，莫希，而我唯一的目的只想保住我的飯碗。只要有可能，我接受透露一些消息給您。但是您不能要求更多。」

31

莫希上校非常地高興。阿布利已走進他的安排，而其他的人也會照做。

「我擔心會讓您失望。」阿布利解釋道。「儘管我是知道真理村最多的大臣，我卻不能完全地讓您知道那裡的一切事情。」

「是誰在掌管。」

「跟我職務有關的是取代拉默塞的陵寢書記肯伊，而拉默塞決定在真理村終老一生。」

「為什麼您說：跟我職務有關？」

「因為我只負責行政方面的問題。如果有需要，我會與陵寢書記連絡，是他回應我。不過他們一定有保密的階級制度，由那些工匠自己在控制，而且應該是由一名師傅領導。」

「而您並不知道他的名字？」

「只有法老和首相知道。我已試過好幾次，卻始終無法得知。」

「為了要知道，只有潛入真理村，或著是從陵寢書記那兒得到可靠的答案。」

「您知不知道真理村真正從事的活動？」

「它正式的任務是挖掘和裝飾在位的法老的陵寢。若法老有命令下來，一或數名工匠會被調到不同的工地去完成臨時的任務。」

「常有這種情形嗎？」

「老問題一個，只有陵寢書記可以回答這個問題。」

「有人說真理村有本事製造金子……」

「這是古老的傳說，您可別真的相信這一套。事實上，這個行會擁有不合理的特權。它擁有整個村子，除了法老和首相，它不需要向任何人報告他們的工作，行會有自己的法庭，而且有一大堆的工人助手在侍候著！這種情況令人無法接受。正如我不斷強調的，一個好的管理必須要每年都增加稅收！」

莫希感到很失望。膽小的阿布利只在乎自己既得的利益，而完全沒有主動的精神。不過還有一條路可走。

「您對肯伊知道多少？」

「拉默塞膝下無子，儘管他對諸神做了許多貢獻。當他認清這個不幸的事實後，他認養了一個義子，希望將來能夠繼承他的衣缽及財產。最後他將財產給了肯伊，而拉美西斯於在位第三十一年時任命肯伊為陵寢書記。拉默塞是一個慷慨、和善的人，而且總是堅強而樂觀。肯伊就不是這麼一回事了，他脾氣壞、愛說大話、很自為是，可是的確有兩把刷子。自從上任以來，他沒有可以讓人挑剔的地方。」

「他多大年紀？」

「五十二歲。」

「也就是說幹不了多久了……我猜想他也許不會排斥擁有一筆豐厚的退休金。」

「不可能！他和拉默塞一樣，希望在真理村安享餘年。」

「沒有任何一個人會跟別人完全一樣，我親愛的阿布利；肯伊說不定有不為人所知的欲望，而我們可以令他滿足。他結婚了嗎？」

「就我所知沒有。」

「進入真理村之前，他在那裡工作？」

「在西岸一個默默無聞的小辦公室，拉默塞就是在那兒發現他的。」

「您有沒有辦法接近他？」

「不太容易……肯伊很少離開村子。」

「您總有藉口可以跟他約個見面的時間吧？」

「我要跟他說什麼？」

「贏得他的友誼，還有向他提議參與您的管理，換取合理的報酬，比如兩條乳牛、幾塊細痲布和十來甕上好的葡萄酒。然後，您再給他更多的東西儘可能地套他的話。」

「您的要求很多！」

「您不會有任何危險的，阿布利。肯伊要不是不被收買；就是會上鉤。」

阿布利撇撇嘴。

「您提議要送他的東西，我可能有困難去貼這個錢。」

「放心，我親愛的朋友：這些都算我的。」

阿布利鬆了一口氣。

「如果是這樣，我不妨試試看。但我不保證會成功。」

莫希突然覺得有一點氣餒。他的盟友這麼地平庸，要挖出真理村的祕密看來不是很容易；不過他已經起了頭，反正以後可以慢慢地除去那些不夠格的人。至少，阿布利很好掌控。

「您需不需要去視察真理村的工匠在外頭所做的工程？」

「完全不需要。」阿布利惋惜地說道。「我已經抗議好幾次，可是首相總是裝聾作啞。」

「您知不知道送到真理村的東西有多少？」

「可多著呢！每天送大量的水、肉類、橄欖油、香料、衣物，還有一大堆其他的東西！而且假使東西送遲了或陵寢書記覺得品質有問題，都會抱怨不已。不過這段時間以來，肯伊抱怨的機會減少許多，真是感謝諸神。」

「為什麼會這樣？」

「助理隊長找來一個身強力壯的年輕小伙子當他的左右手，名叫阿當。在真理村外有個助理隊，專門打點行會所需要的物資，由於阿當的到來，助理隊的工作效率明顯提高很多。這個小伙子跑去申請進入行會，結果被打回票。不過後來他被准許加入助理隊，我覺得他是把氣出在同事的身上。」

莫希記得曾經有一個小伙子幫他做過一面很堅固的盾牌。這個高傲的傢伙原來沒去部隊謀個差事，現在大概是滿心失望與怨恨。

「誰負責任用助理？」

「理論上而言是陵寢書記，不過他沒有管到每一個人，不像索貝克和他的警衛，他們只讓認識的面孔通過。」

「這個索貝克……是什麼樣的人？」

「有人不滿他暴力成性，也不懂得待人相處的技巧與手腕，但他的工作效率非常好，所以這個職位大概會做很久。」

「假使讓他升職就可以把他調離真理村……」

「首相非常器重他。」

「您給我準備一份索貝克的完整檔案；絕對可以挑出他的瑕疵。」

「這是很危險的一步棋，上校！」

「會給您一些好處的，我親愛的朋友。我相信珍貴的克里特島器皿一定會讓您的房子更出色。」

「我一直夢想要有……」

「您看，這個夢想馬上就要成真，而且如果您充份與我合作，還會再給您其他的好處。最後一個問題：當工匠沒有正式任務的時候，他們還得封閉在村子裡嗎？」

「沒有，他們有權利想出去的時候就出去，想去那裡就去那裡。有些工匠的家人在東岸，他們會去看看家人。」

「不管那一個，只要有人一離開，您馬上通知我。」

「這不是很容易！當行會的成員出遠門的時候，並不需要填任何出差報告。不過我會儘量試試。」

32

麵包師傅一看到阿當走近，馬上給他遞上一個又香又軟、皮烤成金黃色的圓麵包。

「非常可口，」阿當承認道；「有進步。今天你準備了些什麼？」

「有長麵包，也有三角形的，還有其他的糕餅點心。」

「你滿意你的工作嗎？」

「從來沒有做得如此精緻過。」

檢查過後，阿當滿意地離開了，背後留下鬆了一口氣的師傅。接著他走進麥酒坊。工人把大麥做的半熟麵包泡在棗子酒精裡，一段時間後液體經過篩子濾清，最後變成麥酒，在節日中享用。

「我訂的鍋子終於送來了？」阿當問麥酒師傅。

他看起來有點不自在，因為如果他告狀，鍋匠會受到阿當的責罰，而他並不喜歡這樣。

「對……差不多是這樣。只有遲了一點，並不是很嚴重。」

阿當憤怒地離開，經過鞋舖前時，鞋匠立刻低下頭來。阿當走進一條小石徑，朝偏僻的小山谷走去，鍋匠正跪在小石子做的火爐前，木炭在爐子裡燒著。

鍋匠的皮膚和鱷魚皮一樣的硬，而且發出像一條爛魚的臭味，他用一個山羊皮做的風箱吹氣，並將鐵塊放進火中。

「你忘了我訂的東西嗎？」阿當問道。

「你不是這裡的主人。我先前已經跟貝肯說過，我本來有兩個助手，一個把鐵打平，另一個鍍錫，其中一個生病了，我一個人沒辦法做更多。」

「照你爐子的火看來，你已經很久沒有生火了。你是利用四周偏僻這一點來窮蘑菇。」

「你去找別人的麻煩，別找我的，我才不在乎你的嚷嚷。」

阿當拿起破了一個洞的鍋子往石頭上丟過去。鍋匠嚇了一跳。

「你瘋了不成？我要花多少時間才能把它修好？」

「如果你不照規矩來，我就把你的鍋子全部都打破，你再日以繼夜慢慢去修吧。」

鍋匠憤怒地舉起風箱朝阿當打過去。後者輕易地奪下他的武器，並且把對手甩到沙地上滾了幾圈。

鍋匠困難地站起身子。

「你打算服從命令了沒？」

「好好好，阿當……算你贏了。」

＊　＊　＊

「恭喜你，阿當。」

阿當正在吃著辣蠶豆，索貝克上下打量他。

「你不是很受助理的歡迎，不過你倒讓他們學會了尊重你。」

「是陶匠貝肯在下命令。」

「你少來，阿當！他只是你手上操縱的一個傀儡。你少年出英雄……如果當名警察，你一定會很出色。」

「你錯了，索貝克。想到當個條子我就覺得噁心。」

「好大的口氣……你又認為自己是什麼？你下命令、監工、做處罰……那些助理可從來沒受過這種氣！陵寢書記是很高興沒錯，我也是。我甚至願意我們之間小小的糾紛得到化解。像你這種好漢可不能被糟蹋……你已變得很寶貴。我會很樂意當第一個教訓你的人，不過識時務者為俊傑。要不了多久你就會成為助理隊長，我們一起合作的機會可多著呢。我很真誠地恭喜你：你做了正確的選擇。」

索貝克說完走了。阿當把剩下的菜拿給鞋匠。

「這……這是給我的嗎？」

「吃吧，我不餓了。」

「我犯了什麼錯？」

「一點也沒有。」

「那兩雙涼鞋保證今晚會做好！」

「很好。」

阿當走進貝肯的工作坊，他一下驚醒，跳了起來。

「我累垮了，」他解釋道，「現在好多了……我已恢復精神。」

「如果你累了就休息吧。」

「你說什麼？」

「你才是助理隊的隊長，是你來決定。」

貝肯不敢相信自己的耳朵。

「你開我玩笑嗎？」

「我只是說出事實而已。你只要盡到自己的本份，一切都會很好。尤其，不要再要求我任何事情了。」

「你不想再管那些助理了嗎？」

「每個人都有自己的角色。」

「那你要幹什麼？」

阿當沒有回答便離開了工作坊。索貝克讓他在猛然之間面對了一件事實：他為了要證明自己的能力，卻掉進了陷阱。

自從他致力於管理助理的工作，他已經完全忘記要作畫，而且完全迷失在次要的工作裡，只讓自己的虛榮心獲得滿足。成了一個小暴君，也把自己埋沒在枯燥無味的生活中。再這樣下去幾個禮拜，他的手就不知道怎麼畫畫了。

貝肯走過來。

「你生誰的氣？」

「我只生自己的氣。」

「不要煩……我會去向陵寢書記說說，讓他給你當助理隊長。這是不是你想要的？」

「已經不是了。」

「我不懂。」

「回你的工作坊去，你不用再怕我了。」

貝肯太過於高興，便不再堅持下去。

阿當突然興奮地往真理村走去。自從他逃離家裡的監獄後，他沒有任何的進步。為了委屈求全配合真理村的要求，他迷失了自己，走進一條死胡同，不再探索自己的路。成了村外人之後，他唯一的願望只是去控制那些工人，而從未去發掘繪畫的祕密。

這種平庸的命運，阿當絕對不能接受。

當北門的警衛看見他走近，馬上舉起木棍。這個壯小子該不會想闖進真理村吧？

但阿當坐在離村子十來公尺遠的地方，把地面清理出一塊平坦的空地。他專注地畫出村子的牆壁和四周的環境。當輪廓勾勒完畢後，再用一隻削尖的木頭加上細部的線條，他完全沉醉在自己的作品中。

警衛感到放心，便又坐回去，同時不斷地觀察阿當用驚人的平靜在作畫。倘若有一點不滿意，阿當立即塗掉重新畫過。

到了下午四點換班的時候，阿當仍繼續在畫，而且不斷地畫到凌晨四點的換班時間。

當工人開始從驢子上卸貨時，他們瞧了一眼那幅美麗的畫，它越來越大，而且細部經過很精緻的修飾。沒有人敢接近這個無視於外界存在的年輕人。

33

評審庭的成員共同聚集在真理村的主神廟門口前。有一把太陽傘被撐起來保護老書記拉默塞，讓他免於太陽的酷曬。

「這次的實驗已告結束。」肯伊宣布道。他還是一樣地愛嘮叨。「我們已經看到了結果。納布師原先認為阿當不會接受當一個順從、毫無生氣而易於控制的助理，他說對了；他預言阿當不論用何種方法都會樹立威望，他又說對了。因為這個好勇鬥狠的年輕人挖出了不少懶蟲，並且讓他們重新振作起來。但納布師看錯了一件事，他認為阿當會忘了召喚，只滿足於在村外掌權。阿當已經畫了兩天兩夜毫無間斷，而且只喝一點警衛給他的水。他本來可能會有暴力的反應，然而不但沒有，他反而用他僅有的貧乏工具，一心想要給我們看他的本事。這一次的開會，不就是因為聽到了他的呼喚嗎？」

拉默塞同意這些看法，但行會首長仍然堅持不同意。

「關於最後一點，我承認我錯了。不過很清楚的是，的確是塞特的精氣在這個孩子體內，他永遠不會服從任何規定。因此我還是認為這對行會是一種危險，也寧願他到別處去發揮他的才華。」

「這本來是你出的主意，而我們也照做了。」肯伊反對道，「阿當並沒有掉進你的陷阱，所以你應該要妥協。不要忘記入會也不是永久的，只要有可鄙的行為就會受到懲罰，甚至被開除。接受這個孩子加入我們只不過是冒一個小得不能再小的危險。」

「在我做出最後的決定前，」納布師聲明道，「我要求評審庭對阿當再開一次聽證會。」

「你願不願意跟我來？」一名工匠問阿當，這已經是他第二次畫真理村的大門，而且不斷地嘗試把線條畫得更細緻。

阿當站了起來。

他一點也不覺得累，只是已不知自己身在何處。助理的生活世界他已不感興趣，而真理村對他又如此遙不可及。剩下他孤獨一人，內心燃燒著火焰。還有什麼事比這個更可怕？

他不發一言，跟著工匠一直走到評審庭面前。阿當照書記的姿態坐下，而且不看其他的評審員。

「你不覺得自己逾權去虐待那些助理嗎？」納布師問道。

「懶惰可以有藉口嗎？」

「沒有任何人要求你主動採取這樣徹底的措施。」

「或許您可以容忍虛偽，我卻沒有辦法。我沒有做事偷偷摸摸的習慣。」

「是命令你的陶匠讓你採取這樣的態度嗎？」拉默塞問他。

「他是抓著特權不放的小人，也不想得罪他的下屬。我是唯一要為我的主動負責的人。」

「你想不想取代陶匠的地位成為助理隊長？」

「這將是最不幸的命運！離真理村如此的近，如此如此地近，卻無法進入……」

「反正你已經開始喜歡這個工作。」

「這是真的，我不過是被自己欺騙，就像每一個有一點權力的蠢材一樣。我沉陷於一個致命的陶醉中，但我已完全清醒。」

「也就是說你拒絕成為一個助理？」納布師問他。

「我是來這裡學習繪畫，其餘的我不感興趣。」

「你不認為這條路是從服從開始嗎？」

「重要的是大門是開著的。」

「你的態度是不是希望證明我們的寬容?」

阿當露出一個可憐的微笑。

「這並不是我所期待的，但是不給我一個明確的答案讓我無法接受。你們可以拒絕我，或者是接受我。」

「如果是拒絕，你會有什麼反應?」

阿當花了很長的時間才回答。

「反正你們也不會在乎。」

「你還有沒有其他的理由可以說服我們接受你?」

「只剩一個：我聽見了召喚。」

一名工匠把阿當帶到真理村大門前。他用一隻腳把那幅巨大的畫給塗掉。這一次，他的命運就要被決定。假使行會拒絕他，他就再也不能實現他的理想。他並不害怕，只是咒罵命運安排讓評審團中絕大多數思想陝隘的人來決定他的前途。就算他們沒有商量的餘地也沒有人性，他並不介意，但是他們是否能夠真正了解他的欲望?自從他跳脫助理的陷阱之後，阿當又重新感覺到有一把火在他心中燃燒，引領他走向真理村的門檻。沒有他處，只有在這裡他的生命才有意義。假如他的前途被扼殺、假如他被拒絕跨越門檻去發現他想得知的祕密，他會失去所有的希望。

精神上背負著這種晦澀的想法是沒有用的，目前所能做的只是等待。這個等待可能是幾個小時，可能是幾天，而他決不能意志消沉。儘管距離很遠，他覺得還是要集中他堅強的意志力來影響評審團。如果做了努力還是毫無結果，至少評審員會感受到它的強度。

肯伊帶頭討論已經有兩個小時。他要求做出最後的決定，而且每個人都要為自己的決定負全責，並解釋理由。

「我對這個年輕人毫無信心。」納布師說道。

「他那把塞特的火讓你害怕了？」陵寢書記諷刺他。

「不怕它的人才是輕率的人。我身為行會首長，不能拿行會的和諧去冒險。我還是堅持我的立場，讓阿當到別處去發展。」

「只有真理村能讓他的志向繼續下去，你也很清楚！你自己已走過這條路，難道就不能允許一個聽見召喚的人完成他的職志嗎？」

納布師顯得有點動搖，但仍是沒有讓步。

「你自己一天到晚對我們行會的人板著臉，為什麼這麼護著阿當？」

肯伊的反應很嚴厲。

「這並不涉及護著他或排斥他，而是為了真理村的最大利益。我只不過是一個陵寢書記，為什麼是我要來促使你們接受這樣一個精力充沛的人？你們難道無法將這種精力轉化成創作的力量，納入你們的工作中？」

納布師臉上的表情變得很僵硬。

「你太過份了，肯伊。工匠們都認同你在管理上的權職，但你沒有這個能力來干預我們的工作。」

「我並沒有這個意思，納布師。我父親和我的老師拉默塞書記讓我了解我這個職位的意義和權限。也許你是對的，我的表現太過於激烈。總之，是你和其他的工匠共同組成這個評審團來做出最後的決定。假若結果是否定的，我會支持你們的意見。」

瑪亞特的書記拉默塞，平靜地提出他的看法。

「我對行會的珍愛使我不願意利用我的年紀與經驗為藉口來影響你們，不過我還是要提醒各位，國王要我們清楚地看待阿當這個事情。大家都要心平氣和地表達自己的意見。」

於是工匠們開始表決。

儘管有很多的保守意見，每個人還是認為應該給阿當一個成為畫匠的機會，條件是他必須一絲不苟地遵從行會的規定，而且要服從學習。

最後只剩下納布師的決定，他很認真地聽取他部下的建議。

「這個評審庭充份地反映出它的智慧，」他說道，「每一位評審都敞開他們的心而沒有被自己的感覺所影響。我並不喜歡阿當的個性，我不認為他有能力了解我們工作的重要性，但我們應該要對他的呼喚做出回應。」

34

索貝克隊長吃下了十幾個溫餅之後，接著又吞下了三碗鮮奶。經過了徹夜巡邏國王谷地四周的山丘，他簡直累垮了，但還沒聽到屬下的報告之前，他是不會去睡的。

警衛們來到他面前，一個一個輪流地向他報告，一切都沒有任何異狀。奇怪的是索貝克卻開始感到擔心。他的第六感很少出差錯，而最近幾天以來，第六感告訴他，真理村裡存在一個極大的危險，因此負責安全的他，加強了巡邏的人員，儘管他們可能因增加工作負擔而對他產生不滿。

他因為惶惑不安而差點忘了村子裡即將舉行的一個典禮：新徒弟的接納儀式，而且不是普通的一個徒弟！為什麼評審庭會打開行會的大門讓這個阿當進入，而他肯定會在裡頭出亂子的？像他懷有如此強大破壞力的人應該去當個混混，或是一名警察。他不可能會願意被長久關在村子裡，而且也會拒絕服從命令，到時候他們只得把他降級回到助理隊，或者永遠地將他趕出去。阿當最後會走入歧途，然後滋事，在打架中暴斃，或者吃長期牢飯。

正當索貝克準備躺到蓆子上好好休息一下時，一名警衛走進他的辦公室。

「隊長，一名信差想私底下見您。」

這名信差每天都會來到真理村的警衛崗哨總站，為他們帶來行會的信函，同時把工匠寫給家人的信函順便帶走，如此工匠可以用這個便利的方式與外界溝通。陵寢書記寫給首相的正式報告當然也在其中。如果發生緊急狀況，會有特別的信差將訊息以最快的方式傳送出去。

「你不能自己處理嗎？」

「他堅持只見您一個人。」

「好吧……叫他進來。」

信差袋子裡的郵件多半是用過的莎草紙再被拿來當信紙用。這名信差名叫烏普第，三十來歲、四肢雖然瘦長，但小腿和肩膀很結實。他拿出用一塊亞麻布包著的陶土片，放到索貝克隊長的辦公桌上。

「照這塊布上用紅墨寫的內容，這個是要拿給你的，索貝克。」

「你看過了嗎？」

「你知道我是沒有這個權利的。」

烏普第是一名薪水高而受重視的公務員。他擁有一把象徵托特神的木棒，代表公正及精確的工作態度，他送交的信函必須完整，而且只有收件者可以得知內容。這並不是一份輕鬆的工作，因為皇宮和首相管理的部門要求他們的指示必須儘快送達，而且忙碌的時期也不少。烏普第很清楚他工作的重要性，而且大臣們對他的信賴讓他感到很榮幸。

「我需不需要等你的回函？」

「請等一下。」

索貝克解開細亞麻繩，看了幾行光滑的陶片上紅字寫的內容。

索貝克一陣天旋地轉，又再看了一遍那不可思議的內容。不，不可能的……

「怎麼樣，索貝克？」

「你可以走了，烏普第……我沒有回函要給你帶走。」

隊長的睡意全消。又再一次證明他的預感很靈：一場大災難剛剛才發生，而且大到比狂風沙暴吹襲工匠村還要嚴重。

尼菲完全沉醉在幸福之中。自從聽見召喚之後，他和他摯愛的妻子被接受進入真理村，同時也很快地適應了村子裡封閉的生活，尤其是卡萊兒天生和氣的個性，很快地便除去了村子其他人對他們的敵意。

不但如此，再過幾個小時，阿當的夢想馬上就要成真。他曾是他的救命恩人，也是因為他才聽見瑪亞特的召喚，並且意識到祂的偉大，馬上阿當就要成為他的兄弟，他要和他共同分享這個難以置信的經驗。以阿當的熱情、積極、對創作的熱愛，相信他一定能夠勝任他所被賦予的任務。

偉大的神引導著他的一生，光明的愛照亮了他的生命，一份鮮明的友誼豐富了他的生活。諸神太眷顧他了，他永遠都會感激祂們。為了要報答這份恩賜，他要盡全力完成他的任務，而且不能有一絲的苟且怠慢。因為他聽見了召喚，也因為他回應了這個召喚，所以天上與人間給予他無上的快樂。現在是他要懂得如何去運用這些快樂，堅定地走上他應該要走的路，去完成他的任務。

當他正準備去雕工坊的時候，卡萊兒給他看一份剛送來的信件。從她憂傷的眼神看來，這是一個壞消息。

「我父親病得很嚴重，」她說道，「醫生擔心恐怕沒有救了。父親給我們寫這封信，希望能儘快見到我們倆。」

尼菲立即去見工匠首長，通知他外出的原因，也會去向陵寢書記登記。

夫妻兩人沒有帶任何行李便從村子的旁門出去。他們走上一條小徑，直通到拉美西斯大帝的百萬年神殿。

「我覺得你有點心煩。」卡萊兒問她的丈夫。「你擔心無法及時趕回來參加阿當的典禮，對不對？」

「的確。」

「你一見到父親之後就馬上啟程回真理村，我會一直留在他身邊，不論時間的長短。」

「我也是，卡萊兒。」

「不可以，你的朋友成為真理村行會一員的那一刻，你必須要在場。」

在拉美西斯百萬年神殿的警衛站前，他們要求來者說出名字，然後也沒有深入地追問便放他們過去。當局都知道尼菲和卡萊兒是真理村行會的成員，所以他們可以自由地在真理村的土地範圍走動，也隨時可以出去。

夫妻倆不斷地趕路，一直來到農耕區，他們穿過紫苜蓿田，沿著一個小集市往河岸的方向前進，準備搭上小船度河。他們和其他的農人坐上同一條船，這些農人要去底比斯，用蔬菜以合理的價格交換日常的生活用品，尼羅河賜給埃及繁榮與富裕。沒有人知道他們來自於埃及最神秘的一個村子。

雖然尼菲原先有點擔心，但經過卡萊兒的安慰之後，他已寬心不少。卡萊兒甚至還安慰了船上一名母親，因為她的小女兒正在發燒。

船一靠岸，尼菲和卡萊兒立即跳上岸往家裡的方向走去。在離家門口還有一大段距離的地方，小黑跑來迎接他們，並興奮地跳到他們的身上，不斷地舐著他們的臉。小黑杏圓的眼睛裡充滿了快樂。

「快來，小黑，」卡萊兒對牠說道，「我們時間很趕。」

突然，小黑發出一陣吼聲，露出銳利的牙齒，望著朝主人走過來的一群警察。

領頭的人正是索貝克。

「發生什麼事？」卡萊兒問道。

「放心，您父親的身體很健康。您收到的信是我寫的，不是醫生。」

「但是……為什麼要這樣做？」

「我只有這個辦法可以讓您的丈夫離開村子。到時會有若干人證明他是自願到東岸的。」

「你用這個計謀為的是什麼目的？索貝克。」

「為了正義。」

「請您解釋清楚！」

「尼菲已被下令逮捕。他被控謀殺了一名負責國王谷地夜班巡邏隊的警衛。」

35

莫希已成了底比斯的大紅人。沒有任何一場社交晚宴不邀請他，沒有任何一個正式宴會缺少他的出席，沒有任何重要的工作會議他沒參加。莫希的能言善道讓他從來不會辭窮，也從不曾忘記適時的讚美，或者是提出值得採納的建議。

所有的人都向總司庫恭喜他選中了這麼優秀的金龜婿，他的前途無量、一片光明，而且有關底比斯的軍隊改革計劃非常受到上司的重視。

底比斯市長在他生日的時候，特別在別墅的花園裡舉辦了一場盛大的宴會，所有阿蒙神城的達官貴人川流不息。他臉上散發著光彩，姿態高高在上地迎接賓客，有如一名剛擊敗兇險敵人的大功臣。

「多麼高雅，我親愛的莫希！看您這一身長袖褶紋襯衫、一塵不染的白色長袍、這一雙手工精緻的涼鞋……如果您還是單身，我看有一打以上的年輕女孩一定會想辦法誘惑您。」

「我會抗拒她們的誘惑。」

「這是我們之間的悄悄話：賽克塔應該很懂得滿足她的男人吧？」

「您在這方面的經驗眾所皆知，我是瞞不了您這個前輩的。」

「我真喜歡您，莫希！我想軍隊不過是您的一個踏板吧？」

「等我完成剛開始進行的軍隊改革之後，我希望能夠多參與我們美麗的城市的行政管理工作。」

「這是個合情合理又值得讚許的想法，」市長附合道。「但不要忘記底比斯只不過是埃及的第三大城，還排在孟斐斯和新首都比拉美西斯的後面。在底比斯，我們重視的是它的安寧與傳統。」

「這正是上上之策。」

「說得好，莫希！以您這種觀念，一定會登峰造極的。」

「這都是我岳父對我的恩情，也是我最憂心的事情。」

市長感到很驚訝。

「總司庫難道有什麼問題嗎？」

「說實話，他的健康每況愈下。」

「可是我看他的身體好得很啊！」

「話是不錯，他的身體是很硬朗，可是腦子恐怕開始有點問題。最近有幾次我不得不婉轉地請他取消一些荒唐透頂的決定。他目前還能同意並承認自己的錯誤，而且懷疑到底是什麼魔鬼在折磨他，但明天他又可能會變成什麼樣子呢？他糊塗的時間越來越長，我實在是不該向您提這些的。」

「正好相反，莫希，正好相反！您可不要見外。請隨時讓我知道近況，並且繼續防著他闖出大禍。如果情況不對，您一定要立刻通知我。雖然今晚的宴會非常的成功，不過這已經是今天的第二個壞消息了。」

「我可否斗膽請問您第一個是什麼？」

「一件很麻煩的事……一名年輕的工匠尼菲，他剛進入真理村，卻被控謀殺索貝克隊長的一名部下。索貝克本人原本也以為是一個意外事件，但是所有最新的證據顯示這是一樁謀殺案。」

「這個尼菲會不會由真理村的法庭來判決？」

「不會，因為他準備要去看他的岳父而在東岸被捕。如果是在村子裡面，我們就無法逮捕審問他。這場審判看來會鬧得滿城風雨。」

「那些工匠的名譽會不會因此受到影響?」

「不但會，而且會連累到整個村子的存亡問題！假使行會包庇罪犯，那它非解散不可。西岸總督這下可高興了……若尼菲被定罪，等於是向拉美西斯證明了真理村的用處遠比不上它的危險性。行會當然會有激烈的反抗，屆時我只好利用軍隊的力量，也就是您這邊要依法執行解散的工作。」

「我隨時為您待命。」

「我會記得您說的話……我們很快會再見面的。好好享受吧，莫希。」

市長轉向和另一名有錢的大地主交談，留下莫希獨自細細品嚐他第一次的大捷。

他寄給索貝克告發尼菲的那封匿名信達到了他預期的效果。他自己犯下的罪行沒想到幫了他一個大忙。尼菲這個年輕人大概會被判死刑，行會也因此而會被解散，到時他再占據村子，花點時間好好徹底搜索，並且把財物據為幾有。以正式的任務做掩飾，他將可合法的達到他真正的目的。

* * *

阿當坐在一個小房間的泥土平地上，四周是白色的石灰牆壁，因為沒有窗戶，所以他不知道外面是白天或夜晚。有人送水和食物給他，但從來不發一語。

小房間的門並沒有鎖上，他大可以走出去。但他覺得這是一個自由的假象，背後隱藏了一個新的陷阱，因此他只有等待評審庭的決定。

平常的他是個衝動而且急性子的人，這次他覺得有必要不去反抗這項考驗，而且可以讓他活在時間之外的時間裡，感受到靈魂與身體所從未有的歇息。由於命運已不再屬於自己，他不再去關心它，也不會再有什麼事發生，他用這種平靜的空虛來填滿心靈。

只要他還不知道最後的決定，即是非生非死。在這裡，真理村的神祕所在地，他已不是一名俗世的凡人，但也可能永遠無法成為行會的一員。他的過去已經逝去，而未來尚未可知。

事實上，在這場沒有對手的決戰中，阿當已經從中發現了一個讓他驚異的世界。他過去所習慣的指標全都消失無蹤，所有的界限也都被抹去，取代的是另一個新的境界。不過這些全是抽象的幻影，如他一般，所有的力量和欲望全變成了無用之物。

阿當確信所有行會的成員都住在這個地方，而且他們也和他一樣聽見一場無法上訴的判決。他們都沒有獲得任何特殊的待遇，不管他們擁有何種天份和能力，歷經了相同的考驗、相同的條件，也許會讓他們如兄弟般地結合在一起，共同分享這種相同的境界。

門被打開了。

一名工匠出現在面前，沒有帶食物也沒有帶水。

「跟我來，阿當。」

他原會愛上這個地方，寧靜地過著永無止盡的日子，什麼事也不會影響他。阿當非常非常慢地站起來，彷彿猶豫著要不要跟他出去。

「你已經放棄了申請進入行會嗎？」工匠問他。

「帶我去我該去的地方。」

他們一直走到廟前的評審庭處。除了老書記拉默塞似乎露出微笑，所有的評審臉上沒有任何的表情。

但心跳劇烈的阿當，寧可去忽視他們，因此走到陵寢書記肯伊面前站住不動。

第一次在他的生命中因為緊張而無法呼吸。他曾想逃開到世界的盡頭而不要聽見他即將要聽到的答案。

「評審庭已做出了決定，」肯伊用嚴肅的口氣說道，「而且這個決定不得改變。真理村至高無上的主人法老，已經批准了這個決定，也會在首相的辦公室登記。你，阿當，你已聽見了召喚，也因此你將被允許加入行會。」

書記是在和他說話嗎？突然之間，一股暖流又重新在他的血管裡流動，而且他激動地想上前親吻嘮叨的肯伊一下。

「不過很不幸的是，」肯伊又繼續說下去，「我們必須要將你的入會儀式延後，這不是你的問題，是整個行會所遭到的不幸。」

「什麼樣的不幸？」

「尼菲被控犯下謀殺罪。」

「尼菲是個殺人犯？太荒謬了！」

「你的看法和我們相同，但我們應該要傾盡所有的力量來為他澄清罪名。等到一切恢復平靜後，我們會給你一個新的名字，你也會開始發現真理村的奧祕。」

36

經過了一整天工作的勞累，莫希粗暴地與賽克塔做愛，讓她享受他那一套本事。從此以後她再也不能沒有他，並且保持她應該保持的身份：一名體貼而且聽話的女佣。莫希從小就歧視女性，他不可能因為賽克塔而改變這種態度。她和別的女人一樣，想要尋找一個完全駕馭她的主人。和別人比起來，至少她運氣很好能夠找到他。

自從逮捕了尼菲以後，莫希聯絡了十幾個人找出了一個非常好的策略：謠言。天性惡劣的人自然會把它搶走，而且散布的比風還要快，愚蠢的人只會重複它而不加以思考，多嘴的人會賣弄他們的獨家消息，聲稱只有自己知道。

有了這些媒介，莫希得以利用他們將事實依他的需要加以扭曲變形，最後謠言便成了事實。在輿論方面，尼菲已成了一名十惡不赦的罪人，犯下了多件謀殺案，而真理村成了窩藏罪犯的匪巢，擁有不容於天下的包庇特權。

只有拉美西斯大帝的一句話，才能夠將情況改觀。但法老不在瑪亞特神之上，他沒有權力來干涉法律上的程序。這是挽救埃及幸福與和諧的代價。尼菲既然被控告，就得接受審判。

首相和真理村之間的關係太緊密，所以不能主持初審庭，再決定起訴與否。這個工作將由法庭裡一名年資最深、刻板而且固執的老法官來進行。莫希不需要去買通他，因為若涉嫌犯下了如此嚴重的罪行，他一定會決定讓尼菲出庭面對陪審團。

莫希的地下工作在這個時候成了關鍵性。首先，他要強制西岸總督阿布利成為陪審團的一員，而且要他更進一步的毀謗行會，讓它的名譽掃地，使人民更加地憎恨它。接著要保證陪審的大多數票會判尼菲死刑，因為後者是冷血殺手、毫無人性的毒蛇猛獸，而且是和他一樣殘酷的工匠所教育出來的。

如此一來，他設下的圈套將團團圍住真理村。

莫希捏了捏賽克塔的屁股。

「這隻母牛的屁股是誰的？」

她緊緊地靠著他。

「是你的……再和我做愛。」

「妳永遠無法滿足！」

「這是很自然的，因為我運氣好，有這麼一個精力充沛的老公。」

「妳爸讓我感到很擔心，賽克塔。」

「啊……為什麼？」

「他頭腦不清醒。」

「可是我沒有發現他有什麼奇怪的地方。」

「因為妳沒有跟他一起工作。是底比斯市長提醒我的。在一次很重要的會議上，妳爸嘟嘟嘟囔囔地不知道在說什麼。他的財務報告有嚴重的錯誤，而且沮喪了很長一段時間。而我也發現，近來這幾天他出現了一樣的症狀，甚至更嚴重。當然啦，我什麼都沒跟市長說，反而試著減少他的擔心。麻煩的是，妳爸拒絕承認事實。一旦他恢復正常，就什麼也不記得，而且硬是不承認他有臨時喪失意識的問題。」

「那怎麼辦？」

「告訴他的醫生，如果有藥可以治療，再向他要一些，也不用讓妳爸心煩生氣。如果只有這個焦慮的毛病倒還好……」

賽克塔坐到床緣上。

「到底發生什麼事？」

「我不知道該不該跟妳說。」

「我是你的老婆，莫希，我要知道一切！」

「但實在是太可怕了。」

「你說，我要知道！」

「妳可能會失望和傷心，親愛的。」

莫希把聲音壓低，似乎怕別人會聽到的樣子。

「妳爸去參觀一個地方，準備想調整徵收稅法，他帶我一起去，順便教我一些技巧上的細節。突然，他衝向一個小女孩，企圖強暴她。雖然我比他壯，卻實在難以控制他。好在我盡了最大的力氣，避免事態過度嚴重。後來，等他神智清醒後，又忘了這個恐怖的事件。」

「有沒有……目擊者？」

「小女孩的母親。」

「她會去告狀的。」

「妳放心，我已經向她解釋了這個情況，並且給她一條乳牛和四袋雙粒小麥，讓她忘了這個不幸的事件。問題是我不是從早到晚都在妳爹身邊，怕的是他老毛病又會再犯。」

賽克塔已經到了精神崩潰的邊緣。

「我們會失去我們的名聲和財產。」

「我愛的是妳，親愛的。妳只需要擔心妳爸的健康問題。」

賽克塔內心下了一個決定：她要把家族的財產全部轉到他們夫妻的名下，不能再讓一個神智不清的人來管理。萬一他完全瘋掉，他會胡亂簽署文件，到時候會傾家蕩產。可是她一想到貧窮這兩個字就讓她無法忍受。幸好她嫁給了莫希，他的清醒能夠把她從這個災難中救出來。

「你可不可以讓人全天候監視他？」

「不行，我……」

「叫你的士兵秘密地跟蹤他，保護他的安全。要是他有什麼不正常的行為，請他們馬上出面制止，並且要他們只向你一人報告。」

「這已經超越了我的權限，而且……」

「為了我們，請你這樣做，莫希！它攸關著我們的前途。」

莫希裝模作樣地在思考，事實上他已經向市長提出這個建議，而他也已經接受。

「如果被我的上級發現，我會因逾權而受到嚴懲，不過為了妳，我願意冒這個危險，親愛的。」

賽克塔親吻著丈夫的胸膛。

「你不會後悔的……我會有所行動的。」

「尤其記得要跟他的醫生講。」

「當然……不過我會去找律師。我是獨生女，必須要保護祖產。而我現在真正的家人是你，還有我們未來的小孩。」

他把她壓在床上，把自己全身的重量都放在她的身上。

「妳要幾個？」

「四個，五個……」

「對妳這麼美麗的女人，會不會太多了？」

「我要很多個兒子。他們將會長得像你，這麼一來，我就會覺得你永遠都在我身邊陪我。」

「妳真的一點都不想和妳的莫希分開呢！我的小可愛……」

賽克塔向來無法達到高潮，所以對他的床第功夫一點都不在乎，反正她覺得他的技術一點都不高明。不過他卻是一個理想的丈夫，有野心和權力欲。幸虧有他才得以保存她的財產，甚至將來會增加，但唯一的條件是先把她那個已成為包袱的父親想辦法給解決，他已造成了太大的危險。

至於莫希，要操縱他很簡單，只要不斷地捧他，讓他以為自己是權大勢大的主人。她總是裝成像一條發情的母狗和胸大無腦的女人，只能讓他在晚宴的時候帶她出去賣弄一番而已。賽克塔盡力地讓他保留面子，滿足他的虛榮心，而在暗處中，她盡可能地累積財富。想要擁有更多，不就是生活的目的嗎？

37

達克泰無法平息他的怒火。

「您幫我得到我希望的這個職位，但我在那裡只是充數而已。中央實驗所的所長是一個愚蠢的老祭司，根本無法了解科學所能帶來的光明前景。他拒絕所有的新發明、實驗，甚至只讓我做整理檔案的工作！」

「再吃一點烤鵝肉，我的廚師可不像一個藝術家？」

「像，可是……」

「我原先以為像您這樣有氣度的學者會有多一點的耐心。」

「您要了解我的處境……我有無數的計劃，而現在卻無處可施！」

「要不了多久的，達克泰。」

達克泰用手指捻著鬍子。

「我不認為情勢有利於我。」

「您錯了！我和底比斯市長的友好關係不斷地加強中，而且我的影響力一天比一天大。您目前的上司不會再久留於這個職位，到時是您來取代他。」

他大口啃著烤鵝腿。

「有關真理村的官司……是玩真的？」

「千真萬確！因為尼菲犯下的滔天大罪，我們會比原先計劃提早除掉這個可惡的行會。工匠們到時全會被解散，而我會被授權去徹底搜查整個村子。當然啦，我要您以專家的身分來支援我。」

達克泰的小眼睛閃爍著興奮的光芒。

「但是……法官還沒有判決下來呀！」

「埃及的司法非常的嚴厲，它會對殺人兇手和包庇者判決重刑。這個行會不就是等於一群壞人的組織嗎？撤除它會是最好的解決方法。」

* * *

歐貝德迎接阿當的到來。他因過度興奮，已連續不斷地工作了八個小時。阿當曾向陵寢書記建議找兩三個強壯的工匠組成一個突擊隊，去幫助尼菲越獄，然後把他帶回村子裡，讓警察無法接近他，不過卻被肯伊斷然拒絕。在等待他入會典禮的這段時間裡，他必須得回去助理隊幫忙。

「怎麼樣，他們終於接納了你？」鐵匠滿意地檢查阿當製作的銅剪。

「我希望他們不會食言而肥。」

「他們不是這種人……不過這次的刑案對行會造成很大的傷害。」

「寡言是無辜的！」

「他還是會被判謀殺罪。索貝克隊長手上一定握有一些證據。」

「我只有一個問題：是誰這麼恨我的朋友，處心積慮地破壞他的名聲，甚至毀掉他的一生？」

「你最好忘掉這個不幸的事件，阿當，然後和我一起好好的工作。你喜歡鐵匠的工作，也很有天份。不要關在這個危在旦夕的村子。」

「你想說什麼？」

「如果尼菲被定罪，行會也一樣會遭殃。每一個行會的成員都會被深入地調查，確定是否有共犯的嫌疑，到時工地的工程都會被停止，所有的工匠將會被解散到底比斯各個神廟，真理村就這樣完蛋了。

「那我的入會儀式呢？」

「就永遠不會舉行了。」

阿當握緊了拳頭。

「這都是隱藏在黑暗之中的魔鬼所幹的好事。」

「你跟尼菲很熟嗎？」

「他是我的朋友。」

「這不足以證明他無罪！事實上，你幾乎完全不了解這個人和他的過去。在他旅行的那一段很長的時間裡，誰知道他後來變成了一個什麼樣的人？在努比亞他一定面臨過暴力衝突，而學會如何殺人。他回來底比斯搞不好是為了財富。在村子裡，他曾聽人說過，法老們的陵墓裡在葬禮時放置了無數的金銀財寶，他說不定想把它們據為己有。」

「這簡直是太離譜了。」

「他既不是第一個有這個念頭的人，也不會是最後一個。而他比誰都更有機會來進行這個目的！也就是因為這個原因，他在夜間到國王谷地的小山丘……但他當時並不知道索克貝是安全警衛隊的隊長，而且開始執行一套新的安全措施。結果那名警衛讓他吃了一驚，尼菲於是把他給做了，同時他發現逃避警方追捕的最理想地方就是村子本身。他太低估了索貝克的頑強，後者經過追根究底的調查，最後終於指認出他就是兇手。」

「你胡說八道，歐貝德！」

「法庭卻會覺得很有道理。因為每一個細節都配合得太好了。」

「但是卻不一定是事實！」

「這個案子非常棘手：不論是尼菲或著是工匠行會都不會安然脫身。照我的話做，和他們保持一段距離。」

「工匠們都坐以待斃，但你我都不屬於行會的人。如果我採取暴力的手段，你會不會幫我一把？」

「絕對不會！我們絕不可能成功的，而我還想保住我的飯碗。尼菲在牢裡，沒人可以把他弄出來的。」

「卡萊兒的父母親還健在嗎？」

「她只有父親。」

「你知道他是做什麼的嗎？」

「他是一名建築商。他很有本事，名聲也特別好。」

由於歐貝德解釋得很清楚，阿當毫不費力便找到了卡萊兒父親的家。對他來說，卡萊兒的父親無疑的是這個案子的嫌犯。他無法忍受女兒離開他，便報復在尼菲的身上，他一定是捏造了假證據給索貝克隊長，讓他去起訴這個勾引他女兒的人。他覺得自己被拋棄與背叛，於是決定毀了這對住在村子裡、又拿他們無可奈何的夫妻。無論如何，阿當會將他揪到法庭上，讓他招供並洗清尼菲的罪名。如此一來，事情便可以很快地獲得解決！

時間已近中午，人們開始從市場回來。阿當闖入這間屋子裡，它的大門朝向馬路，而且門並沒有鎖。

一隻黑狗擋住他的路。

「安靜，乖……我不會對你壞的。」

這隻黑狗穩穩地站在他面前，露出尖銳的牙齒對他低吼。假使阿當前進一步，牠會立即攻擊。阿當本可扭斷牠的脖子，但他對這隻盡忠職守的看門狗很有好感，於是蹲下去和牠兩眼相對。

「過來，我不是你的敵人。」

小黑半信半疑，頭側一邊，似乎想從另一個角度查看闖入者。

「靠近我，我不會咬你的。」

卡萊兒出現在樓梯口。

「阿當……你要做什麼？」

他站起身子。

「我可以摸摸牠嗎？」

「小黑，他是一個朋友。你可以讓他進來，不用怕。」

小黑停止低吼，並且讓阿當在牠的頭上撫摸。

「卡萊兒……我都知道了。是妳父親，對不對？」

「我父親？我不懂你的意思。」

「他不願意接受你們倆的婚姻，所以到警察那裡去檢舉尼菲。他應該要承認一切。」

卡萊兒臉上露出悲傷的微笑。

「你錯了，阿當。我們所發生的不幸使我父親生病了，而且病得很重。儘管他很難過我的離去，對於我嫁給真理村的使徒卻讓他感到很驕傲，真理村在職業上的秘密是他一直無法獲得的。當我告訴他尼菲被捕時，他馬上心臟病發作。」

「他還……」

「他還活著，但我感覺到他離死神已不遠。」

38

卡萊兒說對了。

在初審開庭前一個小時，她的父親溘然長逝。臨走前，卡萊兒向他保證尼菲是清白的，而且她相信真理會戰勝一切。

「我必須要處理葬禮事宜。」她告訴阿當。

「不，妳去法庭；妳的丈夫會需要妳在場。我會幫妳處理妳父親的後事。」

「我不能接受，我……」

「相信我，卡萊兒，妳現在該做的是留在妳丈夫的身邊。」

「你不知道該找誰，你……」

「不要擔心，卡萊兒。患難見真情。我本來想去打破牢裡的牆壁，把尼菲救出來，但這是不可能的事。只有妳是他精神上的支柱，而我必須要來幫妳達到這個目的。如果妳父親是個正直的人，他不用怕奧塞利斯天上神庭的審判，但是妳丈夫在人間卻可能因為這些活人而下地獄。」

阿當的話非常實際，不過卻也讓卡萊兒重新鼓起了勇氣。她沒有時間在這裡自艾自憐，只能繼續奮戰下去，儘管她的武器少得可憐。

* * *

「要我當陪審團？」

「我親愛的莫希，首相已批准指派您。」底比斯市長向他提道。「由於陪審團裡需要有階級較高的人，我立刻就想到您。」

「這個責任很重大。」

「我知道，我知道……但您將來還會有更重大的責任要扛！等到這個令人頭痛的案子結束後，我想交給您幾個重要的工作。我的屬下已經老了，因此我需要一些新血加入。」

「我曾經跟您說過我會隨時為您服務。」

「太好了，莫希。還有……您岳父的情形？」

「他的身體每況愈下。」

「實在是令人擔心……您已經安排了跟監的事情？」

「安排好了，如我們原先所計劃的。跟監的那幾個人都很可靠，只有在絕對必要的時候才會出面干涉。」

「醫生怎麼說？」

「他知道這種病，但沒有辦法治好他。」

「太遺憾了，實在太遺憾了……關於初審一事，首相下令在西岸舉行，屆時會在塞特裔百萬年神廟的大門前進行，也就是拉美西斯父親的神廟。他怕若在東岸舉行，會有太多看熱鬧的人。警察到時候會設置路障阻止那些好奇的人靠近，以維護法庭的平靜。」

莫希不喜歡最後一刻有這樣的改變，不過這樣的安排反正也改變不了判決的結果。尼菲會成了他的替死鬼，而行會也會跟著被拖垮。

真理村這邊的代表有老書記拉默塞、陵寢書記肯伊和行會首長納布師。村子裡所有的居民原想組成一支隊伍到法庭面前，但拉默塞反對這種引人注目的做法，因為它可能會造成大法官的不滿而對被告不利。

「你可不可以要求晉見拉美西斯？」行會首長問拉默塞。

「這樣做沒有用的，法老必須讓正義獨立。身為瑪亞特的書記，我自己也要保證行會的公正性。」

「我們可以要求見首相啊！」

「也一樣沒有用。現在尼菲的命運是在法庭的手中。」

「萬一有錯呢？」

「如果沒有證據，或著是罪證不足，肯伊和我會要求判決無罪，還尼菲清白。」

納布師並沒有像拉默塞持樂觀的看法。他只有對真理村的法庭有信心，因為那裡不存在賄賂。

「我確信尼菲是無辜的，一定是有人想要傷害我們。」肯伊說道。

「拉美西斯在保護著我們。」拉默塞不同意他的看法。「真理村的工作對埃及的生存非常的重要。」

「不過我總覺得事情有點不對勁，就好像有一個妖怪原本躲在暗處中，現在決定要出來散播所有的罪惡。」

「如果是這樣，我們會有能力抵抗它。」

「怕就怕不知道是誰！倘若它在我們的背後攻擊，我們可能還沒來得及反抗就已滅亡。」

底比斯資格最老的大法官宣布初審正式開庭，此案涉及真理村的使徒尼菲，被控謀殺了負責國王谷地安全的一名警衛。

「在瑪亞特的保護之下，並且以瑪亞特之名，我要求在場的陪審團實事求是。」大法官宣布道。在審理的過程中，陪審團最後會做出判決。真理村的代表和卡萊兒則位於大法官的左手邊。尼菲由兩名佩帶木棍和匕首的衛兵帶到法庭面前。

他看起來很平靜，甚至有點漠然。當他的眼光和卡萊兒交錯的一剎那，他感覺到自己已準備好面對困難。她的在場給了他一種神奇的力量，使他更加地平靜。

「你就是尼菲寡言？」主審大法官開口問他。

「正是我。」

「你是否承認自己犯下了謀殺罪？」

「對於這項控告，我是無辜的。」

「你願意發誓嗎？」

「我以法老之名發誓。」

宣誓之後現場沉默了很長的一段時間，每個人都感受到它的重要性。莫希心底暗自高興：尼菲發下了重誓，到時會被視為偽誓而難逃一死。

「控方請發言。」

索貝克走上前，將事件陳述了一遍。他首先為自己所做的快速調查和匆促的結論感到抱歉，接著交給法庭那封匿名信，雖然未署名，但清清楚楚地交代了尼菲的罪行。從這項新發現裡，他開始回想所有的經過並且下了結論，認為尼菲是一名嫌疑犯，而且發生兇案的那一天晚上，他也沒有任何不在場證明。尼菲在村子裡長大，一定聽過國王谷的金銀財寶，因此計劃要將之據為己有。當他正要偷偷潛入禁區時，因為警衛的出現而讓他驚慌失措，唯一只有殺他滅口一途。以尼菲投機取巧的性格，自然是躲到村子裡面，因為警察沒有權利進入。

「這麼嚴重的一樁罪案卻只有一封匿名信作為依據。」大法官研判道。

「很明顯的，」索貝克回答道，「這封信是一名內疚的工匠所寫的，他希望能將事實揭發出來。再說，所有發生的事實和細節都非常合情合理。」

大法官轉向尼菲。

「發生命案的那一天你在那裡？」

「我已經不記得。」

「你為什麼又回到真理村？」

「因為我聽見了召喚。」

西岸總督要求發言。

「尼菲的辯詞過於牽強！這名年輕人無法無天，殺人不眨眼而且無惡不作。讓他以謀殺和偽誓兩項罪名由陪審團給他判刑。」

「這當中仍然缺乏有力的證據。」大法官思索道。

「也許沒有。」索貝克反對道，「我兩名部下的其中一名在當天晚上發生命案的地方巡邏，他記得曾經瞥見一名竊賊。」

那名警衛被傳喚到庭，看見大法官和陪審團，誠惶誠恐得幾乎說不出話來，但最後還是承認他看到的人就是被告。

大法官因此沒有別的選擇。

「我因此決定……」

「請等一下。」

「是誰敢打岔我的話？」

一名高瘦、滿頭銀亮的白髮老婦人走到大法官的面前。

「尼菲是清白的。」

「妳是什麼人？」

「真理村的智女。」

39

當這名奇怪的老婦有如女皇般地出現在法庭，現場驚訝地發出了一陣嗡嗡的耳語聲。對很多人而言，真理村的智女不過是一個傳奇人物，擁有超自然的力量。由於她從未踏出村子一步，因此許多人對她的存在都感到懷疑。

大法官一時之間不知道該說什麼。

「您……您怎麼能夠如此肯定？」

「自從尼菲住進村子裡，我一直都在觀察他，他不是一名殺人犯。」

「我們很重視您的看法，」大法官慎重地選擇他的字句，「但是有一項證據……」

「如果可以證明悲劇發生的那一晚，尼菲並不在現場，是否可以完全肯定他是清白的？」

「當然，但他本人也無法記得當時他在哪裡。」

智女走近尼菲，後者被她眼中的深邃和美麗深深地吸引住。

「把你的左手交給我。」

她用雙手握住他的手。一陣強烈的暖流傳到尼菲的掌心中，沿著手臂一直上升到他的腦子裡。

「閉上你的眼睛，好好地回想一下。」

尼菲的靈魂像一隻鳥進入了一個美麗的旅程，他飛越在尼羅河上，還有隨風搖曳的小船。他無法抗拒地被引領至亞斯文附近的一個棕樹林，裡面有個名叫福岸的小村莊，一群小孩正在和一隻綠色的小猴子玩耍。

「對，」他耳語著，「這一夜，我在這個村莊的入口處，捲在我的草蓆裡睡覺。我當時很累，而且無精打采，無法逃避流浪的生活，對外界的一切絲毫提不起勁……就是在這裡，在福岸，而且是滿月的一個夜晚，月光非常明亮。」

尼菲睜開雙眼，智女離開他身邊，重新走回大法官面前。

「命索貝克隊長立即到這個地方，並且詢問當地的居民。」

尼菲被關在第五堡壘的牢房裡靜靜等待。因為智女出現為他辯護，警察們對他百般殷勤，深怕智女會在他們身上施法。食物無可挑剔、早晚都可以到外面散步，而且每天都能夠見到卡萊兒。

為了不讓他擔心，卡萊兒總是告訴他村裡一切安好，但是他相信有些人還在懷疑他的清白，而讓卡萊兒不好過。

終於，經過了兩個禮拜的走訪和調查，索貝克來到牢房把門打開。

「你已恢復自由之身，罪名也已完全被洗淨，尼菲。有幾個人證實命案發生的那個晚上，他們親眼看見你在福岸。因此警衛不是你殺的。為了補償這個事件給你帶來的傷害，法庭同意送你一只木箱、兩塊全新的腰布以及一卷上好的莎草紙。至於我，我向你賠不是。」

「你只是盡你的本份罷了。」

「但你永遠都不會原諒我……」

「為何你當時會相信我是殺人犯，索貝克？」

「我犯了兩個疏失：第一，我原先以為這名警衛死於意外，第二，我想用那封匿名信上所提供的罪犯來彌補我的第一個過失。倘若你要求，我會申請免職。」

「我不會要求這個。」

索貝克看來有點僵硬。「我不習慣人家同情我……」

「這不是同情。你雖然犯了兩個大錯，事實上你從中所學到的東西遠比成功帶給你的還要來得多。現在你會比以前更加謹慎，而且會更小心明確地維護村子的安全。」

索貝克感覺到尼菲和行會裡其他的工匠有所不同。他從未提高音量，而且絲毫沒有怨恨。

「只剩下一個嚴重的問題：是誰寫了這封信？」索貝克提醒道。

「你可有線索？」

「完全沒有，但這件事讓我出了糗，我會報復的。現在已經確定這是一件謀殺案，依我看，兇手可能就是寫這封匿名信的人。不過為什麼他想要把你給毀了？」

「我一點概念都沒有。」

「無論花多少時間，我都會把它查個水落石出。」索貝克保證道。

「現在我可以回村子裡和我妻子重聚嗎？」

「你是自由之身，我已告訴過你，但請再聽我說幾句話：你不認為你有生命危險嗎？」

「你不能保護我的安全？」

「我沒有權利進入村子。」

「我有什麼好怕？」

「萬一匿名信的作者是行會的人……他會繼續不斷地害你，甚至把你做了。在這種情況下，你在村裡反而更危險。」

「請你繼續調查下去，索貝克，試著找出黑暗中的魔鬼。」

索貝克覺得尼菲並沒有把他的警告聽進去，不過也沒有強留他。他非常高興尼菲沒有反告他，讓他很可能因此而捲舖蓋走人。

尼菲才剛走出堡壘，一隻黑狗馬上衝向他，使他差點跌倒。小黑兩隻前腳趴在他的肩膀上，拚命地舔他的臉，然後在主人的四周興奮地又跑又跳，最後終於停下來伸著舌頭喘氣，讓牠的主人愛撫牠。

卡萊兒走近她的丈夫，讓他擁進懷裡。

「小黑想要當第一個來慶祝你的重獲自由……你能夠回來是多麼幸福的一件事！」

「在這次的事件當中，我一心只想到妳。妳的臉龐不斷地出現在我的面前，抹去我所有的憂慮，連牢房的牆壁也不存在了。假若妳沒有出現在法庭上，我想我會崩潰。」

「是智女救了你。」

「不，是妳。當我一看見妳，我知道所有的謊言都無法對我造成傷害。」

「我父親過世了，」她告訴他。「是阿當幫我料理他的後事，我才得以出席法庭。這個年輕人的心地真的很好。」

「妳後來有再見到智女嗎？」

「沒有，別人建議我不要打擾她。你回來得正是時候。」

「妳曾經受到其他人的排斥，對不對？」

「我什麼都不記得了……我們在村子裡的生活今天才要開始呢。」

卡萊兒是對的。現在，尼菲知道幸福可以和蝴蝶的翅膀一樣脆弱，也可以如花崗石一樣堅固，每一個時刻都要把它當做奇蹟來感受它。

夫妻倆連同小黑一同往村子的正門走去。

「我很遺憾沒有參加妳父親的葬禮。」

「他一直很欣賞你，希望他走之前我已做到讓他的靈魂平靜。我當時向他保證，正義最後會獲得伸張。」

「妳是不是擁有什麼特殊的力量？」

「當然不是，是你的愛讓我不曾失去過勇氣。」

警衛熱情地和他們打招呼。

「真高興再見到你，尼菲！我們一直都相信你是清白的。聽說村子裡正在準備慶典……好好玩吧！」

大門被打開，尼菲和卡萊兒一起進入了他們新的故鄉。

工匠的兩位首長在前，其他所有的工匠排列在後，大家共同夾道歡迎這對夫妻，並且熱情地拍他的肩膀。這次的重聚充滿了快樂的氣氛，大家開了幾壺麥酒齊聲讚揚智女。

「既然尼菲已經回來，」納布師說道，「是該進行阿當入會儀式的時候了。」

40

「起床囉！」歐貝德向阿當說道。
「發生了什麼事？」
「你的朋友尼菲被釋放了，另外，有兩名工匠來找你。」
阿當在鐵匠舖辛勤地工作了一整天，才剛睡了兩個小時，這時他馬上彈跳了起來。
「你考慮了沒有？」歐貝德問他。
「我入會儀式的時刻來臨了！」
鐵匠沒有再堅持下去。不過，他還是認為阿當的作法是自取滅亡。
「我們要去哪裡？」阿當問道。
兩名工匠的臉上帶有敵意。
「沉默是金。」其中一名回答他。「你願意就跟我們來。」
夜幕低垂，村子本身和其四周一點光線都沒有。兩名工匠踩著肯定的步伐往前走，似乎路上所有的坑洞他們都一清二楚。他們一直帶領著阿當來到一個陵園裡的小禮堂門口，陵園坐落於村子西邊的小山丘裡。
阿當驚訝地倒退了一步。他所要追尋的不是死亡，而是一個全新的生命！儘管有太多的問題要問，他還是強迫自己閉嘴。
那兩名工匠消失在黑暗中，留下阿當獨自一人面對金色木製、立柱框著的大門，頂端有一座小金字塔。

他到底還要等多久？如果行會的目的是想耗盡他所有的耐心，那他們就等著瞧！現在他已在第一扇門前，說什麼也不會放棄的。

不管要什麼樣的對手打鬥，他都已準備好了，但從黑暗中突然出現的這個人卻讓他起了一陣雞皮疙瘩：他有一個人類的身體，但頂著的卻是一個豺狼的頭，配上一對尖尖的耳朵，看起來令人有窒息感。這個怪物的左手拿著一根權杖，上端有一隻張大嘴準備咬人的犬類。

豺頭人站在離阿當一公尺不到的地方，向他伸出右手。

「如果你有勇氣跟著阿努比斯，他會帶你到祕密所在處，但如果你害怕，那就不要再前進。」怪物向他指點道。

「不論你是誰，做你該做的事。」

「除非你說出有力的咒語，否則這扇門不會開。」

豺頭人把阿當的手放開。他開始思索如何處理這個情況。他怎麼知道什麼是有力的咒語？他該不該一拳打破這扇門，看看門背後到底是什麼？

幸好在他決定這麼做之前，阿努比斯又再度出現，拿著用大理石雕刻的一隻牛腳。

「將它獻給這扇門。」他命令阿當。「只有它蘊藏著這個咒語，那就是貢獻。」

阿當於是雙手將塑像高高舉起。

慢慢地，門開了。面前出現了一個身穿金胸甲的鷹頭人，手上拿著一尊紅木小雕像，是一個兩腳朝天的無頭人。

「小心不要頭下腳上，阿當，否則會失去你的頭。只有正直才能避免這種悲慘的下場。現在，跨過門檻進來。」

阿當進入了小禮堂，裡面裝飾的圖案是行會的使徒正在準備祭神儀式。正中央有一道往下通的階梯入口，可直通到山丘的地底下。

「到地中央去。」鷹頭人命令道。「在那裡有一個大陶瓶，打開它，喝它裡面的淨水，可以使你不被火吞噬。它會讓你發現精力之大洋。」

阿當沿階梯走下去，一階一階慢慢地走，以適應黑暗。

到達地下室後，他看見了一個大陶瓶，於是抓住瓶耳把它舉起來。裡面的水很清涼，而且有八角的味道。

喝下了水，阿當感覺到全身注入一股新的活力，如同尼羅河水氾濫時，人們被准許飲用河水，因為氾濫的河水象徵著活力。

豺頭人和鷹頭人這時手舉著火把來到地下室，火把照亮了一個銀座和一個裝滿水的銀盤。他們用銀盤裡的水將阿當的雙腳洗淨，然後一左一右分站在阿當身邊。他們將聖水灑在他頭上、肩上以及雙手。

「你已再生，擁有一個新的生命，」他們對他說，「你將航行於精力之大洋中。」

在地下室的盡頭，有一條路通往一個小地窖，裡面有一個魚形的大木棺，奧塞利斯神被謀殺後，屍體被分丟在尼羅河裡，祂的性器官被一條魚吞掉，這條魚正是象徵吃掉奧塞利斯性器官的那條魚。他們將棺蓋打開，指示阿當躺進這條大魚裡，棺木裡鑲滿了青金石。

阿當在生命中第一次經歷了化身，他感覺到自己不但是一個人，而且屬於創世主，與所有形式的生命緊密連結。由於這個象徵光明的魚棺，他覺得自己似乎能夠回溯生命的來源。

但豺頭人和鷹頭人打斷了他的冥想，使他又浮出現實的表面。從這個小禮堂進入另一個更寬廣的禮堂，在它的四個角落各有四支火炬，成一個四方形。每個火柱的下方有一個水盆，裡面裝有白牡牛的牛乳。

在場有幾位工匠。工匠首長納布師開始說話。

「我們透過何露斯之眼，窺見奧祕、與天上神仙對話。倘若你真正想成為我們的兄弟，你將必須要避開他人的耳目來工作，並遵守我們的規則，此規則好比我們維持生命的麵包與麥酒，我們習慣將它命名為『頭與腳』，因為我們所有的思想與動作皆以它為基礎，我們的共同體好比一艘船，而我們的規則正是這艘船的舵。規則是瑪亞特的呈現、是神光的女兒、是宇宙和諧與創世聖言的原則。你是否仍然想要加入我們、是否仍想了解你所應盡的義務？」

「我要加入，我要了解。」阿當回答。

「你必須謹慎地完成所交予你的任務，」納布師說道。「不得有任何疏忽。你必須追求公正、表裡如一，而不得違背你所學到的，並且要將它納入你的作品中。在呈現作品奧祕的同時，不得透露奧祕；你必須保持沉默，保護祕密。有必要時必須前往神殿，向諸神、法老和祖先祭拜，必須參與儀式、節慶和兄弟的喪禮，必須支付互助基金的費用，必須遵守我們法庭的審判，不得容忍任何的惡行。在違背瑪亞特神、身心不純潔、或犯下說謊的錯誤時，不得進入神殿。不得因為貪財而虛報重量或長度，不得侵犯光之眼。你願不願在光之石前立誓遵守我們的規則？」

「我願意。」

尼菲向前邁進一步，掀起一塊雕琢成方形的石頭，它彷彿發出柔和的光。

「你願不願意以你的生命、以法老的生命承諾遵守我剛才所說明所有的義務？」

「我承諾。」阿當堅定的回答。

「如今，」工匠首長宣布道，「你已成為真理村的使徒、陵寢的子民，你被賦予新的名字為帕尼泊。願此名與天上的星星一樣永恆，願此名永遠不會被遺忘，願此名晝夜保護你的能量。願神使其與真理一樣恆穩。」

尼菲左手拿著木杖，上端的牡羊頭代表阿蒙神，他用沾有紅色墨水的小毛筆在阿當的肩上寫他的新名字。

「身為工匠的你，」首長說道，「能對召喚有求必應，努力學習托特公式，並克服它的困難，成為公式奧秘的專家，如此你將升到光明聖地。」

帕尼泊阿當身上塗了一層香油和香膏，身穿一件白色長袍，腳穿一雙白色涼鞋。尼菲在他舌頭上用手指畫出瑪亞特的神像，象徵著此舌頭今後不得發出不正當的話語。

首長又把石頭覆蓋回去，將四根火炬浸入牛乳熄滅。之後工匠們走出禮堂，觀賞天上的群星。

41

黎明時分，帕尼泊與尼菲仍然坐在入會儀式的禮堂門口。他們一整個晚上都在觀賞天上的星星，它們是自古以來興建埃及古文化的法老與聖人靈魂永恆的住所。

「你有沒有經過同樣的入會儀式？」帕尼泊問他的朋友。

「完全一樣。」

「大嫂呢？」

「她也是，正如真理村的所有女性。她們都是哈托爾女祭司會的成員，但絕大部份不會超過第一級。」

「會內還分等級嗎？」

「大概是吧……」

「工匠也是嗎？」

「當然，但重點是，我們是一個團體。無論我們的職務是什麼，我們共乘一艘船，船上每個人都有明確的職責。」

「我的職責是什麼？」

「首先要服務。」

「為別人服務嗎？」

「為使命服務，也要為兄弟服務。」

「尼菲，我們的使命到底是什麼？」

「建造法老陵寢和所有相關的一切。陵寢是無形且能在人間存在的媒體，輪迴能實現也是因為陵寢。但是在我們可以真正為使命貢獻之前，還需要學習很多。」

「我終於可以開始學習繪圖了。」

「對你來說，當務之急是與真理村的小孩學習寫字讀書。」

「我不是小孩子了！」帕尼泊抗議道。

「寫字是你藝術的基礎，你沒有時間可以浪費。肯伊是嚴格的老師，有時甚至吹毛求疵，但他的學生都成就非凡。」

「既然是必經之路……你知不知道我新名字的意義？」

「帕尼泊意味著『大師』。幫你取名的是納布師，他為你立下了一個無法達到的目標。他認為你不會放棄成為大師的夢想，當你每次遇到挫折時，你會不斷地消耗能量。終有一天你會得到平靜。」

「這麼說，首長一定要失望了！我保證我會成為名符其實的繪圖大師。他以為我承受不起這樣的名字，相反的，這個名字是我至死方會熄滅的能源。」

村子的牆外，助理開始工作。他們從驢子的背上卸下物品，向每個家庭運送早晨所需的盥洗用水。

太陽高掛在真理村的上空，而帕尼泊即將展開他夢寐以求的新生活。

他終於看得到高牆背後的真理村！高牆以外還有以大塊原石為地基的矮牆，用於阻擋不常發生、卻威力驚人的暴風雨所帶來的泥土和石頭。

真理村所在之處離洪水侵犯的極限有五百公尺遠，因此不會受到洪水氾濫的影響。建造村子的用地含蓋了一個偏僻的小山谷，為古時激流的河床。山谷兩旁的山丘使好奇的人無法窺視這塊聖地。村子位於拉美西斯大帝百萬年神殿與原神所在地傑梅聖山的正中間，工匠有時會把真理村說成「城市」，此地彷彿與世隔絕，不屬於尼羅河谷。西方是利比亞懸崖，南方為主神殿所背靠的山鼻，北方則是山谷口，逐漸延伸出去成為農作區。

村子兩邊有墓地。東方的墓地分上、中、下三層，分別屬於兒童、青少年和成年人的長眠之處。面向太陽的西方墓地也分多層，在此地建有最美的禮堂。

死亡與永恒在這些墓地融合成既自然又超自然的和諧。真理村所屬的領土上還建有聖殿、行會的禮堂、祈禱堂、水庫和倉庫等聖地和其他建築。

「來，」尼菲對帕尼泊說，「我送你回家。」

「你是說……我有個家？」

「你有個單身漢的小房子……可千萬不要以為是很豪華的房子！」

「那你呢？你也有一間房子嗎？」

「我運氣比你好，房子的狀況比較好。沒有人可以選擇，房子是由陵寢書記分配的，我們在行會禮堂內開會的位子也是首長分配的。」

「到底禮堂是誰負責？」

「是陵寢書記肯伊和兩位首長，也可以說是兩位船長，因為我們的行會好比一艘船。納布師負責右邊或稱右舷，卡哈負責左邊或稱左舷。你我被雇用為右邊的學徒。我們必須尊重在這裡已經長住多年而且非常了解工程公式的工匠與師傅。」

「我們一共有幾個人？」

「現今有三十二名工匠，左右兩邊各分十六個。過去人數更多，曾經高達五十個人。但有人已過世、也有人調到別處，而且法老寧可要人數精簡而團結的工作隊。你我被錄取，幾乎是個奇蹟！

身為學徒的我們必須保持沉默，致力成為真正的『聽見召喚者』。」

「你被錄取的是哪一個行業？」

「石匠，就是專門負責用鑿子，處理最硬的岩石，而且有能力用最小的橫口斧雕塑的人。」

「是你選擇這個行業嗎？」

「我不像你有繪畫的天份。」尼菲回答道，「何況我一直很喜歡與石頭為伍。」

「我非要繪畫不可！」

「萬一首長要你做別的工作呢？」

帕尼泊禁不住顯現出不滿之情。

「我有非常明確的目標，任何人都無法改變。」

「納布師不太好商量，」尼菲解釋道，「而且他最不喜歡有人質疑他的命令。你是最後一個進來的學徒，你只得妥協。」

「你身為我的朋友，知道我是不會低頭的。就算他是首長，我也不怕他，他必須要跟我說明他要我做什麼。我們埃及沒有奴隸，我可不要成為埃及的第一個奴隸。」

尼菲不再堅持，以免火上加油。可想而知，帕尼泊的學徒生涯一開始不會那麼順利。

帕尼泊好奇地開始參觀真理村。村子有一條南北主幹，東西則是一條較小的街道，城牆內有七十棟白色房屋，是行會成員及家眷和陵寢書記所住的地方。北方是真理村最古老的住宅區，建於圖特摩斯一世時期。

兩個朋友路過拉默塞的豪華住宅，現在由其繼承人肯伊居住其中。如此一來，肯伊可享有立柱裝飾的大廳來接待工匠，以及一間設備齊全的辦公室。

帕尼泊感覺得到，正在休息中的右隊隊員注視著他。有十來個四到十二歲的小孩邊笑邊跟在他後面。

主街道的盡頭為岔路，他們兩人向右轉再往南走，直到村子的南端。帕尼泊所分配到的房子就在這個地方。

帕尼泊看了良久。

「這……這簡直是一堆廢墟嘛！」

42

牆壁好像隨時會倒下來，木板也被蟲蛀得差不多，油漆剝落得面目全非。

「這個房子狀況不是很理想，」尼菲承認道，「但有一個不容忽視的優點，它是建在真理村內。」

這樣的優點不足以平熄帕尼泊的怒火。

「我要馬上去見陵寢書記！」

帕尼泊完全沒有考慮到後果，就快速折回原路，闖入肯伊的禮堂。肯伊坐在草蓆上，正在翻閱會計資料。

「這個不能住人的廢墟，是您分配給我的嗎？」

陵寢書記眼皮抬也不抬，繼續翻閱資料。

「你是不是學徒帕尼泊？」

「我就是，我要求有個像樣的住所。」

「小伙子，在這裡學徒沒有資格提出任何的要求，只能服從命令。依你這種脾氣，要成功很難，我相信你的首長在短期內會要求開除你。如果他開口，我一定第一個支持他。」

「我是否至少應該受到和其他工匠一樣的待遇？他們都有一個像樣的房子。」

「目前為止，你什麼都不是。行會已向你說明基本的義務，但是你對這項儀式到底了解了多少？你到村子裡還不到一天就想要享受大人物的待遇！你以為自己是什麼人？你是否以為光靠你的長相就會被分配到豪宅，還附送昂貴的家具、喝不完的名酒……你難道不知道其他的工匠任勞任怨地修建自己的住所？數以百計不被錄取的人做夢也不敢奢求能有個地方和幾面搖搖欲墜的牆壁。你呢？你還敢抱怨！你不但自大而且無知。」

肯伊仍然小心翼翼地翻閱資料，檢查會計數字。

帕尼泊怒火中燒，正在猶豫是否應該一把抓起書記丟到門外，然後砸爛他的東西。

「小學徒，你還在這兒幹嘛？趕快去整理你的房子，不要休想有人會幫你的忙。像我們這樣的行會，不能獨立的人是無法生存的。」

帕尼泊轉身就走，肯伊於是鬆了一口氣。如果這個年輕人真的動怒，真不知如何反抗。

從路邊到門口的石階已經磨損。整個建築只有石塊做的地基熬過了漫長的歲月，其他泥磚的結構必須重建。至於梁柱已經損壞得差不多，唯有更換一途。這個房子很明顯已有多年無人居住，必須先徹底清掃一番。

帕尼泊已被陵寢書記說服，他體會到這是他的第一個房子。他突然覺得這個房子比皇宮還要美。

「我可以幫忙你。」尼菲說道。

「肯伊說不准。」

「習俗歸習俗，友誼歸友誼。」

「我要照規定來，一個人維修。」

「你可能會遇到無法解決的技術問題。」

「我一定會犯錯，但這是我的工作。不過如果你願意請我吃午餐，我不會拒絕。」

「你以為卡萊兒會把你忘掉嗎？」

尼菲所分到的房子外觀尚可，內部則必須完全重修。到目前為止，他只有整修了小廚房，卡萊兒正在廚房煮牛肉和枯茗兵豆。油煙從屋頂的破洞冒出。

帕尼泊再次被這少婦的美麗所震懾，她只要淺淺一笑，連脾氣最壞的人也會變得和藹可親。

「我們家雖然連椅子都沒有，但我們還是非常歡迎你！相信你對你美麗的新居一定感到非常滿意。」

帕尼泊哈哈大笑。

「卡萊兒，妳最了解我！昨天我還在野外打地舖；如今，在我所睡的地方，可能隨時會被倒下的牆壓死。無論如何，至少我今天跟你們在一起……而且肚子餓得要命。」

帕尼泊吃了生平最美味的一餐。麵包鬆脆、牛肉夠味、兵豆軟得恰到好處、麥酒也甘美。最後還來一道美味的羊奶酪。

「明天早上，」卡萊兒說道，「你可以去拿你那一份食物。」

「這裡每天都吃得那麼好嗎？」

「節日時的伙食更棒。」

「我終於了解為什麼進入行會那麼難！免費的房子、吃不完的食物、理想的工作……真是人間天堂。」

「你還是要小心，」尼菲提醒他，「被錄取極為困難，但被開除卻非常容易。只要首長對你不滿，肯伊也不會支持你。他們倆有辦法讓你馬上被開除。」

「你與納布師的關係如何？」

「這個人吃苦耐勞、很有權威性、不接受工作上出現任何的瑕疵。不瞞你說，他不是很欣賞你，他絕不會容忍你出任何差錯。」

「能否轉到另一個工作隊上？」

「我不建議你提出這樣的申請。那會引起兩位首長的反感，而且卡哈將會比納布師更嚴厲。」

「明白了，我會戰鬥到底。」

「為什麼要把上司與下屬的關係當作戰爭看待？」卡萊兒問道。

這個問題讓帕尼泊感到驚訝。

「這裡和其他的地方一樣，必須不斷地奮鬥。首長一定會要我屈服，但他絕對不會得逞。」

「萬一首長的目的只不過是要培養你，讓你有能力完成至高的使命呢？」

「卡萊兒，我雖然很年輕，但我已經把人生看透了。人與人之間只有對立的關係。」

「那麼愛情呢？」

帕尼泊目不轉睛地盯著他的碗。

「妳和尼菲是天生的一對，但不是所有的夫妻都像你們一樣。妳是哈托爾的女祭司，對不對？」

「自從我入會以來，」卡萊兒說道，「我天天到哈托爾祈禱室，準備神殿、陵寢的禮堂以及每戶人家的神桌所擺的祭品。村子裡的生活不一樣。有夫婦、有單身的人、有小孩子，但是我們每一個家都是聖地，所有的男女祭司，就是工匠和工匠的妻子。在我們所擔任的職務裡，日常生活與神聖是分不開的。這也是為什麼在村子的城牆之下，我感覺得到埃及的秘密心臟不斷地跳動。我們在這裡就可以親身體會這個奧妙、品嚐它的美味、欣賞它的旋律，這個命運為我們所擁有。」

「但先決條件是要首長同意……」

「雖然我在這裡住的時間不久，」卡萊兒補充說道，「但我所了解的是，要體會真理村的無形法則，必須要有耐心，堅持不懈。真理村好比一個毫無保留的母親，重要的是我們的心有沒有能力接受。」

卡萊兒的話深深地感動了帕尼泊，突然間，他領悟了入會時他沒有體會到的一切。他雖然聽見了召喚，但是他沒想到這麼小的一個村子卻是這麼大的一個世界，也沒想到它竟有這麼多他還無法真正了解的寶藏。

「今天晚上你要在這裡睡覺嗎？」尼菲問他。

「不了，我還要整理我的房子。否則，卡萊兒和你將要以我為恥。」

「我再一次強調，我可以幫助你。」

「假如我一個人不能成功的話，我會以我的無能為恥。我承認有時候我很笨，但我已明白整頓這一堆廢墟是我要面對的第一個挑戰。」

43

莫希的基礎布局開始收到成效。他只花了三個月的時間，已晉升為底比斯部隊司令，且負責該部隊的行政與軍事重整工作。他利用最拿手的毀謗技倆，逐漸排除了其他的高級軍官，另外對士兵花言巧語，承諾要增加軍餉、提早退休、改善日常生活條件、現代化營房。承諾若是沒有兌現，莫希就聲稱是上級單位的疏忽、不誠實，並安慰受騙的人，一再強調他不斷向有關單位為他們求情。實際上，與有關單位交談時，他一直罵士兵無恥，說他們的生活條件太過於舒服。

新司令的任職深受高階層和士兵的歡迎，而且莫希努力保持良好的形象，為此每天晚上都會邀請底比斯市不同的重要人物，在邀請之前，他會先研究此人的背景，以便能用最有效的方式拍他馬屁。如此，被邀請的人離開時，會認為自己是了不起的人物，而司令是既可靠又值得鼓勵的人才。

此外，賽克塔很會扮演女主人的角色：和藹可親、快樂、膚淺但不至於令人厭煩的她，有辦法向高官撒嬌，令他們無法抗拒她的可愛。賽克塔手下有一群丫環，但她們看到的是一個霸道、無情的女主人。

莫希與賽克塔是底比斯市的新貴，凡是在底比斯市有份量的人都迫不及待地想被他們邀請。雖說如此，司令非常注意不要威脅到底比斯市長的地位，因為市長不但有權、而且聰明，然而要打倒司令對他而言卻是易如反掌。與市長見面時，莫希盡可能裝作謙虛，所表現出來的野心既合理又有分寸。反正莫希從未考慮與他爭奪市長的位子：身為市長需要面臨太多的派系鬥爭。還不如去操縱他，讓他在舞台上表演。若要爭取永久的權力，大部份的工作是必須在暗地裡進行，一旦遇到挫折，則就讓那些自以為掌權的白痴當替死鬼。

當晚的宴會一如往常非常成功；被邀請的倉庫主任書記與他有錢的、自以為是的、出生於底比斯的醜陋夫人，狼吞虎嚥地吃了大量的肉與蛋糕，也喝了不少清涼的綠洲白葡萄酒，使他們頭腦有點昏昏沉沉，說話也較無保留。如此莫希得知了一些有關糧食庫存管理的機密資料，將來必有利用價值。

「他們終於走了！」莫希猛然擁抱著賽克塔說。「這個禮拜讓我們最累的大概就是他們，但至少他們已經完全是我們的人了。」

「親愛的，我要告訴你一個很大的消息。」

「妳懷了我的孩子嗎？」

「你猜對了！」

「兒子……我要有一個兒子了！妳有沒有做尿液檢查？」

「還沒。如果是個女兒，你會失望嗎？」

「會的……但我確信妳會為我生個兒子。」

突然間，莫希的興奮冷卻下來，他的臉色變得很黯然。

「唉，最遺憾的是無法與妳父親共同分享我們的快樂……他的情況越來越糟。他最近寫出來的報告，我不得不加以修改，因為荒謬的地方實在太多。他的醫生有沒有叫他吃藥？」

「醫生聽取我的意見，不敢向爸爸提到他的疾病，再說這種疾病他也無法治療。他認為爸的心臟有點衰弱，只針對這個開了一些藥方。他說爸承受不了太強烈的打擊。」

「賽克塔，我很擔心。我怕他犯下非常嚴重的錯誤，使我們所有的努力付諸一炬。再說，我們馬上就要有孩子了，親愛的，我們要為孩子著想。」

「你放心好了，我已經向法律專家解釋我們的問題。當然，我要求他保密。」

「這名專家怎麼說？」

「我們已經採取了一系列的法律措施，萬一爸的神智喪失，他還不至於亂花我的財產。但這樣還不夠，只有爸的精神病發作，我才可以全權處理我們的財產。」

「這樣的情況下，妳還要保留我們財產分開的合約嗎？」

「在我們還沒有繼承人之前，這本來是最理想的做法。現在當然不一樣了……我們倆是天造地設的一對，我懷了你的孩子，你是傑出的管理者。一旦爸過世或他的精神病獲得承認，我就取消這個合約，我們平分所有的財產。」

莫希猛烈地擁吻賽克塔。

「妳太美妙了！一個兒子對我絕對不夠……」

賽克塔已經花了很長的時間分析目前的情況。父親已經老了，他的做法早已過時，他不再有足夠的活力賺取更多的財產。莫希才是現在的新主人；虛偽、謊言一堆、無情、耍手段的他，不斷地竄升與發展。跟他或跟別人生孩子有什麼差別？反正小孩又不是她賽克塔要親自照顧，再說，有了小孩就可以滿足莫希認為自己是真正男子漢的虛榮。

假設他們離婚的話，賽克塔至少可以先保留財產的三分之一，再提出司法程序向前夫取回剩下的財產。撤消財產分開的合約會讓莫希以為她深愛著他，因而不會提防她。她要看莫希不斷地發展，她要享受他玩手段的成果，最後像螳螂一樣把他吃掉……有這麼一個刺激的未來，保證賽克塔不會無聊。

「每天，」莫希承認說道，「我向諸神祈禱讓妳父親可以康復。如果他發生什麼不幸，我一定承受不了這個打擊。」

「我完全相信，親愛的；不過我將會在你身邊，共同克服這個可怕的打擊。」

莫希邀請了幾名有身份地位的人物，和他幾個較親近的屬下一同到底比斯北方的一個紙莎草叢林去打獵。西岸總督阿布利幾乎嚇得半死。他知道這個地方非常危險，而且不知道自己存活的機會有多少。一隻兇猛的大河馬輕而易舉就能把小舟給掀翻，鱷魚能以迅雷不及掩耳的速度吞掉牠的獵物，更不用提水蛇有多危險！

總督跟在莫希的身邊，他手上拿著一把射標，將一隻綠鴛鴦一頭擊碎。獵殺這些飛禽帶給他極大的快感，而且他也喜歡吹捧自己的技術無人能及。

「我們可以到別的地方說話。」阿布利建議道。

「我不信任您的部下和夫人。」莫希回答。「自從尼菲被判無罪後，真理村又找回它的光榮。現在要攻擊它會太危險。」

「這也是我的想法！所以我建議您乾脆放棄，專心做我們自己的工作。」

「不可能的事，朋友。」

「為什麼要對他們趕盡殺絕呢？」

「瞧瞧這個地方，阿布利。大自然是如此強烈地展現出它的野性美。弱肉強食是它唯一的法則。」

「瑪亞特的法則正是為了對抗這種法則。」

「瑪亞特不是永恒！」莫希叫道，同時將射標往一隻翠鳥的方向擲過去。

他幾乎射中，只差幾公分。

「我因為有點生氣，所以沒有射準。」他遺憾地說道，「在打獵時，冷血就是最好的武器。您要不要試試？」

「不用了，我想我不行。」

「我們繼續進行，阿布利，而且您要幫我。這次法律上的小失敗並沒有改變我的決心，再說，我有上萬個理由相信我們一定會成功。」

「真理村比努比亞的堡壘還要難攻克！」

「沒有任何一個堡壘攻不下來，只要運用一點計謀。現在，行會以為天下太平而放心地繼續他們的工作，這就是他們的弱點。」

水鴨因驚慌而發出警告的叫聲，一隻水鼠也慌張地從一片紙莎草葉跳到另一片上，企圖逃過被獵殺的命運。

「您對真理村的計謀就是這個？」

「一部份是……我會再加點料。您有沒有獲得什麼新的消息？」

「沒有，從尼菲和帕尼泊加入行會之後就沒有了。」

「帕尼泊，『大師』……他的同事可給他訂下了美好的未來！」

「我不認為這一類的名字有什麼真正的重要性。」

「您不了解那些工匠，阿布利。我確信這些一定是師出有名，我們連最小的細節都不能放過。您有沒有派人就近監視真理村，只要行會有人一出遠門就會向您報告？」

「已經安排下去了，不過目前沒有什麼動靜。」

「只要一有這種情況，就立刻通知我。」

「時間已不早……我們是不是該回城裡了？」

「我殺的鳥還不夠多。」

44

「『聽』為一切之上，金字塔時代的智者卜塔霍特普這麼說過。你們都會跑、會游泳、會聊天，可是你們上一次的寫字練習卻糟糕透頂，因為你們都沒有注意在聽課！」

如同每個早晨，陵寢書記的脾氣總是很壞。他以前經常讓行會裡最優秀的畫匠來代替他教書，這麼一來後者便可稱為「書記」，但自從帕尼泊來到課堂上，肯伊自己親自上課，所有的學生都因為功課沉重，不斷地挨罵而叫苦連天。

「你們字母認識不到幾個，而且又畫得很差勁！至於有兩個音的象形字，全部都得重新來過，更別提你們畫的貓頭鷹和吐著舌頭振翅飛翔的小鳥！你們如此不專心，我怎麼教下去？看來只有用棍子把你們長在背後的耳朵給敲開。」

帕尼泊介入發言。

「因為我是年紀最大的學生，我必須要為這些課堂上的錯誤負責。我的背夠寬，可以挨所有的棍子。」

「好了，好了……這件事以後再說。現在你們以書記的坐姿坐好，用你們的蘆葦筆尖沾黑色的墨汁，然後在石灰石板上開始寫基本字。」

那些石板為鈣質的小石塊，滿布於村子的四周。有些比較珍貴的是挖掘陵墓時得來的。學生和畫匠學徒用這些石板來當作寫字和畫畫練習，因為他們還不夠資格使用莎草紙，儘管是已經用過的，或是品質較差的紙。

帕尼泊對這項材料非常滿意。他終於有了畫畫的工具和用品可以讓他表現出他的藝術天分。他很喜歡仔細而優雅地畫出那些象形文字，也常讓肯伊驚嘆，帕尼泊的學習能力很強，好像他早已熟悉象形文字。

肯伊在檢查這些石板上的作業時，發現女孩們都要比男孩子來得有天份。

「你們簡直是像一根歪七扭八的木棍，丟在地上都沒有人會撿！就像智者說的，如果一個木匠經過，他也許會望望這些悲慘的木棍，考慮將它們弄直做成手杖，讓它們擁有一點尊嚴。這個木匠就是我！不管你們未來的命運如何，我要你們踏出這個學堂的時候已經會讀也會寫。」

大家又繼續開始練習，直到午餐時間才停止。

「明天，」肯伊宣布道，「我們要畫魚。現在，全部去用餐，記得餐桌上的規矩。要成為智者的第一步就是從禮儀和尊重別人開始。你！帕尼泊，你留下來。」

學生們全部一哄而散。

「你餓不餓？」

「餓。」

「我也是，不過還有更重要的事情。」

肯伊拿給帕尼泊一塊稍微經過磨平的大石板和一隻真正書記用的毛筆，並且將一杯深黑色的墨水放在他腳邊。

帕尼泊極為興奮。

「這……這真是太棒了！我不敢在上面畫畫……」

「你變成了膽小鬼？」

帕尼泊雖然被激怒，但並沒有發作。

「你的名字是用『帕』和『尼泊』兩個象形文字所組成。『帕』一字代表正在起飛的鴨子；

『尼泊』一詞則代表因容納祭品而成為祭品主人的籃子。」
帕尼泊慢條斯理地寫起他的名字。他的手很穩，寫出來的名字很工整。
「寫得不錯吧？」
「你還不夠格說話。你知不知道為什麼我們給你取這個名字？」
「因為我必須不斷地展翅高飛，同時我的技巧端賴我所見與所得。」
「技巧……你還差得遠呢！」肯伊數落他。
「現在畫一隻眼睛、一個正面、另一個側面、頭髮、一隻豺、一條小船。」
帕尼泊花了不少時間，彷彿先將整個生命注入其中，然後以不可思議的自信畫出來，對一個學徒而言很難得。
「把這些全刮掉。」
他懷有塞特猛烈的精神，又如何能表現得如此有耐心和仔細？肯伊自問著。這個年輕人真的是一個謎。
「好了。」
「把莎草紙上的這段文字抄一遍。」
肯伊攤開一張完美的紙，可是上面又小又細的字並不容易模仿。
「我應該要寫得一模一樣，還是用我的方式來詮釋？」
「隨便你。」
帕尼泊選擇第二種方式。
他所寫出來的東西不但沒有任何錯誤，而且文章變得更為生動。無庸置疑地，這個年輕人是做書記的一塊料，不但敏捷而且清楚。由於肯伊一整天不斷地寫字，所以他的字跡幾乎已難以辨認，他因此產生一種莫名的憤怒。

「把這段文章唸給我聽。」

「若耳聞者聽進耳聞之一切，則耳聞者成為明白者。若耳聞確實，則言語為善。上帝所愛之人為明白者；不明者為上帝所憎。追求明白者方能實現所言。不求甚解者一事無成。其視知識為無知、視有利如有害，行人所惡之事，存於毀滅之途。勿顛倒是非，去所縛之繩索。」

「你不但會閱讀，帕尼泊，而且非常流暢。不過你懂不懂你剛剛所唸的？」

「我想您選擇這段文章並非出於偶然……您認為我未將您所教的完全聽進去？」

「這點以後再說……去吃飯吧。不要把石板帶走，它不屬於你的。」

帕尼泊離開了，肯伊則回到他所住的拉默塞屋。肯伊雇用的一名村婦已準備了沙拉、蘆筍和牛腰。

「對不起，我遲了，」肯伊說道，「今天比較晚下課。」

「我內人生病了，」拉默塞告訴他，「所以她今天不和我們一起吃午飯。」

「嚴不嚴重？」

「我還在等智女的診斷結果。你管得住帕尼泊嗎？」

「這個孩子非常出色，我很希望培養他成為書記。」

「你知道他志不在此。」

「如果他學得來托特的科學，將會是一位很傑出的畫匠。但他是否有耐心地按部就班來呢？」

「你蠻偏愛他的，不是嗎？」

「他擁有一股行會所需的力量。誰能夠想像他所能創造出來的作品呢？」

「我信任你，你和工匠首長納布師會讓他成熟。」

「我們要有心理準備將會面臨無數的衝突，甚至失敗……帕尼泊要求很多、個性太過激烈且暴躁，隨時準備要反抗；塞特在他體內的火太過於強烈，我們終究也許無法控制他。」

「他會寫和讀嗎？」

「跟您和我一樣好。他用不到一年時間所吸收的知識比別人花上十年得到的還要多。」

「他和孩子們相處的形情如何？」

「就好像一個大哥哥。他愛護他們、安慰他們，而且從來不拒絕跟他們一起玩。他天生就有一股權威性，不需要提高音量就會令人服從。最糟糕的是，他會幫助那些小懶蟲做功課，而無視於我的訓斥。應該要處罰他、威脅開除他、將他……」

「你記不記得身為老師以及教未來書記的原則：『對學生要有耐心及言詞溫和，用喚醒他們的敏感來獲得他們的尊敬，用愛來教育他們。』你繼續培養這個年輕人；不要對他的缺點心軟、不要容忍他任何的錯誤，然後慢慢地為他揭開美妙和永恒事物的面紗。」

45

總司庫不斷地往頭頂上抹辣木油來治療他的禿頭。最近和他在一起的情婦口無遮攔地說了一句話，讓他意識到自己已經老了，而且不再有魅力。他陷入了憤怒的情緒，使得他終於病倒在床。醫生緊急趕來處理，最後建議他多休息，以及注意他的心臟問題。

他的工作責任重大，如何能聽得進醫生的這種建議？底比斯雖然不過是埃及第三大城，但它的財富龐大，而且首相要求所有的行政業務必須要清楚並且有效率。他實在很想要和女兒賽克塔一起到鄉下享受田園風光，他已經許久沒有這樣做了。

就在此時，她向他宣布孩子即將到來！多麼美妙的消息，她和莫希又是多麼完美的一對！他可以安享天年，身邊圍繞著一群孫子，他會教他們計算和管理，希望他們對數字有天份。數字對莫希而言已沒有秘密，有時總司庫對他的才思敏捷、學習快速感到擔心；只要是與事業無關的事情，莫希會不會都漠不關心？

想到這裡，他覺得自己應該對剛當上底比斯部隊司令的莫希有戒心。如果他有時假裝謙虛，尤其是與市長在一起的時候，是因為他心懷鬼胎。世界上像他這種個性的人不少，但莫希又多了殘酷與野心兩樣。儘管他戴著一張厚厚的假面具，總司庫總有一天會揭穿他的，只怕他會發現莫希之所以娶溫柔而脆弱的賽克塔，是為了要霸占她的財產。做父親的他必須要保護她，尤其不要讓她更改夫妻分產的合約，同時要為將來的孩子做打算。

上次與底比斯市長的會談讓總司庫感到心神不寧。市長與他已是多年的老朋友，但卻對他很冷淡，甚至抱著懷疑的態度，只有輕描淡寫地提了一下目前的計劃，彷彿在和一個陌生人交談。他懷疑是他的女婿莫希從中搞鬼，目的是為了要破壞他的地位，然後表現出自己是真正的繼承人；倘若真是如此，莫希便成了可怕的對手，他必須要阻止這個最惡劣的陰謀家繼續壞事。

管家前來向總司庫通報，莫希和賽克塔已來赴他中飯的約。

賽克塔看來很嬌柔，莫希則是自信滿滿。

「妳覺得身體怎麼樣，我親愛的女兒？」

「我覺得好極了！你呢，我親愛的爸爸？」

「我沒有時間管自己的身體，首相要求下個禮拜要看底比斯省的財務狀況報告。如同每年的老問題，有許多的報告我都還沒收到。」

「也許我幫得上忙……」莫希提議道。

「我看不需要，我那些技術人員加班趕工就是了。」

莫希第一次感覺到他岳父懷有戒心，甚至有點敵意。難不成他比他想像中還要清醒？

「終於有一刻清靜了，」賽克塔說道。「今晚我們還得和阿蒙牛群的總管吃晚餐，他很煩人，滿口只提公牛和母牛。你不能想辦法把他弄走，讓一個較不煩的人取代他嗎？」

總司庫只顧觀察女婿的反應，而沒有在聽他女兒說話。賽克塔馬上聯想到莫希提過父親心神喪失的毛病又要發作了。

「爸爸，你在聽我說話嗎？」

「有……我是說沒有。什麼事？」

「沒什麼重要的事。」

「每個人都稱讚您的屬下很有效率，」莫希諂媚地說道，「不過，如果您認為有需要，儘管吩咐我。」

「我去看你的廚子準備了些什麼。」賽克塔忐忑不安地說道。

「好主意！莫希和我在葡萄藤下喝點白酒等妳。」

這個地方是如此舒服，讓人情不自禁地變得懶洋洋。但莫希沒有時間可以浪費了。

「岳父大人，我有一個非常機密的消息要透露給您。」

「跟我有……直接的關係嗎？」

「跟您的職位有很大的直接關係。您應該很清楚，年初的時候有好幾個敘利亞人住進底比斯。」

「的確，他們當時已得到許可。沒有人抱怨過他們的行為，而且他們也很守規矩地繳稅，完全納入底比斯省的收入。」

「這只是表面……實際上卻不是這麼一回事。」

「你發現了什麼？」

「在一次的檢查工作中，有一間關閉的倉庫引起我一個部下的好奇。他暗中地進行調查，結果發現這些敘利亞人與西岸的農人走私販賣穀粒。」

「你有證據嗎？」

「鐵證如山：那些密件隱藏在那個倉庫裡。」

「你有沒有拿到它們？」

「我希望將這個特權留給您來執行。」

午餐的時間維持不長。賽克塔回家準備晚上的宴會，莫希和總司庫則往倉庫的方向走。總司庫一想到要緝查規模如此龐大的走私案，不禁感到一陣緊張。

莫希似乎有些猶豫。

「你不知道地方嗎？」

「我知道，就是小路正對面的這棟建築，但我有戒心。這些敘利亞人可能很危險。」

「他們會在裡面嗎？」

「我先去確定一下。」

「不要冒任何危險，莫希！你忘了你是我女兒的丈夫和她孩子的父親？去找幾個士兵來。」

「好，但您留在這兒不要動，等我回來。」

總司庫兩眼監視著莫希所指示的建築物。穀物的管理向來最為嚴格，他想不通這些敘利亞人如何能逃避管制。等到查看這些機密的文件便知道那些人是共犯，屆時再嚴懲他們。

這個地方很荒涼，倉庫似乎棄置已久。這的確是一個藏匿非法資料的好地方。

總司庫越來越好奇，而且開始感到不耐煩。既然莫希遲遲不回來，他決定先去一探究竟。

沒有人。

連門都未鎖！他把門推開，心臟跳動得很厲害。一道從天窗透過來的光線，照亮了一只裝滿莎草紙的箱子。正當他攤開第一張時，總司庫突然受到驚嚇。

一名非常年輕的女子朝他走過來。

「妳是誰？」

她搖晃著頭髮，把身上的衣服撕爛，然後將胸前及手臂用指甲抓破。

「這……妳瘋了不成？」

「救命呀！」她尖叫道，「有人要強暴我！」

總司庫立即抓住她的肩膀。

「閉嘴，妳這個說謊的小騙子！」

她尖叫求救得更急更大聲。

大門一下子被衝開，出現兩名手上拿著劍的士兵。

「混蛋，放開這個小女孩！」

總司庫驚慌地轉向這兩名士兵。

「你們誤會了……我……她……」

一陣錐心的刺痛讓總司庫沒有辦法把話說完。他雙手壓在胸前，嘴巴張得很大，極力想要吸氣，最後一頭往後栽下。

小女孩匆匆忙忙地穿好衣服，便從倉庫盡頭一道隱密的牆縫溜走。

莫希這時進入倉庫。

「這裡到底發生了什麼事？」

「報告司令，總司庫剛才企圖要強暴一個小女孩。她已經逃走，而他……我想他應該是死了。」

莫希彎下腰去檢查屍體。正如他所願，岳父的心臟已停止跳動。

「這個可憐的人已離我們而去……你們可曾親眼看到過程？」

「依這個小女孩的尖叫聲判斷，肯定是錯不了。我們照您的交代在這種緊急的狀況下出面干涉……」

「你們沒有任何的錯，不過要忘掉這個不幸的悲劇。我要我的岳父有個風光的葬禮，而且他的名譽不能被玷污。不用寫報告，你們什麼也沒看見、什麼也沒聽見。我會給你們布料和葡萄酒做為你們乖乖聽話的犒賞。」

兩名士兵點頭表示同意。

莫希花錢請來演戲的小女孩帶著重賞在當天便回到她的故鄉。他岳父一過世，莫希變成了底比斯最有錢的人之一。

46

尼菲很快地便適應了真理村的生活步調：連續工作八天之後放兩天的假，其中還加上許多國慶假日和當地的節日，如果工匠首長同意，下午的時間可自由行動，私人理由的請假則得先經過陵寢書記的批准。工匠們從早上八點開始工作，中午十二點到二點的時間用餐，然後一直工作到下午六點。工匠之中有好幾位利用自己自由的時間，以高價接外面的工作。

一整年中只有一半的時間是做正式的工作，行會並不認為這是苦差事；左隊和右隊的工匠都非常清楚自己的職責是參與一個非常特別的經歷，也是法老本人認為最優先的任務。

尼菲頗有同感，但仍有面臨困難的時候。右隊同事對於新加入的他有排斥的情形，仍然保守地繼續觀察他。尼菲身為石匠，每天都和這些同事相處，費奈德外號叫鼻子，因為他的預感靈敏而正確，卡沙負責移動材料和拉繩索測量，所以別名叫繩子，奈克特的綽號叫大力士，卡洛則叫毛燥。另外還有三名雕匠、一名彩繪匠、三名畫匠、一名木匠和金銀匠，這幾個人很少和他交談，就算開口，也是一些無關痛癢的話。

當右隊休息時，左隊則接替工作，兩隊如此輪流換班，因此不會碰在一起。納布師和卡哈兩位左右隊的首長所使用的管理方法，不會造成兩隊有競爭對立的心態。

尼菲每天晚上會將工具擦拭乾淨，清點後交給陵寢書記，由他放進村子的保險櫃裡鎖上，第二天早上再分發給工匠，實際上，所有的工具為法老所有，任何一名工匠都不能據為己有。不過，真理村的使徒可以製作自己的工具，方便接外界的工作時使用。

尼菲手上拿著一隻重約三公斤、末端成尖形的石製鶴嘴鎬，將堅硬的岩石擊破。在貴族谷地的一塊工地上，右隊正在準備一座王室書記的陵墓，尼菲常常是最後一個離開工地的人。

奈菲爾從觀察別人工作中學會如何使用小木槌和斜口鑿，讓工作更有效率。他用斜口鑿和弓鑽快速地旋轉鑽洞，左手則用一塊套住鑿子手柄的固定板為輔助，以防止工具滑動。經過了幾次不甚滿意的嘗試結果，他已經輕易地掌握了技巧，如同操作樂器一般。他感覺到工具的振動如同一種旋律，也無需多浪費一分力氣。

要完全地掌握三口鑿、方形的短柄錐、銅製小橫口斧並不容易，但尼菲有耐心讓他的手變得更為俐落。

卡洛毛燥叫了一聲他的名字。

「你去檢查我剛修整完的那塊石頭，看看疊在這面牆上有沒有問題。」

這樣的工作並不容易，只有相當經驗的石匠才有辦法做這種檢查，卡洛毛燥原本不應叫學徒做這種工作，但是尼菲並未抗議，反而盡量地回想前一天首長所用的方法。他拿了三根測量木棍，每一根的長度有十二公分，末端有個斜截的洞。他先檢查三根木棍是否等長，然後將它們立在石面上，在兩根木棍之間拉一條繩子，再用第三根檢查。尼菲覺得石頭表面不平，於是用石灰岩銼刀開始將凹凸不平的地方銼平。

「你在玩什麼花樣？」卡洛毛燥很不高興地責問他。

「你交代我一樣工作，我負責把它完成。」

「我只有叫你檢查一下，並沒有叫你做這些。」

「你難道希望我做得越少越好？我因為發現它不完美，所以試著將它調整。這塊石頭到時候很平整，而且砌上去絕對不成問題。」

「這是我的石塊，不是你的！」

尼菲把工具放下，正面對著矮壯而肌肉結實的卡洛。他濃密的眉毛和方形大鼻使他看起來非常不友善。

「你經驗比我豐富，卡洛，但這並不意味著你可以侮辱我們的工作。這石塊既不是你的、也不是我的，而是屬於這座陵寢。」

「不要再囉嗦了！你走開讓我來弄我的石塊。」

「夠了，卡洛。我也是這隊的一份子，我不會再忍受這種無理取鬧。」

「如果我們的態度讓你不高興，你可以滾回外面去。」

「我不在乎你的態度，只對這石塊感興趣。我已經向你證明了我有能力將它弄平並砌到牆上。你還想要什麼？」

卡洛毛燥拿起一把鑿子，開始具有威脅性。

「我們的村子不需要你。」

「村子就是我的生命。」

「我會讓你害怕的，尼菲……你給我小心一點。」

「放下你的鑿子，順便讓你知道沒有任何的懼怕會阻止我尊重我的誓言。」

「也就是說你什麼都不怕？」

「我熱愛我的工作，也不會讓行會對我失望，無論是在何種對立的情況下。」

「我放棄這個石塊……交給你去完成它吧。」

卡洛走了，留下尼菲一個人把石塊最後幾個凹凸不平的地方銼平，也不管時間已悄悄地流逝。他規律的動作溫和如夕陽餘暉。

「是不是該回家了？」首長問他。

「我差不多快做完了。」

「和卡洛有爭執？」

「完全沒有。他有他的個性，我也有我的，如此而已；假使我們各盡點努力，我們的關係會有所改善的。不管怎麼樣，這一切都不會影響到工作。」

「你跟我來，尼菲。」

納布師將他帶到一個石頭放置場，裡面有各式各樣的石塊。

「你覺得這塊怎麼樣？」

「這是一塊普通的沙岩，因為不太硬，所以可以用銅鑿來處理，不過它的孔隙太大。這不是來自最好的採石場，如鈣石山，它不夠資格被用於王室的建築。」

「很有道理，尼菲，採石場很重要：阿蘇安的玫瑰花崗岩，哈努布的大理石，圖拉的石灰石，赤山的石英岩。真理村容忍這方面的疏失，而且要永遠維持同樣的要求標準。你到時去參觀每個採石場，然後將它們開採的水準一一地記在腦海裡。你知道石頭來自何處嗎？」

「我認為石頭出生在地下世界，在山腹裡成長，但是它本來是從天上掉下來的，也算是在光明太空出生的。一塊石頭雖然看起來不會動，但石匠的手知道它是有生命的，它蘊含著肉眼看不到的變化，因為石頭的時空與人類不同。石頭可看到超越人類生命的演變；既然我們感覺得到這些演變，我們不也就變成了永恆的證人？」

「你喜歡這塊花崗岩嗎？」

「好美……它將會被磨得很光滑，然後度過一個又一個世紀。」

「你想不想成為雕匠？」

「要將琢磨石頭學好可以花一輩子的時間，但雕塑藝術的確非常地吸引我。」

「雕匠首領烏塞拉特認為不需要別人，你要說服他教你很難。如果石頭會跟你說話，它也許會為你開啟一扇門。」

納布師假裝離開了工地，但實際上到了小山丘後，卻繼續觀察尼菲。明天他要和同事卡哈討論提高尼菲在真理村的地位。

47

卡萊兒已經很心滿意足了，她擁有深刻而幸福的愛情，住在一個獨一無二的村子裡，逐漸了解村子的各種習俗與小秘密，每天為哈托爾女神準備神桌與小禮堂的花束。

女祭司不像工匠分成兩個工作隊。卡萊兒的職位雖然最低微，卻非常樂意完成她的任務。但真理村其他村婦至今只和她說一些無關緊要的話，讓她明顯感受到她目前仍被視為一名陌生人，她們無法全然信任她。

到了晚上，尼菲和卡萊兒交換彼此的經驗，兩人都認為工匠們與村婦的反應很正常。這個村子與眾不同，若想要毫無保留地被村民接納，仍需長期的奮鬥。

哈托爾女神是星星之神，負責在宇宙中讓愛情的力量循環不息，只有這個力量才有辦法讓生命的所有元素結合。在祭獻哈托爾女神的時候，真理村的女祭司要維護無形的和諧，若失去了無形的和諧，則無法創造出必須遵守宇宙法則的一切有形物。維護這種微妙的能量而保障人民受到諸神的保護、保障瑪亞特處於人間，是全體行會以及埃及每一個神殿祭司的職責，更是法老的職責所在。

儘管她的地位低微，卡萊兒仍然非常高興有機會參與如此重要的使命，更何況真理村正是為了它而存在，因此她更能具體地感受到這個使命。

繩子卡沙家的門沒有開。平常，他的妻子在早上會打掃門口和前廳，並親自從卡萊兒手中接過花束。

卡萊兒擔心地敲門。

一名個子不高、一頭褐髮的女子開門。

「我的丈夫生病了，」她氣沖沖地說道，好像都是卡萊兒的錯。「智女正在照顧拉默塞書記的妻子，因此我不知道她什麼時候才會來。」

「我也許幫得上忙……」

「您難道懂醫學？」

「懂一些。」

繩子卡沙的妻子有點猶豫。

「我警告您：假使您的治療無效，我會向大家宣傳您是個只會說大話的人！」

「我不會怪您的。」

卡萊兒的詳和使對方無話可說，於是讓她進去。

卡沙躺在一張石床上，頭底下墊著一個枕頭。他長得不高，頭髮很黑，方臉褐眼，小腿很粗壯。

「您那裡感覺不舒服？」

「我肚子很痛……有一股灼熱感。」

卡萊兒按照奈菲莉主任醫生所教的方法為他檢查，看臉色、聞身體與口腔的氣味，但最重要的是用手壓壓他的肚子，並且為他把脈，感覺他的心跳。

「嚴重嗎？」卡沙擔心地問。

「我不認為，因為沒有魔鬼在威脅您。您只是因為吃得太多導致胃痛。接下來的幾天，您要吃蜂蜜、隔夜的烤麵包、芹菜和無花果，另外還必須喝甜一點的麥酒，多喝幾次，但每次要小量，疼痛便會慢慢消失。」

卡沙已經感覺舒服許多。

「妳幫我準備這些吧，」卡沙向他妻子說。「另外不要忘記跟陵寢書記說我今天不能去工作。」

妻子用懷疑的眼光瞪著卡萊兒。

「您要不要我把花擺在您的神桌上？」

「我自己來就好。您走吧，我還有很多事情要做。」

「願哈托爾保護您，並讓您先生早日康復。」

卡萊兒本來想要繼續送她的花，但她突然愣住了。離她不到一公尺的地方，在大街的正中間，智女正站在那兒，一頭濃密的白髮，用審視的眼光端詳著卡萊兒。

「是誰教妳看病？」

「奈菲莉主任醫師。」

智女嚴肅的臉上出現了微笑。

「奈菲莉……原來妳也認識。」

「是她教育了我。」

「妳為什麼沒有當醫生？」

「因為奈菲莉告訴我有另一個命運在等我，於是我聽了她的話。」

「妳會不會治療最嚴重的疾病？」

「會一些。」

「妳跟我來。」

智女的房子位於拉默塞的旁邊，薔薇爬滿了整個房子。鄰居很驚訝地看到卡萊兒跟在智女的後面進去；智女二十年以來從未讓任何人進入她的房子。

整個大廳充滿了忍冬的香味。架子上擺滿了裝有藥物的瓶瓶罐罐。牆腳邊有一箱又一箱裝滿了莎草紙的資料。

「巴艾利醫師寫了一本關於肛門和直腸疾病的著作，我和他工作了很長的一段時間，」智女透露道，「他要求村民一定要嚴格遵守日常生活的衛生習慣，這是預防大部份疾病的基本原則。我們擁有足夠的水，而它正是最主要的藥物。這點妳不能妥協，妳必須不斷地與骯髒奮鬥；若沒有了衛生，就連最有效的藥物也是枉然。妳怕不怕毒蠍？」

「怕，但奈菲莉曾告訴我，蠍子的毒液含有治療很多疾病的重要成份。」

「蛇也是如此，我會帶妳去沙漠捕捉最毒的生物，用來製造我們的藥物。一個好的醫生是『足以馴服毒蠍之人』，因為這個生物有避邪的能力，而且可集中醫生所附於護身符上的能量。治療靈魂和治療肉體同樣重要，妳會不會背第一個治療暗語？」

「我是塞赫邁特母獅的純潔女祭司、祂的義務使者。我將手放於病人身上，而這隻手最能診斷疾病。」

「給我看妳怎麼做。」

卡萊兒把手依序放在智女的頭上、後腦、手、臂、心、腿。如此她可以聽到每一個能量渠道的心語。

「妳的毛病都很輕微。」卡萊兒說道。

現在換智女把手輕放在卡萊兒的身上，她馬上感覺到一股強烈的熱能。

「我的能量比妳大，我要將妳身上所有的疲勞立刻消除。妳只要感到虛弱就來看我，我會給妳所缺的能量。」

卡萊兒接受智女的治療超過半個時辰之久，她感到體內的血液煥然一新。

「奈菲莉應該教過妳如何使用藥草和毒物。」

「我在她的實驗室待了很長的時間，我不會忘記她所教的東西。」

「我會讓妳用我箱子內的藥草；至於其他，我配藥用的濾碗都在這裡。」

智女讓卡萊兒看由濾器分成兩半的容器；上半部含有固體藥物，下部則為藥液。

「我只要加熱，」智女解釋道，「就會產生蒸汽，蒸汽融解固體，如此一來固體便與藥液融合為一體。有時候不需加熱，而將固體放在水裡，再用杵磨碎固體，然後將溶液倒在瓶子裡。妳希不希望我教妳？」

卡萊兒的臉散發出光采。

「真不知要如何感謝您……」

「妳只要勤勞，為行會服務即可。妳知道首長不會讓一個生病的工匠去工作，這是正常的。病患可自己選擇在村內或村外看醫生。若是在村外，他們會要求醫生開收據，然後陵寢書記會退錢給他們。妳不能要求工匠來看妳，因為每個人都有選擇的權利。」

「這是否意味著……我已成了您的助手？」

「只有行會的高層人員才知道我的年齡。卡萊兒，如今我和妳分享這個小秘密：下個禮拜我剛好滿一百歲。根據智者的話，我還有幾年的時間可用於沉思默禱、終身為瑪亞特服務。只要妳願意幫助我，我可能做得到這點。」

「一百歲……太不可思議了！」

「村子裡有許多無價之寶。其中一個是體會到精神的衰弱是可以避免的。我們可以用一種技術使精神不至於老化。妳只要不讓我失望，我們會有機會談到它的。」

48

帕尼泊仍然在肯伊的嚴格教導下繼續學習。肯伊很少讚揚別人，他認為真理村的未來畫匠必須完全掌握象形文字，在寫任何一個字時絕對不能猶豫。只要他的學生開始對自己滿意，陵寢書記就會要求他做更困難的練習。

肯伊始終覺得不可思議的是，這麼一個孔武有力的年輕人，如何能畫出如此精緻的圖案。帕尼泊的脾氣雖然暴躁，卻依然很有耐心，可以畫出最細密的圖形。由於他從不感覺疲勞，而且在老師還不滿意之前，絕不放棄，因此肯伊向智女要了強身飲料，以免自己跟不上他的學生。

那天早上，肯伊並未向帕尼泊提出新的挑戰，後者只是從最簡單到最複雜，快速地寫了六百多個象形文字。

「你對真理村的生活滿意嗎？」陵寢書記問他。

「我是來這裡學習的，而我正在學習。」

「聽說你跟其他的隊員沒有什麼接觸。」

「我白天在學堂，晚上在家裡準備第二天的練習，有空時就裝修我的家。需要消遣的時候，就在沙漠裡撿石灰石塊來畫人像。所以沒有時間和其他人聊天。」

「人像……什麼人的像？」

「您的，還有其他學生的。我覺得很有意思，但一完成後，我就會把它們銷毀。」

「這樣最好……你的第一個階段教育已結束，帕尼泊。你的首長要求你去工作，我也不能騙他說你還沒準備好。如今你需要做一個選擇。」

「做什麼樣的選擇？」

「到底比斯市當書記或留在真理村當畫匠。若你選擇要當書記，我會向同行推薦你，你就可以在行政部門工作。我知道你不容易接受那些規定，但如果考慮到你的光明前途，這應該是個小問題。你將會分配到一個房子，每年的財產會不斷地增加，你的僕人們會讓你的生活過得更舒適，別人也會向你致敬。依你的工作能力和非凡的記憶力，你可以升到很高的職位。相對的，如果你留在這裡當畫匠，前途則完全不看好，因為你的同事一點也沒有幫助你的意願，甚至剛好相反。他們彼此認識已有很長的時間，非常不歡迎新人的加入，因為這會影響到工作的進度。」

「我們屬於同一個共同體，難道不是嗎？」

「是的，但他們都是非常有經驗的專業人才，他們很粗獷，不容易打成一片。我認為，無論你多努力、多有才華，他們還是會排斥你，你會始終停留在普通工人的階段，也會後悔沒有走上書記這條光明大道。」

「我的同事會如此殘忍嗎？」

「對他們來說，你是一種威脅。他們必須要保護自己。」

「這樣的態度不是很友善……」

「真理村的使徒也不過是人，帕尼泊。」

「聽您這麼說，也沒有什麼好選擇了。」

「如果你理性一點，一定不會後悔的。」

「老師，有一點我想不通……像您這麼一位人才，為什麼選擇當陵寢書記，而沒有在底比斯當高官？真理村一定有吸引您的地方。」

肯伊不作聲。

「您不用為我操心：我會面對那些畫匠，向他們證明在他們之中有我的位子。」

原本肯伊與首長納布師一致同意設法讓帕尼泊對真理村產生反感。他很高興這項計劃失敗了。

* * *

走在村子大街上的帕尼泊，感覺彷彿剛從長眠中醒來。自從他成為行會的一份子，他只有兩個目標：學習象形文字和整修他的房子。他第一個目標的成果遠遠超過他的期待，而忽略了他的第二個目標。

帕尼泊會寫會識字賦予他無與倫比的能力感。他每畫一隻豹、一隻隼或一隻公牛，都覺得可以從中得到這些動物的部份優點，寫字讓抽象變得有生命，讀書讓他了解智者的教誨。

兩年的時間彷如一場夢。帕尼泊唯一交談的對象為卡萊兒與尼菲，和他們也只談象形文字，他大部份的時間主要與肯伊在課堂上與其他學生一起或單獨上課。現在，他老師的目的很明顯：他，陵寢書記，試著將他培養成另一名書記，然後讓他離開這個地方！

在這場不用武力而用頭腦的柔性戰爭中，帕尼泊已學到教訓。肯伊嘗試迷惑他，告訴他當個公職的書記有無數的好處，而事實上是要讓他的職志轉向。

肯伊失敗了。他沒有因而轉向，反而已掌握了真理村的畫匠所不可或缺的文字力量。它們散發出強烈的魔力，完完全全吸引了他所有的精力與注意力，因而忘了諸神最美麗的傑作：女人。

自從他開始工作以來，帕尼泊從未正眼瞧她們一眼！卡萊兒不算在裡面，因為她和她們的差異太大，而且她是尼菲的妻子。他把她當作姐姐看待，卡萊兒不但會安慰他的情緒，而且還會給他忠告良言。

他怎麼可能過了這麼久沒有女人的生活？一定是狡猾的肯伊所下的魔法太有效！從今以後，他務必要小心這個詭計多端的人。行會三個首領之一的肯伊撒下了這個網來網住他，難不成是要讓他過著清教徒的生活？

這天是右隊休息的日子。有些工匠在睡覺，有些在修繕他們的房子，也有些正在製造一些家具，以便賣到村外。直到目前，他們和帕尼泊之間相互不理不睬。不久之後，他馬上就要面對那些畫匠，不過，在這個已過了一大半的早上，他決定讓自己有個無比的樂趣：欣賞村子裡的女人，同時誘惑她們！

一改以往踩著急忙的步伐趕回家，他從容不迫地走在大街上，注視著街上往來的所有女人。

進入真理村之前，他一向以為這裡的生活嚴謹刻板，所有工匠的妻子都關在家中或是小禮堂，事實上，它和埃及所有其他的村子並無兩樣，大部份的女人都工作，或是裸露著胸部在大街上閒逛。帕尼泊自然是先看年輕漂亮的胸部。可惜的是她們完全不喜歡這個小小的遊戲；有些生氣地回瞪他，其他則惱怒地趕回家。

這場追逐女人的遊戲一開始就不順利，不過年輕的他一點也不認為自己會失敗。經過了這麼長一段恐怖的禁欲生活，他將不會挑嘴，不管是經驗豐富的老女人或著是年輕而生澀的女孩。

當一個金色頭髮、身材嬌小、美麗可人的女孩溫柔地注視著他時，他以為終於找到了獵物。但他太過於急切地趨前，以致於對方嚇得把門呼一聲地關上。

「你這樣鐵定會嚇跑所有的女孩。」一陣嬌柔欲滴的聲音響起。

帕尼泊轉身尋找聲音的來源，發現一個二十來歲的漂亮紅髮女孩，身上穿著一件露胸吊帶長裙。她豐滿的胸部、全身窈窕的曲線，激起了帕尼泊體內原始的欲望。

「我叫帕尼泊。」

「我呢，名叫碧玉，而且單身。」

管他結婚或單身，他完全不在乎。重要的是，她是個女人。

「你想不想聊聊天？」

「一點也不想。我想和妳做愛，而且是馬上現在。」

碧玉露出笑容。

「你真是個血氣方剛的小伙子。」

「而妳則是一朵美麗的花！妳我應該共同享受一段快樂美好的時光，彼此獲得滿足。」

「你以為人家都是這樣跟女孩子講話的呀？」

「我們已經聊得夠多了。」

他走上幾級階梯，來到碧玉的小房子入口，將她抱進懷裡，開始猛烈地親吻她。由於她並不反抗，他便把她抱進幽暗的房子裡，並且一把扯下她的衣服。

她身上的龍涎香、白皙的皮膚、緊靠在他懷裡的方式，讓他幾乎要發狂。她回應他的每一個動作，兩人共同探索彼此的身體，展開了一段快樂的旅程。

49

這對情人終於滿足地停下來休息。

「帕尼泊這個名字真符合你！」

「我還沒有碰到過像妳這麼令人興奮的女人……」

「你征服過的女人是否不勝枚舉？」

「農村的女孩不會忸忸怩怩。」

「你似乎對談感情沒興趣。」

「感情是老人家談的。女人需要男人，男人需要女人……為什麼要將事情複雜化？」

「你的朋友尼菲是不是也有同樣的想法？」

「妳認識他？」

「我曾看過他和他的妻子卡萊兒。」

「他們的……情況有所不同。他們的愛情是一個奇蹟，至死都會將他們結合在一起，但我不會羨慕他們。他不會再認識其他的女人，妳能想像嗎？仔細想想，這也算是一種不幸。」

帕尼泊用手肘撐起身子。

「妳呀，真的很漂亮……妳為什麼還沒有結婚？」

「因為我寧可保留我的自由，和你一樣。」

「村子裡的人一定會說長道短。」

「可說對也可說不對。我是一名左隊石匠的女兒，母親很早就過世了。從小我就是被這個被那個輪流帶大，直到三年前父親去世。我決定留在這裡，留在我的村子，然後成為哈托爾的女祭司。她不正是所有愛情的女神嗎？」

「妳有很多的情人嗎？」

「你管不著。」

「說的好，反正也不重要！目前妳的情人就是我。」

「你錯了，帕尼泊。我是一個自由的女人，而且我不會對任何男人就範。說不定我不會再跟你發生關係了。」

「妳瘋了！」

他試著再壓到她身上，但碧玉避開他。

「你出去，離開我家。」她命令道。

「我可以對妳使用暴力！」

「如果你這樣做，今晚你就會被驅逐出村子，而且長期被關在牢裡。你走吧，帕尼泊。」

他尷尬地離開了她的房子。女人真是一個奇怪的東西，尤其是當她們拒絕服從的時候！他雖然失去了碧玉，但還可以找到別的。反正他的欲火已平熄，可以維持一段時間的冷靜，帕尼泊目前只想完成他的房子。

和真理村其他的人一樣，他的房子由首相正式分配給他，由於他是單身，所以只有五十平方公尺的面積。一般而言，夫妻可以獲得八十平方公尺，有小孩的則為一百二十平方公尺。他的房子有三到七公尺窄窄的牆面，對著大街，有一個小門，門前一個小階梯。

房子的底基是一公尺高的平台，由粗磚砌成，上面有一層塗料和好幾層的泥漿，由於帕尼泊的房子細部沒有加工，因此連村子直接建在岩石上最老的房子看起來都要比他的堅固。

由於帕尼泊堅持要自己完成工作，因此尼菲並沒有幫他的忙，不過還是給了他一些建議，以避免犯下嚴重的錯誤。帕尼泊因此費了九牛二虎之力把外牆加厚；內牆較薄，用簡單的泥漿堆砌而成。這些隔牆能夠支撐天花板和屋頂的重量。他用概略去枝的棕樹幹緊密連接做成屋子的架構。這不是一件很容易的工作，幸好他的力氣夠大，加上尼菲曾經仔細地向他解釋過方法，因此房子終於大功告成。

窗戶的位置讓他費盡心機，因為他要讓空氣流通，同時又要考慮冬天的保暖和夏天的涼爽。第一次的嘗試失敗，讓他不得不拆掉房子的一部份結構重新來過，接著他又將外牆加厚，一波三折後，帕尼泊終於對結果感到滿意。

他的三層樓房子和大部份的其他村民一樣，有三個房間、一個廚房、二個地窖、衛浴設備和頂樓陽台。不過整體上空空蕩蕩，沒有任何的裝飾和擺飾。他的家具只有一張簡單的草蓆，還缺少壁畫及其他的東西讓這個房子變得有生氣。

帕尼泊有許多的主意，但卻沒有能力實現它們，而他只追求完美，不願隨便將就。他只好暫時使用每天送來給哈托爾女祭司的花朵點綴。卡萊兒負責將這些花朵分送給村子裡的居民，讓他們放在神桌上供奉女神。

帕尼泊準備要學一些新的技術，使他可以將房子變得更美麗，成為真理村最漂亮的房子。

有個人走近他的房子。

儘管來的人不比帕尼泊高，但肩膀差不多一樣寬，走路大力踩著地面，彷彿要移動他全身的肌肉很困難。

「你就是帕尼泊？」

「你叫什麼名字？」

「大力士奈克特，石匠。」

「很有意思的綽號……你對這個工作有什麼功勞？」

「就算你現在開始搬運石塊，一直到一百歲，一秒也不停，你還是達不到我所搬運過的石頭數目。」

「我並不想成為石匠，只想當畫匠和彩繪匠。」

「行會裡已經有一個非常優秀的彩繪匠和三個有經驗的畫匠。他們負責裝飾拉美西斯大帝、王室家族以及貴族的陵寢。像你這個乳臭未乾的小子能夠做什麼？」

「我和他們一樣經過了入會儀式，也屬於同一個行會。」

「小子，你把理論和實際混為一談了。當然啦，你運氣好加入了我們的行列，問題是你會留多久？」

「我想留多久就留多久。」

「你以為你可以掌控得了自己的命運？」

「在我們人生的路途上有許多扇門，有些人只會望著門，有些人會懷著希望去敲門。而我，是直接撞進去。」

「你首先得服從我。」

「你要我做什麼，奈克特？」

「我的房子有一面牆要整修。因為我不想累壞我自己，而你又已經有經驗了，所以我讓你來負責。」

「那是你的房子，不是我的。你自己去解決自己的問題。」

「你是被雇用來服務的，小子。」

「是為了使命而服務，不是服務像你這種剝削者。」

「我不喜歡你高傲自大的口氣……好好教訓你一頓會讓你學乖的。」

對手雖然很有份量，但帕尼泊一點也不畏懼。他很有把握不論是攻擊或閃躲都會比對手來得快。

「你最好小心一點，奈克特，你可能會被我痛宰一頓。」

「來呀，你這個吹牛鬼，來呀……」

「你盤算過了？如果我是你，會乖乖地回家讓老婆哄；萬一她發現你滿身是傷，她會甩了你。」

大力士奈克特忍無可忍，便往帕尼泊的肚子一拳過去，但後者早已跳開一邊，並朝對手左側攻擊，只聽見一根肋骨折斷伴隨著一聲痛苦的慘叫。

「住手！」尼菲趕忙跑過來制止他們。

他原本是給帕尼泊送來卡萊兒做的無花果蛋糕，卻碰見這種不幸的場面。

帕尼泊聽進了他的話，於是放鬆了防備。

大力士奈克特卻在此時趁機一頭撞向他的對手。

50

卡洛毛燥手上拿著一根長長的、多節的木棍，帶著右隊的工匠前往陵園邊、北山丘腳下行會專用的建築物。

尼菲看到了一種由門廊進入的小神殿。作為門檻侍衛的首長納布師要求每一個工匠報出自己的姓名。

此一簡單的儀式完畢後，右隊的各個成員進入了露天的小庭院，並跪在長方形的淨身水池邊。傑德救生員用杯子從水池中取水，倒在他同伴雙掌朝天的手上。

最後傑德自己也接受這個淨身儀式，然後所有的工匠進入了會議禮堂。禮堂的天花板塗成赭黃色，由二根立柱支撐。沿著牆壁有些石凳，上面嵌有木製的座椅。會議室牆壁上有長窗，所以白天禮堂內的光線相當柔和；由於已是傍晚，因此點起了火炬。

禮堂和聖地中間有一道矮牆分隔，只有首長方能進入聖地，聖地有內中堂和兩邊的小側房。內中堂擺著瑪亞特女神的神像，側房則放有香膏瓶、活動神桌和祭禮用的其他物品。

納布師坐在東邊的木椅上，這是歷年來右隊首長所坐的位子。

「讓我們向祖先致敬，」他命令道，「求他們引導我們。離我最近的石椅不得坐任何人，因為它是我上任者的『卡』氣所在，上任者仍然活在星星之中，仍然存在於我們之間。願他的模範護佑我們的和諧。」

工匠們沒有說話。他們都知道納布師的話含意深遠，因為他們之間緊密連結在一起，連死亡也無法解除。

「我們之中有兩個人起了衝突，」首長說道，「我必須徵求你們的意見，看看這個問題是否可以在這裡解決，或是交由真理村法庭處理。」

奈克特的頭上纏有一塊沒藥浸潤過的亞麻布，沒藥有止痛的功效。他要求發言。

「帕尼泊學徒攻擊我。他差一點打破我的頭，害我必須休息幾天，這對我們工作隊的影響不小。因此要讓他由法庭重刑懲罰。」

「沒有別的辦法。」卡洛毛燥附和說道。

帕尼泊正要強烈抗議，尼菲用手按住他的肩膀，使他無法站起來。

「我親眼看見奈克特大力士和帕尼泊起衝突的情況。」尼菲很平靜地說。「毫無疑問的，他們正要開始打架，而我從中制止。帕尼泊聽了我的話，而奈克特卻用頭去撞他。他想要偷襲帕尼泊，帕尼泊是出於自衛將他打昏。」

「你這樣說是不是因為他是你的朋友？」首長問。

「假如他有錯，我不會為他說話。只是我不知道衝突的原因。」

「完全不是這樣。」奈克特抗議道。「我受了傷，這證明不是我攻擊別人。」

「這個辯詞不能成立。」尼菲說道。「當時你如果聽我的話，就不致於受傷。你到底要求帕尼泊去做什麼？」

「我只是想和他聊天，他卻破口大罵。做學徒的絕不能有這種態度！」

「石匠有權利要求學徒走歪路、違背誓言嗎？」

奈克特大力士突然變了臉色。

「你這樣問沒有意義！你當時站得太遠，不可能聽到，而且……我又沒有要求他做什麼！」

「我的確沒有聽到什麼，但你的態度證明我的猜測沒有錯。我們這個地方是真理村，而瑪亞特是我們的主人，你還要繼續說謊嗎？」

尼菲的語氣始終很平靜，彷彿一個父親正在設法讓兒子了解他犯了嚴重的錯誤，但仍有補救的方法。

尼菲的論點快速地在奈克特大力士的腦海裡轉動。他感覺到同事的眼光彷彿比他所搬運過的大石塊還要沉重。突然，他回憶起多年前所發下的第一個誓言。

「我撤消對帕尼泊的控訴。」他低著頭說道。「這樣的小衝突絕對不會影響到我們之間的兄弟情誼……有時候我們之間說話的聲音大了點，其實並不嚴重。我們之所以起了衝突是為了要比一比力量，不如下次比比角力……」

「我隨時奉陪。」帕尼泊回答他。

「那麼這個事件就此結束。」首長說道。「還有沒有別的問題要討論？」

「我不滿最近送來的香膏品質，」卡洛毛燥抱怨道。「我的皮膚會過敏，用了這些香膏後，皮膚上起了紅斑。如果繼續這樣看不起我們，我們就要採取行動了！」

「我會向陵寢書記反應，」納布師保證說道，「香膏的品質會獲得改善的。」

「細毛筆快要沒有了，」畫匠傑德抱怨道，「我早在幾個月前已經提出這個問題，但始終沒有人理睬。」

「我會處理的。還有沒有別的事？」

沒有人再要求發言。

「我們有非常多的工作要進行。」納布師宣布道，「左隊正在完成國王谷地拉美西斯大帝的『皇子』長眠之所，同時，我們被命令去維修皇后谷地的若干陵寢。如果需要加班，你們將會得到上好的涼鞋和漂亮的布疋做為補償。」

「我們還有節慶要準備。」卡洛抱怨道，「這麼一來，還有時間睡覺嗎？現在天氣越來越熱，工作越來越辛苦。我們千萬不能缺水！」

「不要忘記麥酒。」奈克特大力士加一句，「沒有麥酒手臂就沒有力氣了。」

「基於這個工程的規模龐大，身為畫匠的我，」細心卡歐說道，「我要求中央實驗所特別注意他們所提供的色料，我們必須遵照原來的外形與色調。」

他的兩個同事烏奈士豺狼和帕依好麵包做出同樣的要求。

最後，由於沒有其他的工匠要求發言，首長站起身，叫人熄滅火炬，同時向祖先做了最後的禱告。

禮堂一片漆黑，帕尼泊發現有光線來自內中堂，感覺像是內中堂點燃了一盞燈，而它的光線穿越過金色的木門。

帕尼泊以為是一種幻覺，因此他瞪著這個奇怪的現象，但他無法停下來繼續看，因為他必須跟著其他的工匠離開禮堂。

「你有沒有看到那奇怪的光線？」他問畫匠傑德。

「閉嘴，出去。」

夜晚的天氣很溫和，真理村一片寧靜。帕尼泊一走出外面，又問了同樣的問題。

「你看到了沒有？」

「只有剛剛熄滅的火炬所發出來的紅色微光。」

「那個光線是來自內中堂！」

「你看錯了，帕尼泊。」

「我肯定沒有看錯。」

「你去睡覺吧，免得再受幻覺欺騙。」

帕尼泊問了帕依好麵包同樣的問題，但是帕依也沒發現任何的異狀。於是帕尼泊去找尼菲，卻遍尋不著。還他清白、讓他不致受到懲罰的尼菲大概是回家了。

不，不可能！尼菲應該會想和他說幾句話才對。

隊伍的人已經走光，帕尼泊一個人面對著行會建築的大門。

尼菲發生了什麼事？

51

帕尼泊一直等到黎明時分，希望他的朋友會出現。直到哈托爾的女祭司來神殿喚醒神力時，帕尼泊這才失望地走回家。

他突然發現這個外表看起來很安詳的村子令人感覺到不安、充滿敵意。他原本以為自己已經完全了解它的法則，卻發現自己處於一個全然陌生的環境裡。他唯一的朋友是否掉進了可怕的敵人所布下的陷阱？這些人是否會不擇手段地拔除他們的眼中釘？帕尼泊對抗了奈克特大力士，而尼菲保護了帕尼泊……這兩個人既然不肯屈服，就得消失。

但帕尼泊不會像一頭豬一樣任人宰割。他一個人就有辦法讓這個可惡的村子陷入一片混亂！

當他正準備出去發動戰爭時，有人敲他的門。

帕尼泊滿懷戒心，手上拿著一根棍子，準備打昏那些要抓他的工匠。

他右手高舉木棍，左手開門，卻發現兩個女人站在他面前，其中一個是卡萊兒，另一個是滿臉恐懼、個兒不高的金髮女郎。卡萊兒手上拿著一個石膏做的半身塑像，另一個女人則握著一把荷花莖、水仙花和矢車菊做成的花束。

「保護你的臉，」卡萊兒用傳統的說詞道早安。「娃貝特說要幫我將你的房子變得有生氣。」

「妳有沒有尼菲的消息？」

「你為什麼擔心他？」

「他不見了！」

「你放心，他去參觀造船廠學習木匠技術。」

「他一個人去嗎？」

「不，他跟首長和幾名工匠一起去。」

「妳確定？」

卡萊兒奇怪地看著帕尼泊。「你看起來有點驚慌！」

「我還以為他被綁架，被人欺負，被人……」

「一切都很好，你不用擔心；這只不過是短時間的出差。你想到那裡去了？」

帕尼泊把木棍放下。

「我為他擔心，怕整個行會對他有敵意。」

「你安心吧，」卡萊兒安慰說道。「這是一個祖先半身像，你每天向他膜拜，默禱在你之前的真理村所有使徒。」

「我應該要跟妳家一樣把它放在前廳嗎？」

「是的，這是我們的習慣。」

比較害羞的娃貝特純潔將花遞給帕尼泊。

「祖先的卡氣喜歡這些花的香味，」卡萊兒解釋說，「如果沒有了與祖先之間的連繫、如果他們沒有賦予我們力量，我們就無法生存下去。」

「我對祖先不感興趣……未來才重要。」

「帕尼泊，若沒有了基礎，一切都做不好。我們的祖先塑造了真理村的精神。我們從他們那裡所繼承的東西，必須要傳承下去。你若忽略了祖先，就等於是耳聾眼瞎。」

帕尼泊思考著卡萊兒的話，並未發現娃貝特純潔正用一種感動的眼神望著他。

祖先的塑像被隨便地擺在房子前廳的一角，帕尼泊匆匆地填了一下肚子，便趕往彩繪匠傑德的家中。帕尼泊將傑德視為三名畫匠的上司，他準備要求傑德給他明確的工作安排，同時決定不讓自己淹沒在他的長篇大論中。

傑德帶了很可觀的材料，正準備前往皇后谷地。他天生有一種高貴的氣質，頭髮和鬍子整理得乾淨完美。他淺灰色的眼睛、直挺的鼻子、薄薄的嘴唇，似乎正用輕蔑的眼光看著趕來的帕尼泊。

「等我一下！」

「等你……為什麼？」

「我要陪您一起到皇后谷地，不是嗎？」

傑德的笑容比一把刀刃還銳利。

「你昏了頭了，孩子；我要進行整修的工程極為細膩，因此我不需要一個不夠格的人。」

「我會讀會寫，而且我可以把象形文字畫得非常完美！」

「村子裡的居民也會……你懂不懂繪畫的藝術、比例的規則和顏色的自然秘密？聽說你要當畫匠，甚至彩繪匠！你大概忽略了不是你要求行會什麼就有什麼；你應該要學的是做石膏，而且這可能是你一直到老死都是最適合你的職業。」

傑德的話像一把利刃刺進帕尼泊的心臟。

「同時，你還沒有意會到一件事，」他接著說道，「你分配到的房子不是一間鄉巴佬或是小書記的房子，而是一處聖所。你只是一味地想到自己物質上的舒適，但你可曾想過房子內的每一個隔間所象徵的意義？還有壁畫及其他物品所代表的意義？你終究只是一個村外人，可憐的帕尼泊，我甚至不確定你有沒有足夠的智慧和才華成為一名真理村的真正使徒。至少將你的朋友尼菲當作榜樣學學吧！他已經非常有進步。同時不要忘記村子的大門很容易對外人開放，而你在其中也會很容易找到你做得來的工作。」

帕尼泊受到嚴重的打擊，連一句反駁的話都接不上來，眼睜睜地看著彩繪匠離去。他內心充滿了憤怒，幾乎想追上傑德，奪下他的材料再把他踩在腳下。但他的責備繼續像一條鞭子不斷地狠狠抽在他的身上，是如此地真實而且有力。

傑德說得有道理：他只不過是一個鄉巴佬兼小書記。但為什麼他唯一的朋友尼菲沒有幫助他意識到這一點？而傑德所提及的進步又是什麼？為了明白這一切，他決定去問卡萊兒。

他在大街上與三名畫匠的其中兩名擦身而過，他們是烏奈士豺狼和卡歐精確，他感覺到他們諷刺的眼光，幾乎連個招呼都懶得打。

尼菲和卡萊兒家的大門關著。

他敲敲門。

「卡萊兒！我可以進來嗎？」

「等一下。」她回答。

奇怪……平常很好客的她，難道也和彩繪匠一樣看不起他而拒他於門外？他還來不及多想下去，門已被打開。

「尼菲回來了嗎？」

「還沒。」

「我要見他。」

「他在工地工作。」

「為什麼他選對了路，而我卻沒有？妳應該知道原因！」

「進來，我還有工作要完成。」

帕尼泊很驚訝地發現第三個畫匠帕依好麵包也在這裡。帕依長得一副笑臉、兩頰圓鼓鼓的、身材也很圓滾，右手纏上了繃帶。

「小小的脫臼。」他解釋道，「幸好卡萊兒為我治療，過幾天就可以再度工作了。」

卡萊兒試了一下，確定繃帶不會綁得太緊。

「帕依，你目前需要完全休息。不用擔心，將來不會有後遺症的。」

帕尼泊用另一種角度仔細看這間前廳：前廳的角落有一個奇怪的東西，一個神桌上擺著祖先的半身像，另一個神桌上擺著花……尼菲的確把他的房子變成了聖所。

「彩繪匠傑德罵我無能，我唯一的朋友消失無蹤，我搞不懂這一切！卡萊兒，這到底是怎麼回事？」

「你必須越過另一個階段，你的路需要你自己去規劃。」

「傑德的唯一一個建議，就是叫我變為石膏匠。」

「這樣的建議非常好。」帕依好麵包說道。

帕尼泊內心感到憤怒。

「你也來消遣我！」

「你還想當畫匠嗎？」

「從來沒有這麼強烈過！」

「在這種情況下，你所要了解的是你的第一個工地，你需要表現的地方就是你自己的房子。你已經向我們證明了你可以一個人處理粗工和大概的修復工作，但這並不夠。你必須重頭開始學習你的行業，以免在陵寢的牆壁上工作時犯下錯誤。」

「你呢，我猜你從來沒有當過石膏匠吧！」

「當然有過。沒有打下好的底子，如何能畫出成功的圖像？底面的製作正是我們行業第一個秘密。」

「你願意教我嗎？」帕尼泊緊張地問。

帕依好麵包望著他的手腕。

「我不喜歡被迫休息……我們可以試試看。」

52

第二次懷孕的賽克塔，緊張地等待著檢查的結果。當她生第一個女兒時，莫希大發雷霆，並且拒絕看孩子一眼。現在小孩由褓姆撫養，一輩子也不會被自己的父親接見。從他的角度來看，第一個孩子必須是一個男孩。有時候莫希遺憾自己不是希臘人或赫梯人：在他們的國家裡，法律並沒有規定不能殺死多餘的女兒。

賽克塔的血液循環及其他都很正常，懷孕和生產不會有問題；剩下所要面臨的問題是孩子的性別。兩個星期以來，她每天將尿液倒在兩個袋子上：第一個袋子裡面有小麥、海棗和沙子，第二個袋子則是沙子、海棗和大麥。如果小麥先發芽，賽克塔將會生女兒；如果大麥先發芽，就會是兒子。

「這個結果不會錯的。」她的醫生說。

「親愛的莫希，您的氣色真好！」底比斯市長說道。「部隊裡都在讚揚您，而且您所領導的大演習深受民眾的肯定。他們覺得受到保護而不受任何威脅。」

「多虧這些極有紀律的軍官和士兵。」

「雖說如此，是您在發布命令！」

「我只是採納您的建議，」莫希強調說。

市長很欣賞他這種說詞。

「對岳父的過世，您是否已從傷痛中恢復？」

「我不確定我是否能恢復。他是這麼一個有才華、有份量的人，他的去世留下了一大片空白。我和內人每天晚上都會想起他；對他的離去，我們大概永遠不會甘心。」

「當然，當然……不過應該要考慮到未來，而對沉重的傷痛最好的治療方法就是勤奮的工作。您的能力很好、負責任而且做事有效率，這些優點加在一起會讓您成為一位傑出的底比斯總司庫。」

莫希做出驚訝的表情。

「這是一個非常重要的職位！我不知道是否……」

「這由我來決定，我知道不會看錯的。如果您當了我的右手，將會負責我們城市的繁榮。至於我這邊，我會從整體性來考量的。」

莫希知道市長尤其需要時間來解決派系的問題，他將會想辦法來對付那些無數想要這個職位的人，讓他們知難而退。

「您提供了我一個這麼令人興奮的職務，而我卻有一個重要的原因讓我不得不拒絕。」

「什麼原因？」

「我不可能接替我岳父的……對我的內人而言，這會是一個非常大的打擊。」

「您放心，我會勸她的！莫希，底比斯需要您。在某些大前提之下，為了全體的利益，我們是不是應該要犧牲一點個人的情感問題？」

莫希高興得想要跳舞，他已完全地掌控了部隊，現在又要管理公家的財務，今後將會成為市長的左右手，而聰明的市長將雙方的職責分得很清楚。莫希負責健全而無瑕疵的管理，市長則掌有代表權。市長當然從未相信莫希真的喜歡他的岳父，但也不會猜到實事的真相。兇手不但逍遙法外，甚至占據了死者的職位，這對剛當上底比斯總司庫的他而言，最能證明一點：瑪亞特的法則只不過是那些與世隔絕、關在神殿的假智者所發明的童話故事。老舊的法老世界將在短期內由具有征服心、對未來發展有信心、且能夠降服衰弱文化的國家來取代。

為了領導這個國家，莫希要充份利用他的朋友達克泰，因為他完全沒有道德的考量。有了一批這種不受傳統文化束縛的新人，埃及可望在短期內成為一個現代化的國家，而這個國家唯一通行的法則，就是莫希所敬重的：強勢法則。巧妙的司法偽裝和精心策劃的公共發言，將足以說服少數有道德顧慮的高官，更何況他們會從新的情勢中得到可觀的好處。至於民眾，他們天生就是服從的角色，只要警察與部隊組織嚴謹，沒有人可以真正帶頭反抗。

剩下的只有一個較為棘手的問題：拉美西斯大帝。不過法老年事已高，身體將會越來越虛弱。就算他的身體有多健康、壽命有多長，他早晚還是會死。刺殺拉美西斯讓他早一點走並不是不可能，但如此一來，必須採取無數的預防措施，以免莫希被牽涉其中。最好的作法是削弱未來法老繼承人梅仁達周圍的人，讓他無法上任，然後由莫希可以控制的傀儡來取代。

時間對他而言是一個利器，他絕對不能操之過急，否則會犯下致命的錯誤。而且他主要的目的是征服真理村。真理村的秘密會讓莫希成為上、下埃及的主人。但攻擊真理村等於正面攻擊拉美西斯；在他尚未取得優勢之前，莫希只能間接攻擊，同時破壞村子所依靠的基礎。

* * *

賽克塔胸部裸露，一身乳香，頭髮自然垂下，手腕和腳腕帶著光玉髓和綠松石。她抱住丈夫的頸子。

「你這麼晚才回家！我迫不及待地等你回來呢……」

「我和市長有事。」

「這個人很虛偽、無情……你要小心他！」

「他剛剛把我升為底比斯市的總司庫。」

賽克塔離開莫希的懷抱，看著他。

「爸的職務……太棒了！莫希，我嫁對了人。你真是個傑出的男人。」

「當然啦，我裝作對這個職務不是很感興趣的樣子，並且不斷地說著妳父親的好話，向他解釋妳看到我取代他的職位不免會感傷。市長會來說服妳不能一直活在過去，而我必須接受這樣的一個職務。」

「親愛的，包在我身上！我會裝成一個悲傷、無助的女兒，到最後不得不接受了生命中無情的事實，每天仍舊在英年早逝的父親墳上獻花。不過，這麼說來……我們將會更富有囉！」

「那是一定的，但我要小心不要讓任何人有機會控告我挪用公款。」

「爸不是說你最會玩數字遊戲嗎？」

「底比斯市的行政又繁重又複雜……若要完全掌控，必須花幾年的時間。但是我做得到。」

「然後呢……？」

「妳這話是什麼意思，賽克塔？」

「你沒有更大的野心嗎？」

「我認為這樣的事業生涯已經算不簡單了！」

賽克塔擁抱莫希。

「我認為你可以做得更好，親愛的。」

莫希像平常一樣粗魯地和他的妻子做愛。他並沒有向她透露真正的計劃，無論是她或任何其他女人的智慧，皆不足以了解這個計劃的規模，但是前任底比斯市總司庫的女兒仍然可以做為有用的、忠誠的盟友。

賽克塔的頭靠在莫希強壯的胸膛裡，她的口氣略為激動。

「我在婦產科做了懷孕檢查……」

「結果呢？」

「小麥先發芽。」

「這意味著……」

「對，很不幸地……我懷了第二個女兒。」

莫希當場賞了她幾個耳光。

「妳背叛我，賽克塔！我需要的是一個兒子，不是女兒。這個女兒的命運將和第一個一樣。妳送到哪裡我不管，我連一眼也不要看到她。」

「對不起，莫希，對不起！」

「我不稀罕妳的道歉。我要的是一個兒子。我命令妳明天簽下棄權書，讓我馬上成為妳所有財產的唯一管理者。誰會笨到去信任一個只會生女兒的女人？我再給妳一個機會，賽克塔，但妳可不要再讓我失望。如果妳再失敗，我會把妳休掉。」

賽克塔的臉頰熱辣辣的，她身子靠著枕頭，想要反抗。

「法律不允許……如果我拒絕放棄我的財產呢？」

莫希露出微笑，用手捏著她的下巴。

「親愛的，我向妳證明過，我不允許有人反抗我……要不，妳二話不說遵守我的命令，要不，變成我的敵人。」

「你不至於……」

「妳去把這個受詛咒的女兒生下來，解決了她以後，儘快回復成魅力十足的妻子，然後再給我生個兒子。如果妳做得到，我會保證讓妳幸福。在此之前，照我說的話去做。」

53

天氣非常燠熱。真理村周圍的山丘裡彷彿沒有了生命的跡象。連毒蠍都動也不動，被烈日烤得焦黃的小山谷一點風也沒有。

帕尼泊是唯一能在這種大火爐裡行動的生物，而且安安靜靜地工作。他頭上未戴任何東西，水也喝得很少，小羊皮袋裡的溫水已足夠滿足他。帕尼泊心中只想一件事情：在帕依好麵包所指示的遠處小山谷裡，盡可能地採集生石膏。由於帕依的指示太過於模糊，他迷路了兩次，最後終於找到這個地方。

平常這種工作需要三個強壯的工人，但是沒有人有空，因此帕尼泊不等天氣較涼，也沒有等到首長的命令便採取行動。

他把裝滿石頭的籃子背到肩膀上，再送到村子裡，把籃子裡的石頭倒在做石膏的工作坊裡，然後再折回山谷。他如此重複著，直到太陽下山。

尼菲在村子的門口等他。

「你終於出現了！」帕尼泊驚訝地說道。「你跑到那裡去了？」

「首長帶我去採石場工作，然後帶我去造船廠學習新的建築技術。你變了不少……」

「我未來的路似乎得先經過當石膏匠這一途。首先必須要有生石膏……所以，我先去找生石膏！因為別人沒有告訴我數量要多少，如果有必要，我會把整座小山谷都搬光。」

「你願不願意接受我的幫忙？」

「我已經習慣了一切自己來。」

兩人一起走到工作坊。帕尼泊將籃子裡的生石膏倒出來，然後看著這一堆石膏。

「明天，我會有更好的成績；今天早上我浪費了一點時間才找對地方。現在，我渴了！」

「我相信卡萊兒一定給你留了一點清涼的啤酒。」

帕尼泊一口氣喝掉了一甕三公升的麥酒，並且狼吞虎嚥地吃了一頓美味大餐，其中最好吃的一道是餡鴿肉。

「你冒很大的危險。」卡萊兒說道，「你去的地方有很多的毒蛇和蠍子。」

「他們受不了天氣這麼熱……這些爬蟲只有晚上才會出來。」

「我可以給你一瓶解毒藥。」

「不需要，我不怕它們。當我有一份工作的時候，沒有任何人能阻止我完成它。」

帕尼泊眼光銳利地看著他的朋友尼菲。

「在我們的會議禮堂裡，你有沒有看見一道奇怪的光線從內中堂透出來？」

「有，我看見了。」

「為什麼其他人都拒絕談這件事？」

「我不知道。」

「你也不想去知道！」

「首長才剛交給我一個這麼重要的工作，我腦海裡整天只想著這個。」

「那是一個秘密嗎？」

「對一個真理村的工匠而言不是。」尼菲帶著微笑回答，「法老要求整修及擴大那座他統治初期於村子裡所建的神殿。納布師和拉默塞負責計劃，並選擇了我來執行這個工程。」

「這是一個無上的光榮！」

「責任尤其重大。」

「你要誠實地告訴我，尼菲……你的階級是不是往上爬了好幾級？」

「是真的，帕尼泊。」

「而這個，你難道不能跟我講嗎？」

「跟所有的人都一樣，我必須守密。」

「而我還遠遠地落在你後面！」

「你走的是另一條路，有其他的門要越過，同時要視你自己腳步的快慢。在我們之間不存在任何的競爭，而且永遠也不會有。」

這一天和前一天一樣的酷熱，帕尼泊準備再前往產石膏的小山谷。正當他要出發時，首長擋住了他的去路。

「你去那裡？」

「找生石膏。」

「誰要你這麼做？」

「我必須要學習怎麼燒石膏來製作繪畫用的表面，所以我需要石膏。」

自從加入行會以來，這是帕尼泊第一次詳端他的首長：很嚴肅、有權威、說話速度慢、眼光嚴厲。在所有的真理村的使徒中，他是唯一一個讓帕尼泊不會想用武力來迎戰的人。

「你還是沒有明白，在這裡沒有人用天馬行空的方式來做事。」

「這不是天馬行空，而是一種需要！」

納布師雙臂交叉。

「是我來決定需不需要，而現在我突然想到有一種需要。帕尼泊，你繼續去找石膏、學習燒石膏，然後負責把村子裡所有房子的牆面全部重新塗過。等你做完時，我們再來談你的畫匠生涯。」

有少數工人在真理村因為一天可以生產很多包石膏而沒有被人遺忘：早晨光明一天可生產一百四十包，而阿蒙神信徒一天的產量則高達兩百零五包！不過，帕尼泊吸收了帕依好麵包所教的技術之後，每天在露天工坊可以生產兩百五十包。

真理村的石膏需求量視工地而定。由於要讓房子的面牆恢復潔白，帕尼泊決定先生產大量的原料，再去完成這個為期數月而且煩人的任務。若他不想被驅逐出真理村，他務必遵守首長的命令。帕尼泊忘卻自己的不滿，只管去燒他親自採集的生石膏。經過兩百度高溫的焙燒之後，他把原料與水攪拌，製作出土木匠所用的熟石膏，它主要作用是塗在牆壁上，使牆面變得很平滑。

「你的石膏比我的好。」帕依好麵包承認道，「你燒石膏的技術真是不可思議！」

「我已經從村子裡最破舊的房子開始著手，先將一面牆塗上幾層石灰乳，再抹上石膏。你覺得如何？」

「非常好，帕尼泊！繼續這樣下去。你曉不曉得我們行會裡曾經有一個人一輩子都是石膏匠？他做了許多非常平滑的表面，讓畫匠的工作能夠更順利。」

「他很厲害，但這不是我要的。燒石膏只不過是我的一個過渡時期。」

「你還沒有完全知道它的秘密……我們也用來與色素結合，如果首長認為你夠資格，也許你有機會去做。不要忘記疊大石塊時，石膏也可以用來當作潤滑劑。」

帕尼泊非常注意地聽他解釋。

「大前提是，要記得檢查成品的品質，帕尼泊。」

「用什麼方法？」

帕依好麵包拿出一個石灰錐。「這是一種試件，你可以用它來測試你的石膏，依照你的用途而得知它的堅實度。如果你一味要求速度快，可能會犯下相當嚴重的錯誤，使得一切必須重新來過。」

帕尼泊不敢將這些警告掉以輕心。他只想趕快把這份被迫接受的苦差事盡快完成，然後才可以進入畫匠的世界。

「帕依，當你還是學徒的時候，他們有沒有叫你將村子裡所有的房子重新抹上石膏？」

「只有我自己的房子，因為我沒有你這種工作能力！在這裡，只有夠格的人才會被考驗。」

突然之間，帕尼泊覺得帕依好麵包沒有他外表看起來那麼友善。他幫助他是出於自願，還是首長要他這麼做？

「不要浪費時間去問那些沒有意義的問題，它們沒有建設性。記得我們師傅恪守的格言：去做你該做的事。」

54

村子裡的人都很驚訝地看到帕尼泊不斷地進步，連最沒有反應的人都不得不佩服他。他像一名搏命的士兵勇往直前地攻擊每一面牆，不到牆面平滑白亮，他絕不罷手。多虧帕尼泊的努力，村子裡所有的房子重新又有了生命。

碧玉身子斜靠在門口，兩手插腰，用嘲諷的眼神打量著帕尼泊。

「你終於出現在我家了……我還擔心你繼續避著我呢。」

「我得把所有的房子弄好，不過妳的房子情況非常良好。」

「這只是假象……只要塗上一層新的石膏就會讓它再度容光煥發。你不會希望我向首長抱怨吧？」

帕尼泊跳到碧玉的面前，用左手臂環住她的腰，將她舉起抱進屋裡。

「這是威脅嗎？」

「睡房裡有個裂縫，是乾燥時塗料裡的張力太大所引起。為了避免它擴大，必須要加上麥稈粗塗。」

「我只負責面牆。」

「為了我，你會特別例外。」

她修長的腿纏繞在阿當的腰上，她猛烈地吻他，他再也忍不住了。他把她抱起來，走上三級階梯，爬上位於前廳角落裡的磚床（※註：根據考古發現，這種床的長度為一．八公尺，寬度為〇．九公尺）。床面粉刷了一層石膏，上面有一些圖案，有一個正在盥洗的裸體女郎，和一個只戴項鍊、躲在牽牛花後面的吹笛女郎。床上擺著厚厚的床單和枕頭，他們倆躺到這個床上。

「你搞錯地方了，帕尼泊。」

「這不是床嗎？」

「這是一張受哈托爾保護的禮儀床，它的作用是讓每天早上年輕的何露斯可以再生，讓祂可與邪惡的力量奮鬥，保護我們的共同體不被毀滅。」

「碧玉，讓我體認新的歡愉。」

哈托爾的女祭司放棄了教他神學的這個想法，帕尼泊的熱情使她心動，最後讓他脫了她的衣服。帕尼泊只管愛撫這個毫無瑕疵的軀體，沒有注意到床頭所畫的貝斯神像。貝斯是一個有大鬍子、滿臉笑容的矮人，他的主要神能是為真理村增加新的使徒。

* * *

西岸總督阿布利日益肥胖。他的妻子不滿的情緒越來越高漲，使得家中的氣氛令人窒息。她不斷地抱怨丈夫不勤勞、不注重穿著、蓬頭亂髮、太過於喜愛烈酒……總而言之，他們之間再也沒有任何融洽的地方，而且妻子始終以夜裡會頭痛作為藉口要求分床。為了忘記婚姻上的不愉快，阿布利整天不停地吃蛋糕。

他常常想到離婚，但財產都屬於他的妻子，假若離了婚，他可能連住的地方都沒有。由於她並未對他不忠，而且很會管理財產與家務事，阿布利完全沒有離婚的藉口。

如今再也無法和從前一樣，在水池邊消磨時光，或睡個長長的午覺，在棕櫚葉的樹影下享受光陰的流逝，因為這個兇惡的妻子不讓他有片刻的安寧。令人不解的是，她應該感到心滿意足才對！正如莫希所做的承諾，阿布利保有了原來的職務和所有的特權；但這個奇蹟卻不足以令他的妻子滿意，他再也無法了解她要的是什麼。

如果只有這個瘋女人還好！莫希雖然看起來很和氣，說話也很親切，但卻是一個很可怕的人物。幾年來阿布利既驚訝又害怕地看著新任的底比斯總司庫一步一步地往上爬。他原本以為這個自大的軍官很快就會被上司或多疑的顯貴制止，但是莫希從未掉入陷阱，反而比他的對手更為狡猾。

如今，底比斯市的部隊只服從他的命令：因為他，部隊有了許多新的好處，而且他當了總司庫以後，更加鞏固了這些好處。莫希已成了底比斯最有權力的人。他每天發展他的人脈，也沒有人會對此擔心，彷彿他的爭權奪利是天經地義的事。市長委託他管理底比斯市，而莫希的工作成效良好，使得他的名聲得到首相的肯定。

阿布利原本應該很高興與莫希建立密切的關係，如今他反而因為這個關係而感到煩惱。

當阿布利著手這些棘手的問題時，內心希望莫希能很快地被剷除，而且是毫無代價地假莫希自己之手。但事情發展的方向與他的期望正好背道而馳，如今莫希很快就會要求他付出。由於這個棘手的朋友職權明顯地提高，阿布利再也無法欺騙他，告訴他儘管他不斷地努力，卻沒有任何成果。

因此，過了兩年的假象之後，西岸總督終於決定滿足他可怕的靠山，從莫希的角度來攻擊真理村。

阿布利一大早就起床，希望可以吃一頓安靜的早餐。但是他才開始吃優酪乳，他那個瘋婆子便跑出來怪他小麥田的產量不夠。因此他囫圇吞棗吃了幾塊圓形蛋糕，從家裡逃出去到工匠的村子。

真不知道工匠為何願意在這種環境下生活？沒有茂盛的花園，也沒有寧靜的棕櫚園，只有沙漠和乾燥的山岳，整天在灼熱的太陽下曝曬，只有真理村的使徒和自村子建立以來從未透露的神秘使命。阿布利一點也不羨慕他們這種枯燥的生活，他們離尼羅河畔、離都市的樂趣如此地遙遠，又如此地接近。

當西岸總督的轎子到達第一個堡壘時，值班的努比亞警衛完全嚴格遵守索貝克的指令。他請阿布利報出姓名，然後要他等到上司知道他的來臨，才放他繼續往前走。阿布利的大聲抗議絲毫起不了作用。

這個態度肯定了他的憂慮：索貝克的確加強了安全措施，並且取消了所有的特權。阿布利曾經細心研究索貝克的資料，從他當警察開始，一直到他被任命到真理村，他研究出來的結論讓他很擔心：索貝克是一名正直的警察，只關心他的工作。他的職業生涯裡找不到任何受賄的跡象。因此，他無法向莫希提供任何拔除這個努比亞人的線索，他的效率所造成的困難很不容易克服。雖然如此，阿布利仍然前來實地考察，希望能找到弱點。

索貝克出來見阿布利。

「我只是想在我的職責範圍內，確定村外的助理區是否一切正常。」

「我們走吧。」

阿布利不被准許進入村子，而且只有在安全警衛隊長的陪同下才能穿過那些堡壘。

「您對您的職務滿意嗎？索貝克。」

「工作很吃重，不過很有成就感，如果沒有發生那件無法解釋的謀殺案……」

「還是沒有任何線索？」

「完全沒有。」

「這幾年已經過去，也沒有人責怪您……您會慢慢淡忘這件事的。」

「永遠不會。我的一名手下被殺了，總有一天我會知道事實的真相。」

「萬一兇手是……村子裡的人呢？」

「我不排除這個可能，問題是我一點證據也沒有。」

阿布利裝作對助理工人的工作很感興趣的樣子，並且參觀他們簡陋的房子，然後才請索貝克喝一杯麥酒。

「您似乎還沒結婚？」

「沒有，」高大的索貝克回答道，「而且我既不感興趣，也沒有這個機會。負責行會安全的工作占據了我所有的時間。」

「隨著漫長時間的過去，您可能會對這種生活感到厭煩！」阿布利假設道，「在這裡，您已經完全證明了您的能力，難道您不想要另一個比較有意思、薪水較高也較不累的工作嗎？」

「決定不在於我，而在於首相。」

「等他私下召見我時，我可以幫您說說看。他應該會了解，以您的優點和長處，並不適合這種辛苦的工作。」

索貝克似乎很感興趣。阿布利是否正好找到他的弱點？

「我可以有哪方面的昇遷機會？」索貝克問他。

「比方說，底比斯的河上安全局。您可以成為現任局長的助理，而且他也快要退休了，到時您就可以接替他的職位。」

「您有什麼條件交換？」

「目前沒有，親愛的索貝克。這個舉手之勞可以加深我們的友誼，當然啦，朋友之間會彼此交換一些訊息，也會相互幫忙，您說是不是？」

索貝克點點頭。

阿布利終於有好消息可以提供給莫希了。

55

在碧玉的教導下，帕尼泊和她玩起了最熱烈、最原始的愛情遊戲。每當太陽落下西山、一天的工作結束時，帕尼泊回到他的情人家中，陶醉在永無止盡的歡愉中。

幾個月過去了，帕尼泊仍舊繼續房子的牆壁整修工作，不過，他只在石灰塊上畫一些平淡無奇的東西，也把他自己的房子擱在一邊。他每天都在碧玉家過夜，所以很少見到他的朋友尼菲。而尼菲則在首長納布師負責的工程計劃室裡工作。

如同天空和尼羅河，碧玉的美麗隨著季節變化，夏天的活力，秋天的溫柔，冬天的害羞，春天的刺激，她喚醒了帕尼泊原始而無止盡的欲望。

再過不久，整個村子就要變得潔白而耀眼。行會首長交給帕尼泊的任務即將完成，他終於可以要求加入畫匠的行列。這天，在回碧玉家的路上，為了要慶祝這個成果，他打算和碧玉狂野地做愛，但一到她家，卻發現她身上穿著一件紅色的長袍，戴著許多項鍊和孔雀石做的手鐲。她頭上的儀式用假髮，使她美麗的臉龐看起來幾乎變得很嚴肅。

「我參加哈托爾女祭司的一場儀式，所以要到神廟裡。」她解釋道。

「妳把我一個人丟下？」

「我希望你會習慣。」她微笑地說。

「平常，妳只是早上一大早和傍晚才會在神廟裡忙……」

「你休息吧，帕尼泊；明天晚上你才會更勇猛。」

碧玉走出去時，步伐優雅得讓帕尼泊幾乎忍不住想上前抱住她，吻遍她全身。但她莊嚴女祭司的模樣令他卻步。

「碧玉！妳願不願意嫁給我？」

「我再一次告訴你：我永遠不會結婚。」

她一走，帕尼泊突然覺得很孤單、很愚蠢、一無是處。他拖著沉重的腳步回到他的房子。

當他走到離家不遠的地方，聞到一股混合的香味，彷彿有人在空氣中灑了迷人的香氣。

房子的門開著，他聽到一個女人的聲音，正在哼一首溫柔的曲子。

帕尼泊一進門，便看到纖細的娃貝特純潔正把硝化水灑在地上；她之前已經在每個房間燒了由乾乳香、油莎草、樟腦、哈密瓜子和榛子混合成的燃粉，餘煙從小火盆冒出來，有助於消除所有的蟲害。

「妳在我家做什麼？」

娃貝特驚訝地停下來。

「啊，是你……你不要馬上進來，會弄髒了房子！」

她立刻拿出裝滿水的銅盆，讓帕尼泊洗淨手腳。

「你現在不必怕夜裡的魔鬼。」她接著說，「我用加上麥酒磨成的大蒜粉，灑在每個房間的所有角落裡。牆壁上也塗了一層黃鸝油來驅除蒼蠅。你能不能再等一下？房間還未整理完。」

娃貝特純潔拿起一把棕樹纖維綁成的掃帚，儘快地把工作完成。

帕尼泊雙手垂著，幾乎認不出他的家。昨天前面兩個房間本來只有一個草蓆。而現在卻有凳子、摺疊椅，和一張長五十公分、寬四十公分、高五十公分的堅固小桌子，還有落地燈和各種陶土製的容器，幾個收拾東西用的平蓋或鼓蓋木箱，以及各種花籃、籃子、袋子。娃貝特另外到處釘了木製懸鉤，上面掛了提籃。

帕尼泊發現他的房間被打掃得很乾淨，而且很香。裡面已經放了兩張上等品質的床，一個長度為一百九十五公分，另一個為一百七十五公分，上面放著堅固的木製網狀下墊，下墊上有燈心草編的床墊，床墊上舖了草蓆和新的床單。娃貝特純潔拿起一個蘆葦做的刷子，把地板刷得晶亮。

「你可以去檢查廚房，裡面幾乎什麼都有。我把油甕和麥酒甕放在第一個地窖，第二個地窖裡有儲肉罐。我需要你在浴室幫我安裝幾塊木板放盥洗用具，你還要買一兩個大鍋。剩下的，我們以後再說……如果你可以儘快幫我做個小衣櫃，讓我有地方整理梳子、假髮和髮簪，我就心滿意足了。不要忘記廁所……我已經消毒了，但是石磚上的木蓋座太低。你要找個時間把它加高，順便檢查排水管。」

帕尼泊重重地跌坐在三角凳上，好像剛剛跑完很長的一段路。

「妳到底在這裡幹什麼……」

「很明顯呀：我正在整理東西。」

「那麼這些家具呢……」

「這是我的嫁粧。這些家具是我的，我想怎麼處理都可以。你不能一直這樣生活下去，只有一個又破又爛的草蓆！而且我認為你的飲食不正常……我不是有意要讓你生氣，但我覺得你稍微瘦了一點。我不怪你，因為你的工作量比任何人都來得多，你美化了村子裡所有的房子。沒有人會說你好話，但村民們都很滿意，大部份的人都認為你是個傑出的石膏匠。如果聽取他們的意見，你就不用轉行了。」

奇怪的是娃貝特純潔又害羞、同時又很有自信，她的聲音細小，動作不是很自然，但對自己的作法卻很有把握。

她所說的一切使帕尼泊意識到他又掉入了另一個陷阱。他面臨了全村的挑戰，學到了石膏的技術的確證明了他有能力和耐力，但似乎又忽略了他的理想。

「因為整理房子很忙，」娃貝特純潔抱怨道，「我只準備了簡單的晚餐：只有烤麵包、蠶豆泥和魚乾。明天我會煮得豐富一點。」

「我沒有要妳做任何事！」帕尼泊激動地說道。

「我知道啊，這有什麼關係呢？」

「娃貝特，妳聽我說，我愛上了碧玉，而且……」

「整個村子都知道……那是你們的問題。」

「所以妳應該明白我並非單身！」

「什麼不是單身？她始終說她不會結婚的，你只是和她做愛，也沒有住在她家，所以你是單身。」

「總有一天，我會說服她嫁給我。」

「你錯了。」

「我會證明給妳看！」

「你不知道的是碧玉曾向哈托爾女神發過誓。她心裡只有哈托爾，只要她不結婚，女神就會讓她一輩子保持美麗。哈托爾的女祭司是不會違背她的誓言的。」

帕尼泊感到一陣晴天霹靂，而娃貝特並沒有洋洋得意的樣子。

「你喜歡碧玉，她對你也頗有好感，只要她高興，會繼續與你玩下去。我則不同，我愛你，我會給你我所有的一切。既然我們要在同一個屋簷下生活，不需要有任何手續，便可以成為夫妻。坦白說，我家裡非常反對這門婚姻，甚至不願安排任何慶祝儀式。」

「妳沒有權利不尊重他們的意見！」

「我當然有權利。我要嫁給我所選擇的人，而這個人就是你。」

「明天我就會背叛妳。」

「我對肉體的欲望不感興趣。但我還是希望幫你生個兒子……不過這是由你來決定。」

「妳不至於逼我接受妳吧……」

「你想一想，帕尼泊。我保證會當一個很好的女主人，我會讓你日子過得舒舒服服，也完全不會剝奪你任何的自由。對你而言只有好處，沒有壞處。我們來喝濃麥酒，慶祝我們婚姻的開始。」

「不會太快嗎？」

「對我們而言，這是最好的作法。無論你的前途如何，你需要有一個乾淨、井然有序的家。我會服侍你，你甚至不會發現我的存在。」

帕尼泊完全控制不了局面，他喝了酒，但頭腦並沒有因此而變得比較清醒，雖然如此，他還是吃得津津有味，而且他不得不承認，娃貝特所準備的床比他原來的草薦舒適許多。

他竟然娶了一個自己不愛的女人，卻愛上了自己不能娶的另一個女人……他頭昏腦漲。如果不馬上將娃貝特純潔趕出這個房間、趕出這幢房子的話，她明天就會以正式妻子的身份自居，而他卻不知道會不會留在這個把他降為石膏匠的行會裡。

他多麼希望這只不過是一場噩夢，但入睡時，帕尼泊明白自己不過是一個懦夫。

56

當帕尼泊醒來的時候，娃貝特純潔已經不在屋裡。她的床單已經疊好，草蓆也被捲起來。帕尼泊鬆了一口氣，走上通往屋頂的階梯。屋頂上的陽台在酷熱的夏天是一個睡覺的好地方。獲得自由的帕尼泊貪婪地享受早晨的陽光，北邊的屋頂有一個大孔，上面有一個三角形的棚架保護著，大孔的作用在於讓屋子裡的空氣流通，屋內有一些小落地窗，太陽強烈的時候可以將這些窗戶遮住，以免陽光透進來。

結果還不致於太糟，娃貝特純潔終於明白這是一個不可能存在的婚姻，而且她還留下了打掃得一塵不染的屋子，和一些漂亮的家具。他有權利保留這些東西嗎？不，他要全部還給她。這些是她的嫁粧，他不能擁有它們。

一陣小孩嬉笑的聲音讓他感到很好奇。他從屋頂上看到十來個小孩走到他家門口，手上拿著幾個小箱子，箱子用剛裁好的蘆葦做成，以紙莎草莖的纖維綁著，裡面有埃及姜果棕的大型果實。

他走下樓幫他們開門。

「你們要什麼？」

「我們要送你一個結婚禮物。」一個調皮的小女孩發出一串清脆的笑聲。

「我的結婚禮物？這是……」

「娃貝特人很好，全村子裡所有的人都知道你們已經住在一起了。」

「你們搞錯了！她今天早上就走了，而且……」

娃貝特這時候出現在面前，頭上頂著一個裝滿食物的籃子。儘管籃子的重量不輕，她仍然步履輕盈。

「你已經醒了，我親愛的丈夫？我剛剛去買蔬菜和新鮮的水果。這些孩子的體貼真讓人感動，不是嗎？」

帕尼泊整個人垮了，只好去想石膏和等著他完成的最後幾面牆。

* * *

西岸總督阿布利坐上高官專用的渡船前往底比斯，渡船口有官方的車在等他，將他帶往莫希和賽克塔剛搬進來的豪華別墅。

門房一看見阿布利，令僕人去向主人報告阿布利的來訪。他將含有香味的清水讓客人洗淨手腳，然後請他進入接待廳。接待廳的天花板裝飾著藍色和紅色的花莖，由兩根斑岩柱支撐。

阿布利看到一座荷花池，一個長滿棕樹、埃及無花果樹、角豆樹和洋槐的花園，另外還有藤架和水池、儲藏塔和牲畜棚、中間有一個水井的院子。這個豪華的別墅至少有二十個房間，還不包括僕從所住的地方。

莫希的成功是非常明顯的，而且還有很大的晉升空間。阿布利看到莫希的富裕，開始感到害怕，並且體會到他的盟友是一個非常可怕的人物，而他的權力還會不斷地增加。

「總司庫在按摩室等著您。」管家說。

阿布利鬆了一口氣，至少莫希願意接見他，這一次可不能讓他失望，相反的，他要向他證明自己毫無保留地與他合作。

總督跟在管家的後面，經過一個四根立柱的大廳，大廳裝飾的主題為沼澤區的釣魚和狩獵，最後到了按摩室。此處有一個環繞四面牆的長形石凳，上面鋪著上等的彩色草蓆。牆壁上的架子擺著大量裝滿油膏的瓶瓶罐罐，玻璃的、大理石的，有的像荷花、有的像紙莎草、有的像葡萄串、有的像石榴、有的像正在游泳裸體的女人、或前面推著翅膀可以活動、身體可裝東西的鴨子。

莫希趴著，按摩師正在按摩他的背，同時有修指甲的男人用「海棗髮」（海棗葉根部纖維做成的刷子）幫他清潔指甲。

「親愛的阿布利，您請坐吧，我這樣子接待您真不好意思，但是我工作繁忙，也迫不及待想與您見面。您是不是帶來了好消息？」

「非常好……不過是機密的消息。」

「指甲修完了；至於按摩師則不用擔心，他又聾又啞。」

修指甲的人已經走出去，按摩師則繼續留下按摩。

「我們已經好久沒有機會討論我們的進展，」莫希說。「我們兩個人都忙著自己的職業生涯，雖然我們兩個職業不同，但也有交集的地方。」

「我也是這麼想……我非常敬佩您管理底比斯市財務的方法。您的岳父一定會以您為傲。」

「您這一番話讓我非常感動，阿布利；我常常想起這個偉大的人，想起他的早逝。」

「您的職責越來越沉重，也越來越多……您會不會因此忽略甚至放棄過去我們曾討論過的計劃？」

「完全不會。」莫希很肯定地回答。

「這麼說，您還是想要消滅真理村？」

「我的想法沒有改變，我們的協議也仍然存在。但我不敢肯定你有沒有全心全意地去執行。」

莫希突然改用「你」來稱呼阿布利，使阿布利嚇了一跳。

「我盡力而為，您必須要相信我，雖然我沒有成功。這個行會比我想像中還要保密。如果犯下任何錯誤，就會引起首相甚至法老本人強烈的不滿。」

「在底比斯市裡，就屬我的意見最重要。我以前保證你會保住你的職位，我遵守了這個諾言，但你這種怠慢的工作態度，可能會令我改變主意，讓國家最高層知道西岸總督怠乎職守。」

阿布利臉色發白，開始支支吾吾。

「您知道這不是事實……我一直很盡責，沒有任何人抱怨過，而且……」

「我需要的是有效率的盟友。你不是說有很好的消息嗎？」

因為阿布利無顏以對莫希，所以差點忘記他有足以說服人的成績。

「是關於索貝克……我徹底地研究了他的資料。」

「你有沒有找到對我們有利的東西？」

「很不幸的，沒有……我承認當時差點想放棄，因為我覺得無法賄賂這個安全隊長，最後我自己採取了行動：我用參觀助理區情形的藉口，親自到真理村走一趟，其實我真正的目標是去了解索貝克。」

「很好，親愛的阿布利！結果呢？」

「這個隊長工作很認真，執行任務非常嚴格。」

「這些我們都知道。有沒有什麼其他的新消息？」

「索貝克說對自己的處境非常滿意，但實際上完全不是這麼一回事。其實，他開始對這份枯燥的工作感覺疲累，沒有自己的時間，也無法建立家庭。」

莫希坐起身子，作手勢要按摩師出去。

「這個非常有意思，親愛的阿布利，」莫希說。他手上拿著手柄畫有裸體少女的銅鏡。「你有沒有採取進一步的行動？」

「不只是進一步。我說可以讓他調到底比斯市河上警察署的高級職位，因為我知道對您來說很容易辦到。」

「你說對了……但你有沒有讓他明白，這樣的待遇必須要付出代價？」

「當然有。」

「他的反應是什麼？」

「我認為他願意照我們的方式來幫助我們。」

「這的確是非常好的消息！」

莫希放下鏡子，再梳了梳他引以為傲的黑髮。阿布利發現他的靠山有點滿意，因而感覺比較輕鬆。

「我開始準備這個職務調動，」莫希宣布道。「一旦確定後，你去叫索貝克向我們透露他對真理村所知道的一切，並說明為了保護真理村所採取的安全措施。但是不要忘記你還有第二項任務。」

「我向您保證我絕對沒有忘記！問題是已經很久沒有工匠離開村子長住在外。」

莫希的眼神變得凌厲異常。

「難以置信……我認為你根本沒有建立任何監督的系統，以致於工匠們可以完全自由地出入。」

「我雇用的人辦事不力，我承認，但是這樣的工作並不容易！」

「我的耐心已用盡了，阿布利。我現在要求你交出成績。」

57

自從首長要尼菲準備拉美西斯大帝「卡」氣的新神殿以來，卡萊兒與尼菲獨處的時間越來越少。在學到造船廠的秘密之後，尼菲眾所皆知的勤勞，讓他又提高了自己在工匠們之中的身份。其他使徒以為尼菲學習新的技術毫不費力，提升他的技能並不需要付出太多的努力；只有他的妻子才知道事實並非如此，他學習有成是因為他非常地刻苦耐勞。儘管如此，尼菲並未因為工作繁忙而心生厭煩，他所生活的世界完全適合他的本質。他是為了真理村而出生，諸神賦予他生命的目的就是為了讓他在真理村成長，為真理村服務。

雖然工作繁重，天天要做的事很多，幾年來日子仍然過得甜美。在尼菲向石匠和雕匠學習的同時，卡萊兒接受哈托爾的女祭司和智女的教導。前者讓她了解各種禮儀與象徵，後者則教她傳統科學和無形的力量。

一如往常的早上，卡萊兒站在她家的屋頂上，觀賞位於谷底的工匠村。山谷上有一塊巨岩，被視為是聖峰的山腳；巨岩上建有許多小禮堂，用於祭祠諸神或瞻仰過去保護真理村的每位法老，阿孟霍特普一世、圖特摩斯三世和拉美西斯之父塞提法老。這些小禮堂排成一條沿著山腳蜿延而去的曲線，它們的內中堂靠著西山，西山每天的夜裡發生肉眼看不見的神秘再生。

卡萊兒從未後悔離開東岸，放棄她原應過的平凡生活。她和尼菲一樣，這個與眾不同的小村子，已經成為她真正的故鄉。她在這裡學到一件事：一個群體的幸福完全靠著祭品的流通和品質。授而不受可以建立一種足以克服歧見、對峙和自私的互濟精神。女祭司的任務就是保證祭品從不缺乏，並且抗拒人的貪婪天性。

卡萊兒非常喜歡太陽升起時的活力，也喜歡光線從西山背後湧出的時刻；她感覺生命正在昇華，在黎明時分，天地萬物重新飛躍，帶來預期之外的奇蹟。

突然，她的視線被一個背影吸引住。

智女的一頭白髮在微風中飄揚，困難地走在村子的大街上。她走路已經越來越困難，但至今為止尚未用到枴杖。卡萊兒一看到她，立刻下去迎接她。

智女已經站在門口。她這麼短的時間內如何能走這麼長的距離？

「妳準備好了嗎，卡萊兒？」

「我正要去村子正門那裡拿花。」

「讓別人去做。妳呢，就跟我來。」

卡萊兒知道智女不會回答她的問題，因此什麼都沒問便跟在她的後面。智女彷彿恢復了過去的體力，穿越過村子，往皇后谷地的路上走去。

智女停在面對北邊、挖在岩石裡成弧型的七個山洞前。

「這裡是沉默女神梅賀斯格和工匠神卜塔的所在之處。妳在七個山洞中選一個，卡萊兒；然後留在山洞裡默禱，直到有人叫妳出來為止。」

卡萊兒進入了左手邊第一個山洞，是一個小禮堂，裡面立了一個祭卜塔的石碑；卜塔用聖言塑造了宇宙。卡萊兒以書記坐姿坐下，享受山洞內的清涼與沉默。

早晨過了一半，有名女祭司要她到第二個山洞；這個山洞裡住著西峰女神，外形像一個友善的眼鏡蛇。中午時分她到了第三個山洞，牆上刻有神母正在餵法老喝母奶的浮雕，卡萊兒對著這個浮雕喝奶。在第四個山洞，卡萊兒祭拜星神哈托爾的創造神力；第五個山洞裡，她祭拜哈托爾的「巴」氣，亦即可讓信徒思想升天的純化神力。太陽下山時，卡萊兒在第六個山洞裡，看到法老送花給哈托爾的畫面；最後，手舉火炬的卡萊兒在第七個山洞裡看到阿孟霍特普一世和皇母阿梅斯尼菲塔莉接受新女信徒的畫面，阿梅斯尼菲塔莉的黑皮膚象徵著死後的復生。畫面是如此生動，使得這一對為真理村貢獻的法老與皇母看起來栩栩如生。

銀色的夜裡，卡萊兒被邀請到四處灑滿荷花的空地。有一位女祭司給了她麵包與酒。

智女彷彿是從岩石走出來面對著她。

「妳在兩個獅子之間，卡萊兒，在今天與明天之間，在西方與東方之間。到目前為止，妳只是接受我的教誨而已；妳現在必須建立自己的路，必須與無形中的光明之體結合，發揮妳的自我。妳願意嗎？」

「如果這是服務真理村的正確路途，我願如此。」

「妳現在喝下這個酒，吃下這個麵包，而且了解連妳最微小的舉動，都必須要有意識。否則妳的一生只能成為一場影戲。奧塞利斯被黑暗的力量屠殺，但祂藉著伊西斯的智慧復生。祂的血成為酒，軀體成為麵包。人非神，但是只要人可以跨越神秘的門檻，便能成為神性的一部份。如果妳有這個勇氣，就跟我來。」

卡萊兒完全沒有猶豫。

智女爬上的山路非常陡峭，她的學徒卡萊兒幾乎跟不上。突然，夜色更加黯黑，彷彿月亮拒絕發光。但是智女的頭髮環繞著奇特的光明，使卡萊兒能看到她。

山路感覺上似乎爬不完，而且越爬越困難，但卡萊兒並沒有放棄。走在一邊是懸崖的路上，智女一次也沒回頭。她終於在山脊頂端停下，卡萊兒走到她身邊。

「村子在沉睡中，夢幻穿越過人體，而諸神不眠不休地繼續創造。妳必須要感覺到的是祂們的傑作，而不是將遭受時間毀滅的人類創作。妳聽，卡萊兒……妳聽聖山的言語。」

山裡一片沉寂。豺狼沒有嚎嘯，夜鳥也沒啼鳴，彷彿整個大自然遵守一種協議。卡萊兒這一生中首次看到天空。她所看到的不是繁星爭豔的表象天空，而是天空的秘密意象，它是一個巨大女人所形成的拱頂，星星，亦即光明之門在其中閃閃發光。天空女神努特的拱身之下就是宇宙，祂的腳與手形成天際。卡萊兒陡然之間發現，她來到真理村後所學到的東西，原來有另一層境界，而這個境界完全符合生命不斷地從自身繁衍的陰性宇宙。

「來見見妳的盟友。」智女建議說。

接著她離開岬角，往兩邊是懸崖的狹隘小山谷走下去，最後坐在由風和雷雨雕塑成的圓形石頭上。夜色逐漸明亮起來，月亮彷彿將它的光明集中在這個毫無生命跡象的土地上。卡萊兒藉著這個光明看到它們。

蛇。

有好幾十條各種長度、各種顏色的蛇。腹部是白色的紅蛇、眼睛是黃色的紅蛇、尾巴很粗的白蛇、背上都是紅斑的白蛇、腹部是淺色的黑蛇、吐信的蟒蛇、頭上有類似荷花莖的蟒蛇、一條角蟒以及好像隨時要進行攻擊的眼鏡蛇。

卡萊兒幾乎被嚇得半死，但是並未逃跑，智女帶她來這裡不是為了要害她。

卡萊兒逐一注視著這些蛇，而牠們開始繞著她轉。在牠們戒備的眼神裡，卡萊兒沒有發現任何的敵意。

智女的白髮在夜裡發光。她把手往地上伸，做個平靜的姿勢，蛇便爬到圓形石頭的下方。

「妳找不到比牠們更好的盟友，」她向卡萊兒說道。「牠們不會說謊，不會作弊，毒液還可用來製成藥物，治療疾病。妳跟著我，在山裡可以學習與牠們交談，必要時妳可以叫牠們來幫助妳。蛇就是大地之神的兒子，牠們了解大地裡的能量，因為當所有的原神創造大地時，牠們也在場。牠們會讓妳了解，恐懼是必經的階段，惡可轉為善。妳接受蛇的貢獻嗎？」

卡萊兒握住智女遞給她的一根棍子。當棍子變成了微笑的金黃蛇時，卡萊兒並沒有把棍子放下。

58

底比斯的主要市集旁有一家小酒店，來往的埃及人和外地人都到這裡喝一杯冷飲聊聊天。酒店裡的氣氛輕鬆愉快，大夥兒在這裡聊著生意經和買賣所賺的利潤。達克泰的啤酒肚和大鬍子很容易讓人以為是個敘利亞商人，正在尋找賺錢的生意。在這種地方他不會有碰見實驗所的人和高官的危險。因此他和真理村的一個洗衣工約在這個小酒店碰面。

一名圓肩的男子坐到達克泰的對面。酒店裡的喧嘩聲浪蓋過他們交談的聲音，沒有人聽得見他們的說話內容。

「給我來一杯最好的麥酒。」達克泰吩咐侍者。

「您帶洗衣粉來了嗎？」

「一整袋，放在外面的一隻驢背上等著你。我又增加了它的效力。」

「太好了，」洗衣工感謝道。「您不知道我的工作是多麼辛苦。最糟的是那些被女人月經弄髒的衣物。如果我沒有把它們洗得潔白發亮，這些挑剔的女人就拒絕收回去！看得出來她們從來不用親自洗它們，不知道這種辛苦。幸虧有您給我的洗衣粉，讓我省了不少力氣能有時間去照顧我的菜園。」

「這是我倆的小秘密……」

「沒錯，而且連一個字都不能向我的上司透露！我要讓他們以為我和其他同事一樣辛苦，但我卻最有效率。」

「沒問題，不過你得幫我一個小忙。」

「什麼忙?」洗衣工問，心裡突然有點擔心。「我只是一個窮人，沒有辦法給您很多錢。」

「我只需要一些消息。」

洗衣工垂下了眼睛。

「這要看是什麼……我知道的不多，我……」

「你曾進去過村子嗎?」

「我沒有權利進去。」

「其他的助理有沒有成功過?」

「沒有，那些警衛做事一板一眼。由於索貝克又加強了安全措施，沒有人敢強行進入。村子裡的人都彼此認識……只要一有外人，馬上就會被認出來趕出去，而且判重刑。」

「難道沒有人好奇得想盡辦法一探究竟嗎?」

「絕對行不通!每個人得守自己的本份。像我們這些助理工，只管自己的工作。」

「照你和你的同事所洗的衣服數量，應該知道村子裡有多少居民，以及男人和女人的比例吧?」

洗衣工望著達克泰。

「這可以算得出……不過我們最好是閉上嘴巴。」

「你希望得到什麼?」

「用您配方的免費三袋洗衣粉。」

「代價這麼高。」

「您要求知道的事屬於機密性……我要冒很大的危險。如果人家知道是我說出去的，我會丟了這份差事。這樣算起來要四袋洗衣粉。」

「我不會再多給的。」

「就這樣說定了。」

他們像一般商人的習慣，以擊掌表示一言為定。

「依我看，工匠的人數大概有三十個左右，因為有的人是單身，所以女人可以算二十到二十五個左右。」

「聽說每對夫妻平均有兩個小孩，但有些哈托爾的女祭司不要小孩。」

一個非常小的團體，達克泰心裡想著：要除掉它應該不困難。

「有很多小孩嗎？」

* * *

村子的牆面維修工作終於大功告成，它們在陽光的照射下閃閃發光。帕尼泊感到自豪無比，不過他雖然已掌握了石膏的技術，卻開始感到厭煩。他機械性地做著重覆的動作，不帶絲毫的感情，因為這種技術已無法滿足他的學習。

帕尼泊已經習慣了娃貝特純潔的存在，她的家事和烹飪讓人無可挑剔，也從不過問他和碧玉廝混在一起的時間。帕尼泊的正式妻子甚至有點任由他去，而且不會去打擾他。當她和其他女人聊天的時候，從來不會批評她的丈夫，同時祝福她們能擁有和她一樣的幸福。

明天，帕尼泊要面對那些畫匠甚至首長，如果有必要的話。他自認已經通過了人家給他的這項考驗，所以他決定提出他的要求，而不再接受那一大堆廢話。他想一頓大餐會為他的信念帶來力量。

但等待他的，卻又是另一個驚奇：娃貝特穿著一件白色長袍，脖子上掛著一條光玉髓做的項鍊，而頭上戴有一個桂冠，她完全變了樣，不再像一個平凡的家庭主婦。

「進來，不要出聲。」她交代道。

帕尼泊氣沖沖地推門進去，發現卡萊兒和尼菲正在前廳壁龕內的兩座半身石灰塑像前默禱。一座象徵卜塔神，另一座是哈托爾女神。這兩座祖先的半身塑像沒有手臂，胸前掛有一條寬大的項鍊，眼神深邃而嚴肅。

卡萊兒在一個小火盆裡燒了幾片香片，將它遞給帕尼泊。

「用火來緬懷我們的祖先，」她要求他道，「由於他們存在於我們的住處，諸神得以化身。他們的力量會伴隨你一生，但你不能只靠他們活下去。他們的顯像千變萬化，可以讓我們雙目失明或打開我們的眼界。願你體內的火焰並非禍端。」

在他為祖先燒香的同時，卡萊兒將水灑在供桌上的鮮花和水果上面。

「這個屋子早就該將它神聖化，」尼菲審視道：「來第二個房間，我已在裡面放了一個禮物。」

尼菲已將一個頂部呈弧狀的方型石碑嵌入牆內。石碑高度約三十公分左右，代表一位祖先，名之為「太陽神」拉「光明而萬能的靈魂」。這位祖先乘坐太陽船永久航行於黃泉，他融於陽光之中為村民照耀。

「這是你自己刻的嗎？」

「你喜不喜歡？」

「刻得真好！祖先右手拿的是生命的象徵牌，對不對？」

「如果我們能夠聽見他的聲音，他就會把生命傳達給我們。智者卜塔霍特普說『「聽」為一切之上』，我們要用我們的心才能聽得見。唯有聽他的指示，我們才能成為君子。只要心口如一，就能完成我們的任務。」

「我的也是嗎？」

「所有的知識源自於心，因為有心，我們才能看到祖先的光明，他們所聞見的花香也是源自心底。這就是我們的首長所教我的。這座石碑是村子與永生世界、活人與神祇之間的接觸方式之一。祖先的面容是一道陽光，在我們最艱難的日子裡為我們照亮。」

「除非心能服從我們，而且對我們不懷有敵意，」帕尼泊反駁道，他對於尼菲這番莊嚴的話感受很強烈。「我的心較為奔放，我不確定自己是否能控制得了它。」

「我們吃晚飯吧？」他的妻子提議道。

兩對夫妻共同分享娃貝特準備的晚餐，她很高興能夠接待丈夫的朋友。他們笑談著村民的軼事，也沒忘記說到自己的。當晚餐結束後，卡萊兒點燃了房間裡四個角落的燈，以免惡魔來打擾夫妻倆的睡眠。

房子的神聖化於是完成。

他們的客人謝過娃貝特的招待，正要離開時，尼菲發現帕尼泊似乎很煩惱。

「我不想一輩子都聽別人的，」他承認道。「我要畫畫，而且我要別人聽我的！」

「彎腰不一定就會折腰。」尼菲回答他。

59

智女半夜將卡萊兒和尼菲喚醒。

「拉默塞書記的夫人病情惡化。」她說道。「我已不抱任何希望，不過我們可以減輕她的痛苦。」

卡萊兒趕忙換好衣服。

「你跟我們來，尼菲。」疲累不堪的智女對他說道。「拉默塞要跟你說話。」

三個人一路沉默地走到村子最漂亮的房子前，裡面的油燈已被點燃。智女和卡萊兒進入了房間，而書記拉默塞則請尼菲在他對面坐下。

「我內人快要不行了。」他的聲音雖然悲傷卻很平靜。「我們在一起生活了一輩子，也在這個村子裡找到了幸福。我不願讓她在這漫長的旅程中孤獨太久，所以我不久也會跟著她去。人老了是一件很可悲的事，尼菲；心臟開始無力，嘴巴變得遲鈍，眼睛模糊不清，耳朵也不靈光，四肢軟弱無力，記性也跟著不好，骨頭一天到晚痠痛，氣也常常喘不過來，對於生活中的美好事情已無動於衷。儘管如此，一直到今天，每一個新的早晨都會帶給我很大的快樂，因為我看到了真理村的神聖。但如果沒有了我的妻子，我甚至連看你和你的兄弟們出去工作的力氣都沒有。拒絕面對死亡是一件不好的事；死亡是一條狹窄的路，引領我們通往奧塞利斯神的法庭，是它來判定我們心靈的善惡。儘管你還年輕，也應該要開始考慮你在村子陵園的長眠之所，因為死亡就是生命的開始。我和納布還有一個使命尚待完成，我們兩個決定要你加入：也就是重建『卡』聖殿以獻給國王。我希望在拉美西斯大帝到國王谷地與先人會合之前，能夠看到它的完成。答應我在這個工作上不要有任何的懈怠。」

「我保證。」

「只有在瑪亞特的公正與慈愛中才能找到真正的幸福，尼菲；瑪亞特是創造的正確性，所以神祇和法老喜愛祂。偉大的瑪亞特是永恆的、有效的，從原始至今從未改變過，當萬物都消失之後，只有祂繼續存在。也因此法老的主要任務是讓瑪亞特的精神取代混亂和邪惡。你只要完成瑪亞特的精神，祂就會出現在你的眼前，祂是諸神的甜蜜糧食、神光之源，由於祂的正確性，你得以分辨善惡。你要用真理村的光明來建立你的路途，尼菲，同時不要忘記瑪亞特的笑容。」

智女和卡萊兒表情凝重地自拉默塞妻子的房間走出來。

「她不會再受苦了，」智女說道，「她要見她的丈夫。」

＊　＊　＊

帕尼泊踏著堅定的步伐走向彩繪匠傑德的房子。他是畫匠們的首領，要說服的人是他，讓他打開這個行業的大門讓帕尼泊進去。自從帕尼泊加入了行會，他接受了所有困難的考驗，也證明了自己的能力。幾年的時間已過，他一心渴望的藝術卻沒有任何的進展。他對繪畫的熱情始終在內心燃燒，他再也無法去接受浪費時間。

他突然停下腳步。

有什麼事情不太對勁。平常，在這個春天的陽光裡，村子非常地熱鬧，有人將水槽加滿，有人在陽台上吃早點……但這個早晨，生命似乎中斷了。沒有任何的吵雜聲、沒有孩子的笑聲、大街上一個人都沒有。

帕尼泊跑步到尼菲和卡萊兒家裡，卻找不到他們。所有的房子都空無一人。

他從西邊的小門走出村子，看見村民聚集在陵園的一處墳前。

「你終於來了！」娃貝特小聲地說道。

「我今天比較晚起，不需要小題大作。」

「那就閉上嘴巴，我們正在哀悼。」

「誰死了？」

「瑪亞特的書記拉默塞，還有他的妻子。他們被發現躺在一起，手牽手，平靜地走了。」

拉默塞的繼承者，同時也是義子肯伊，主持這個葬禮。當他一得知這對夫妻去世的消息，便立刻派人找來製作木乃伊的專家，將這兩具遺體變成奧塞利斯神體。

為了悼念全村敬愛的拉默塞和他的妻子，真理村的所有居民都戴重孝。整整一個月的時間，男人不刮鬍子、女人不梳頭。每天無論是在神廟或是家中，村民祈禱祖先們迎接這對夫妻到天堂，而天堂裡的光之舟永遠不停地航行，餐桌上永遠擺滿了食物。

所有的工匠都放下工作，來完成瑪亞特書記陵墓內的家具，彩繪匠傑德則完成了「入光之書」的莎草紙卷軸，用來放在木乃伊身上，以便死者回答陰間世界門倌的問題，同時復生時能夠說出所需知識的咒語。

在動作謹慎、身材高大的木匠狄弟亞的領導下，帕尼泊為這兩具葬床做了最後的加工。他調整葬床的四隻方形木腳，再用堅固的橫條連接固定四隻木腳，並裝上立式的床尾板，狄弟亞則製作木乃伊的洋槐木長枕。

「您看起來很沮喪，」帕尼泊發現道。「拉默塞是如此重要的一個人物嗎？」

「法老賜給他『瑪亞特之書記』的頭銜；也許其他陵寢書記將來沒有權利使用這個頭銜。」

「您不信任肯伊的話嗎？」

「肯伊是肯伊，就是這樣。」

「我還是一竅不通！」

「好好幹活兒吧，小子，你有一天會明白的……如果諸神願意的話。」

下葬的那一天，工匠和他們的妻子扮演祭司和女祭司的角色，而不需要任何的村外人。肯伊和兩位工匠首長在已經啟口、啟眼、啟耳地豎立在木乃伊面前朗誦著儀式的咒語。

接著工匠將奧塞利斯神體放入棺木中。棺木上畫有數位保護神、生命之鑰的象徵、伊西斯的神奇結，或是奧塞利斯復生所化身的「穩定」柱子。

帶著祭品的男女隊伍開始慢慢移動。他們將祭品放進墓穴裡，有木杖、書記石板、建築工人的工具、禮儀服、床、椅子、凳子、珠寶箱和香料箱、貢桌、以及小木俑「答覆者」，以便在陰間復生者呼喚時，小木俑能搬動建築材料。

死者的內臟分別被放入四個造型為何露斯之子的罐子內：保護肝的一個人、保護腸的一隻鷹、保護肺的一隻狒狒、保護胃的一隻豺。在另一個世界死者將會再組成一個光明體而不缺任何一樣。

尼菲情緒上的激動很明顯。卡萊兒感覺到有事情在困擾著他。

「你在擔心什麼事嗎？」

「為什麼拉默塞的遺言是對我說，而不是對他的義子肯伊或是首長？」

「拉默塞是個非常慈祥的人，不過他要完成瑪亞特書記的任務，所以做任何事情不會沒有原因的。他知道自己大限的日子，而選擇了你，不是別人，來交代他的遺言。」

「我不懂他的決定。」

「他沒有清楚地交代你一項工作嗎？」

「我已經和納布師談過了。」

「他的反應如何？」

「等到戴孝日一過，我便馬上開始工作，不要有任何耽擱。」

自從和智女在山裡過了那一夜之後，卡萊兒開始能預見部份的未來。拉默塞的作法一點也沒有不清楚。

葬禮已經結束。儘管每個人都相信奧塞利斯法庭會肯定拉默塞和妻子是正直的人，大家還是對他們的離去感到非常的傷心。村民再也不能和他們說話、再也不能向他們請益、也沒有他們充滿智慧的引導，這些都是極大的損失。

只有帕尼泊完全不在乎。他覺得戴孝期很漫長，尤其碧玉又拒絕和他做愛。往者已矣，來者可追。他們既不會從奧塞利斯王國復生，悲傷也不能解決任何的困難。

帕尼泊拍拍尼菲的肩膀。

「這個事情之後，不會有其他的典禮了，是不是？」

「每天會有一名祭司和一名女祭司來悼念死者的『卡』。」

「所以，明天，生活恢復一切正常囉？」

「可以這麼說……」

「你承不承認我的要求合情合理？」

「什麼要求？」

「去認識繪畫的秘密。」

「目前我要暫時雇用你。」

「我不是石匠呀。」

「我要儘快完全一項重要的工作，所以我需要所有的人力。」

60

拉默塞死後的第二天，肯伊洗了三次頭，這是他的最愛。由於拉默塞的妻子也已過世，肯伊繼承了他所有的財產，尤其是那些令人驚異的圖書室，裡面包含了所有最著名作者的作品，如薩卡拉階梯金字塔的建築師伊孟霍特普、大金字塔時代的智者霍爾得夫、人們不斷抄寫其著名教誨的首相卜塔霍特普、先知尼菲蒂，或是博學者黑提，後者為了讚揚當書記的好處而寫了一本《行業的譏諷》。

住進了拉默塞漂亮的大房子，肯伊突然感覺到自己老了。他年過五十仍然保持精力，此時卻猛然感受到孤單的沉重壓力。的確，拉默塞交給他不少責任，他也盡責地執行了陵寢書記的工作，儘管他常抱怨拉默塞太過仁慈，對人性弱點過度體諒，但他自拉默塞所給的意見中學到不少。從今以後，他得自己管理村子，而兩隊首長的意見又經常與他不同，看來不是很容易。

十五歲的牛妞女強人負責幫肯伊打掃房子和做飯，肯伊希望能付她最少的錢，但她要求一個合理的薪水，由於她的個性倔強，最後肯伊不得不低頭。剛開始，他原本想開除這個小討厭，但她的家事做得如此好，又懂得將成堆的紙莎草紙卷上的灰塵撣去，最後肯伊還是決定留下她。

肯伊有很多的計劃。首先，他要建立他的權威性，讓那兩名首長完全明白他是陵寢書記，沒有經過他的同意，不能做任何的決定；接著，他不能再容許工匠們犯下有辱真理村的一些過錯，那怕是小過失。對於行會的工作品質，他必須要給首相一個交代，肯伊每天用他醜陋又幾乎無法辨認的字跡寫日記，記錄每個人的工作內容、原因、缺席、送到村子的物資項目及品質。只有他一個人全然知道一切事情，對於小過錯沒有拉默塞那麼寬宏。肯伊要讓大家知道紀律這個字眼不是沒有意義的。

肯伊很清楚大部份的工匠對他的評論；自大、囉嗦、自私、自以為是，但沒有人會懷疑他的能力。許多人忽略了他會自我反省，也會承認錯誤，但只有他自己能怪自己。

肯伊在他的新居接待兩隊的工匠首長。他感覺到他們兩位的不自然，便決定直接了當的表明態度。

「這個房子過去是我的前任者拉默塞的。如今，在行會的同意下，它已屬於我。因此，將來我們的會談以及工作會議都會在這裡舉行。願我們對瑪亞特書記的回憶與崇敬不會影響我們繼續真理村的工作。」

兩名首長表示同意。

「理所當然，我的第一個決定，是要求你們在陵園的南方建造我個人的陵寢。它必須又大又漂亮，以讚美我所擔任職務。」

「左隊會負責這件事。」納布師說道，「我的石匠目前都忙著建造拉美西斯的『卡』神殿。」

「好吧，」肯伊咕噥著，「不過我對偷懶的人毫不客氣。被允許進入這個村子裡，只有義務而沒有特權。帕尼泊做完了牆面的維修之後，被分派了什麼工作？」

「尼菲讓他當他的助手。」

「帕尼泊不想當畫匠了嗎？」

「他目前暫時沒有反抗命令。」

「太好了！繼續讓他保持下去。」

當首相接見肯伊時，後者向首相保證拉默塞的過世，並不會影響到真理村的原來生活。西岸總督阿布利熱情地恭喜肯伊，並邀請他共進晚餐。他們坐在多蔭的棚架底下，侍者為他們送來尼羅河三角洲的紅酒、橄欖油沙拉和塞餡的鵪鶉肉。

「我們都很遺憾親愛的拉默塞離我們而去。」阿布利開口說道。

「村外公墓中有他的三個陵墓，他永遠不會被人遺忘的。」肯伊回答。

「但應該要想到未來……而未來正是您！這麼多年以來，您一直活在拉默塞的影子中，而無法充份地發揮您個人的才華。雖然他的離去讓您很難過，但我們不得不承認這正好讓您開展美好的前景。」

肯伊吃得津津有味。

「什麼樣的前景？」

「我從未懷疑過您會有很大的成就，更何況當局都支持您。不過關在村子裡的生活應該不是天天都很好過。」

「您倒是說對了！」

阿布利差一點無法掩飾自己的驚訝。他原先以為陵寢書記會否認和激烈地反駁。

「這種苦差事不是每個人都做得來，」肯伊接著說，「沒有其他任何一個書記會做得比我更多，而且幾乎沒有什麼好處。」

總督心裡高興極了。不被收買的拉默塞永遠也不會說出這種話的！肯伊肥胖的身子、手腳笨拙的樣子、狡猾的眼睛，毫無疑問地是個野心份子，搞不好會接受一些提議。

「這個工作……您不可能談它吧？」

「我必須守口如瓶，但我可以告訴您它一點利益都沒有！如果您認識一些有野心的年輕書記，建議他們千萬不要來真理村。」

「您為什麼接受這個職位？」

「這是一個不幸的前因後果。」肯伊解釋道，「我長期接受艱澀的教育，原本希望可以爬得更高，甚至獲得卡納克地區的一個管理職位。當我認識拉默塞時，我被他的智慧和博學深深地吸引住，而且他很大方地傳授給我，由於他和他的妻子膝下無子，他們認我做義子，條件是要我接任陵寢書記的工作。剛開始我覺得很高興，而且受寵若驚；後來卻感到失望。我搞不懂這個職位居然是全埃及最令人羨慕的職位之一。」

「如果我可以幫得上忙……」

「我必須要自己解決問題，而且不能跟任何人說，除了首相以外。」

「這個秘密壓力太大了……難道不能廢除這個村子嗎？」

「我們是一個很傳統的國家，要改變它並不容易。」

阿布利感覺陵寢書記有說下去的傾向，甚至吐露機密，不過千萬不能催他。有誰能夠比肯伊提供更多真理村的重要訊息呢？倘若阿布利成了他的朋友，將會出乎莫希的意料，進而減少對阿布利的施壓。

「您是這麼好的一個人，肯伊，我實在不願意看見您陷在這些煩惱之中。」

「村子裡就是這樣！一個接一個、永遠沒完沒了的問題。」

「問題……什麼樣的問題？」

「我不能講。」

「您一定很孤單！」

「我想再來一杯紅酒……您大概有一個很棒的酒窖。」

「我想送您幾瓶阿特利比斯的紅酒。」

「樂意之至，阿布利，它們會讓我的家常飯變得很美味。」

「面對這麼多的困難，您有什麼計劃？」

肯伊花了很長的時間在考慮。

「關於真理村的一切，我不可能說，不過，我有自己的打算。」

總督內心裡幾乎得意忘形。拉默塞一死，真理村就失去了它的靈魂。瑪亞特的書記真是選錯了他的繼承者，肯伊不過是一個嫉妒、牢騷滿腹的人，要收買他應該不是很困難。

「這些個人的打算也是秘密嗎？」

「可以算是。我甚至希望其中之一能獲得相當的榮譽！」

「您願不願意告訴我？」

肯伊挺直了身子。

「您向我保證守口如瓶？」

「那當然！」

「我打算寫作，」肯伊透露道，「就算沒有建立金字塔，偉大的作者也會名垂青史。他們的孩子是文章的內容，他們的妻子是書記的石板。再偉大的古蹟也會倒塌，但人們會記得書籍。一本好的著作會在讀者的心中建立一座金字塔，它比西山的墓地還要持久。偉大的作者所寫的內容都會實現，他們所說的話會留在記憶裡。他們隱藏自己神奇的力量，但一讀他們的著作便可從中吸收。」

肯伊站起身。

「我不能再久留了。千萬不要將這個秘密告訴任何人，」陵寢書記叮嚀著愣在原地的阿布利，「還有，不要忘記把我的紅酒送來。」

61

在底比斯最重要的軍營裡，莫希正在試一輛底盤加固的新戰車。阿布利到這裡向他報告與陵寢書記談話的結果。

「我沒有從他身上探出任何的消息，但不要絕望。」

莫希很生氣，心情非常地惡劣。

「他和拉默塞一樣嗎？」

「完全不一樣，您可以放心。」

「可是他抓住秘密就跟猴子抓住一棵棕樹幹一樣緊。」

「這不過是表面而已……肯伊不斷地抱怨他所受的壓力太沉重，以及村民老是給他添麻煩。」

「他有沒有什麼野心？」

「他只有告訴我一個……」

阿布利露出為難的表情。

「那一個？」

「寫作。」

莫希大發雷霆，在一匹黑馬的肋骨上用力捶了一拳。

「你尋我開心不成！」

「不，司令！肯伊大大地頌揚那些作者，說他們的作品會比石頭建築還要持久。」

「這個傢伙是個十足的瘋子。」

「不管怎麼樣，我們應該要利用他的不滿。」

「希望這個計劃不會像索貝克的情形一樣這麼快就夭折！」

「怎麼說？」

「很單純，我親愛的阿布利。我向首相提議將索貝克調升到底比斯河上安全局副局長的職位。這是我職業生涯中的第一個錯誤，全因為你這個愚蠢的念頭！只有法老和首相有權力決定真理村警衛隊隊長職位的更動，他們也不需要任何人的建議，更何況索貝克的表現很令人滿意。你害我犯下了這個錯誤，阿布利，不是利用肯伊的異想天開就可以化解這個錯誤。你給我想辦法去彌補它，而且要快。」

* * *

「換你了。」尼菲向帕尼泊說道。

帕尼泊才剛剛把一塊大石疊到牆上，現在馬上又拿起鉛垂測量牆面的直度，做最後一次的確認。接著奈克特大力士和卡洛毛燥在油膩的牛奶槽上滑動大石塊。費奈德鼻子利用一隻尖竹將接縫處刮平，卡沙繩子謹守伊姆霍特普在建立第一座金字塔所紀錄下來的方法，用表面覆有一層磨砂的薄銅片插入石塊間來加強黏固。

自從帕尼泊在他的朋友尼菲的帶領下，加入拉美西斯聖殿的建築工程，他每天的日子都過得非常刺激。因為他從不疲倦的這種能耐，使他的表現良好，此外，由於他對建築完全外行，所以他虛心地接受石匠的命令而不會反抗。

帕尼泊很欣賞尼菲對工地的統籌方法。和他的名字一樣，他的話很少，即便不滿意，也從不提高音量。他根據首長的藍圖作出明確的指示，然後留給工匠們很大的自由空間來執行。每天早晨和晚上，他聚集所有的同事，坦誠地徵詢他們對工作品質的意見。尼菲謙虛地接受批評，不過如果是沒有事實根據的批評，他會心平氣和地拒絕。他喜歡讓這個小團體先經過思考再採取行動。一旦做了決定，大家毫無保留地全力以赴。

納布師每天都會來視查工地，有時會陪伴肯伊一起來。要求嚴苛的納布師，不會一味地讚美工匠，而如果他發現有不完美的地方，會要求立刻改進。

帕尼泊大開了眼界：他觀察每一個人糾正錯誤所使用的方法，將它們深深地刻在腦海裡。學習是最美味的一道菜，而且他喜歡和這些粗線條的人在一起，他們會毫不遲疑地批評他或嘲笑他。帕尼泊將他的自尊心擺在一邊，而儘可能地吸收他們的技術。

當尼菲允許他使用鉛垂線這個工具時，他感到非常自豪，鉛垂線的頂端固定在一個木框上，末端有一個心形的石頭。他，一個學徒，能夠讓別人真正的信任他。帕尼泊充滿感情地凝視著牆壁，彷彿他靈魂的一部份也融入其中。

尼菲的手放在他朋友的肩膀上。

「你表現得很好。」

「這個工具在手上的感覺……真的很棒！」

「所有的行為都應該要像這個鉛錘，帕尼泊，因為不正確的行為不會有好的結果。旁門邪道的人不能安坐渡船划向正直的世界，而正直的人終會抵達。工具教我們正道，它們不會考慮我們的弱點，也不管我們的心情。因為有了它們，這座聖殿才得以誕生。」

進入聖殿的正門是一間門廳，由舖著方平石板的走廊連接到一間大廳，大廳的牆上有彩色的壁畫，畫有棚架和成串的葡萄，以及用綠色的象形文字寫成的文章。彩繪匠傑德的畫工精細且優美，最突出的傑作是一幅描繪拉美西斯將香料獻給哈托爾女神的儀式。大廳之後是一間拱廳，盡頭有三個階梯通往一個小禮堂，小禮堂的左邊有一間淨禮室，內有祭壇供放置貢品用。聖殿連接法老死後所住的小皇宮，裡面有一個房間、一間辦公廳、衛浴設備和一處陽台；小皇宮與哈托爾廟院之間有一扇「現身之窗」連接兩處，窗戶的上方有一排利比亞人、努比亞人以及亞洲人的人頭塑像，他們象徵混亂和黑暗，只有瑪亞特女神才能征服它們。

「我們完成了。」帕尼泊說道，「不過拉美西斯住在三角洲的首都裡，永遠也不會來這兒。」

「這座建築稱為克努，意即『內部』，而我們就是內部的人，我們的任務是保護讓我們得以生存的國王之『卡』氣。無論法老是否身在此處，他的『卡』氣仍不斷地向四周擴散，不過建築的石頭必須真正具有靈氣，因此落成儀式非常重要。」

「你的話好特殊，尼菲……聽起來好像拉美西斯的陵寢是你構想出來的。」

「不要誤會，我只是遵照拉默塞的指示，並且依納布師所負責的藍圖進行施工。」

「可是是你在指揮這一群比你還要有經驗的工匠！」

「真正的老闆是我們的首長，你自己也發現了這一點。」

「費奈德告訴我你為小皇宮的禮堂做了一件雕塑品。」

「是真的。」

「我可以看嗎？」

尼菲把帕尼泊帶到禮堂的門口，不久之後，國王的「卡」氣將在這兒發揮作用。他緩慢地揭開一塊篷布，出現一根石灰質的過梁。

正面是一幅象徵宇宙的大橢圓框，裡面有拉美西斯的名字和他的小畫像，由一頭哈托爾化身的母牛保護著，這頭巨大的母牛從紙莎草叢中走出來，頸子上掛著一條復生的項鍊，凝聚在項鍊上的精氣會保護法老。

「好美！」帕尼泊審視道。「是你選擇了這個主題嗎？」

「當然不是。我只是完全照著首長給我的草圖去做而已。」

「可是，國王的畫像這麼小。」

「我曾經向納布師提出這個問題。他回答我說，在這個禮堂內，神母每天會讓國王的『卡』氣如小孩出生般地再生，但仍然是一個成人。此處會出現不斷再生的奇蹟，只有諸神知道它的秘密。」

「我不能肯定……」

「你想要說什麼，帕尼泊？」

「從那道門穿越出來的光……大家都看到了，在這個村子裡，可是他們不是神！你看這座建築：沒有人向你解釋，你卻完成了它。」

「該來的一定會來，如果我們選對了路。」

「我不同意你的宿命論，尼菲！我要去探索和認識，去挖掘這個村子的神秘，去了解為什麼只有這麼少的工匠被認定夠資格在村子裡工作，去知道如何挖掘陵寢，而且親眼看見復生的這一刻。我相信這是一條必經的正確路途。」

62

所有的石匠聚集在拉美西斯大帝的聖殿前，慶祝它的完工。首長好不容易才獲得肯伊的同意，從他的地窖中拿出一甕法老在位第二十八年的特級紅酒，而這個年份的好酒在拉默塞的地窖中已所剩無幾。

帕尼泊身為學徒，必須負責清理工具，整理好放回木箱，再交給肯伊。而肯伊的習慣是花很長的時間仔細地檢查過，然後才一一記錄在陵寢日記裡。

「你可以成為一個很好的石匠。」費奈德鼻子告訴帕尼泊。

「我的前途，是作畫和彩繪。」

「你真是個固執的傢伙！」

「你呢，你為什麼有這個別名？」

「你難道不曉得沒有什麼東西比鼻子更重要嗎？當一名師傅評斷申請者是不是夠格，首先會看他的鼻子，因為鼻子是身體的秘密聖所。如果要加入行會工作，就要有鼻子的敏感，而且通氣。不是只有生命所需的呼吸氣體，而是創作的靈氣，也是所有金字塔、神廟和陵寢的來源，它能驅除平庸，如同風驅散霧。既然你已學過寫字，你應該知道我們寫『快樂』這個字眼是用描繪鼻子的象形文字來表達；若沒有了快樂，相信我，我們所蓋的建築不會持久。我們執行我們的任務來為瑪亞特服務，就是最為純粹的快樂泉源。」

「你跟他講這麼多也是白搭，」奈克特大力士說道，「你沒看到他對你的話根本一竅不通嗎？」

「大力士和愚蠢是不是向來都連在一起？」帕尼泊問道。

奈克特握緊拳頭，站了起來。

「我要讓你後悔說出這句話，臭小子。」

費奈德鼻子和卡洛毛燥出面調解。

「你們兩個都坐下！不要掃大家的興。來嚐嚐這好酒，接下來就要準備新年的大節慶。」

奈克特大力士食指指向著帕尼泊。

「你給我走著瞧！」

「隨時奉陪。你只會說不敢做。」

石匠露出譏諷的笑容。

「而你，話說得太快。」

帕尼泊一向討厭節慶，對這個年節更是痛恨。因為這麼一來他就不能加入畫匠的行列，也不能向首長要求他所應得的代價。因此，儘管他的妻子溫柔體貼，他仍然在晚餐的時候脾氣壞得不可理喻。娃貝特沒有什麼反應，仍舊繼續扮演她完美的女主人角色。

帕尼泊一想到整個村子馬上就要投入元旦歡樂的氣氛中，而忽略了他的不耐，半夜便爬了起來，從西邊的小門走出村子，沿著一條小路來到俯視國王谷地的山口。他知道索貝克的部下在這個位置可以看到他，便在他們尚未到達之前離開小徑，走到一堆亂石處以避開警衛的視線，他在一塊岩石上坐了下來。

根據專家的預言，今年尼羅河的氾濫情形會很好，俗稱哈比的尼羅河肥沃者，又會帶給埃及繁榮的一年。而帕尼泊完全不在乎河泥、農作物，和國家的富裕；他只想畫畫和彩繪，行會擁有他想要的秘密，也讓他加入了行會，卻如此固執地不為他打開秘密的大門。

尼菲已向前邁進了一大步。在幾年的時間裡，他已經是石匠們的老闆，儘管他不承認。帕尼泊既不羨慕，也不嫉妒，但頗覺得委屈，尤其感到挫折。每一次他以為已經接近了目標，總會出現一個不可推託的工作，讓他再度遠離目標。不可否認，他的確學到了很多，但都不是他真正希望學到的。

一雙纖細、溫柔和清香的手蓋住了他的眼睛。

「我一直在等你，帕尼泊。」

「碧玉！妳怎麼知道我在這裡？」

「哈托爾的女祭司自然有一點先知的能力……」

他強而有力地將她抱進懷裡。

「你忘了自己是個已婚之人？外遇是一個很嚴重的錯誤。」

在諸神所創的美妙事物中，碧玉是最吸引人中的一個。帕尼泊解下他的腰布和碧玉的長袍，將它們鋪在礫石上做成臨時的床。他先躺下，當碧玉輕盈的身子覆在他上面與天融合為一時，他早已忘了背底下尖銳的小礫石。

在滿天星空的除夕夜，他們彼此相愛直到拂曉。

當帕尼泊醒來時，他的情人已不見蹤影。他閉上眼睛片刻，回味著前一夜的美妙，然後才起身往村子的路上走。

和拉默塞夫妻去世的那天早晨一樣，他被一片死寂震懾住，尤其是在節日的這一天更令人感到怪異。毫無疑問的，一定又是某人逝世，所以節慶活動都被取消。守喪的時間長短是根據死者地位的高低來決定，而帕尼泊必須保持沉默，尊重這個團體的哀悼。

不，他不甘心放棄，就算得打破傳統，他也會去做！沒有人，甚至是一個首長，都無法對他合理的要求做出決定。在其他人只管悲傷時，帕尼泊決定要和其中一名畫匠學習技巧，不管他們是否心甘情願或是出於被迫。

只有村民可以進出的西邊小門關著。

帕尼泊好奇地走到村子的正門，四周沒有任何人，因為所有的助理有權利在這個節日放假。蹲在地上、口中嚼著紙莎草甜莖的警衛注視著他，並點個頭表示招呼。

帕尼泊穿過正門，並把門在背後關上。

看不見任何人影。

真理村的居民既不在陵園、也不在村子裡。到底會跑到那兒？會不會去神廟裡？

帕尼泊在大街上走著，聽見他背後響起一陣腳步聲。他一轉身便看到卡沙繩子、費奈德鼻子、卡洛毛燥，以及奈克特大力士站成一排，並且手上握有木棍當作武器。

「意外的驚喜，不是嗎？」奈克特有趣地問他，「來吧，混小子，我們等著你呢。」

歐塞哈特獅子和伊普伊檢查員也加入了石匠的行列。

六個人手上都有武器，其中幾個又很強壯……這次的架看來不好打。然而帕尼泊並不感到害怕，就算他吃了幾個拳頭，也會加倍還給他們。

「你沒有機會逃走的，」奈克特大力士提醒他，「看看你的前面。」

在大街上的另一頭，有雷努貝開心、傑德救生員、卡烏精確、烏奈士豺狼、狄弟亞大方、圖弟博士、甚至帕依好麵包，他們手上都拿著棍子，而且興致勃勃地想參與這場打鬥。

看來只剩首長和尼菲沒有參加。

畫匠那一群看起來比較沒有石匠那麼壯碩。帕尼泊打算先敲破帕依的頭，搶下他的棍子，再把他的同夥打昏。就算他因人多勢眾而贏不了，至少他會搏鬥直到精疲力竭方肯罷休。

原來，他們一心只想除掉他！他為他們這種卑鄙的手段感到噁心，不禁怒火中燒而增強了數倍的力量，他踩著懾人的步伐走向畫匠那一群。

隊伍開了一道讓智女通過，她穿著一身火紅色的長袍，使得她梳理整齊的白髮更為顯眼。

「夠了，帕尼泊！對你而言，一切都是衝突與分裂。你並沒有錯，因為我們的生命原本就是如此。然而真理村的生活正是要求我們超越這一切。它引領著我們走向完美和平靜，在此之前，我們需要克服吞噬著我們心靈的激烈、過度與憎恨。為了行會一年的幸福，我們選擇了你作為獻祭象徵，必須拔除化身在你體內的這種邪氣。」

右隊的工匠全都把手上的棍子往空中扔去，同時發出一陣歡呼聲，一致衝向帕尼泊，後者並未反抗。他們輕而易舉地將他抬到哈托爾神廟前。在這兒，他們將他牢牢地綁在一根柱子上。

從年紀最小到年紀最大的，每個人都對著他吐出一大堆的咒罵，命令他不得來騷擾村子的生活，否則會被拳打腳踢。

在這個一點也不被人羨慕的位子上，帕尼泊參與了晚會的準備工作，工匠們和他們某些人的妻子在準備的過程中喝多了一點紅酒。碧玉瞧都不瞧他一眼，娃貝特純潔則不斷地用同情的眼光望著他，卡萊兒和尼菲則展現友誼的關懷。而且還是尼菲數次拿清涼的水給他，這是適合激烈的唯一食物。

「你應該事先通知我被選為……我差一點就把隊上半數的人給痛宰一頓！這該不會是你的笨點子吧？」

尼菲的眼神令人無法猜測，他並未作答。

被強迫扮演代罪羔羊的帕尼泊，也只好硬著頭皮撐下去，看見這麼多美味的菜，更是讓他飢腸轆轆。假若有人認為強迫他接受這項新的考驗會削弱他，那是做白日夢。

當金星出現在天空時，智女宣布新年的誕生，雨水就是伊西斯的眼淚，汩汩流成了尼羅河的氾濫。此時首長解開了帕尼泊。

帕尼泊正在搓揉手腕時，納布師一拳重重地打在他背上，介於肩胛骨之間。

「你的覺悟之耳打開了，帕尼泊。真正的工作就要開始。」

63

自從索貝克的一名部下被謀殺，而兇手遍尋不著之後，他再也無法好好睡覺。智女開給他的藥水雖然能夠安定他的神經，縈繞在腦海的煩惱卻揮之不去。他的手下發現了這個悲慘的屍體，而兇手仍然消遙法外，自信能逃過正義的制裁。

每當索貝克與工匠們擦身而過，無法不去懷疑他們可能就是兇手，而這種持續不斷的懷疑令他有如活在地獄之中。更糟的是，他連最基本可以肯定他這個可怕假設的證據都沒有。此外，為什麼有人要犯下這宗謀殺案？

一個偶然的事件讓他想到一個令人難以置信的可能性，所以他必須先問過陵寢書記。

肯伊坐在第五堡壘裡的辦公桌前，正在用他越來越模糊的字跡寫日記。他不斷地咒罵這些過於吹毛求疵的行政單位，堅持要清楚地知道真理村的工匠所用的銅鑿數量。可想而知，他得檢查和提醒那些工作之後忘了歸還銅鑿給他的人。

「你來得很不巧，索貝克！」

只要是他，永遠是不巧；正好和拉默塞完全相反，索貝克心裡想著。

「我知道你要抱怨什麼：那些助理工要求在夏季改變工作時間。我可以了解他們的想法，不過我必須照顧到村民的福利。再說，這種問題也不歸你來管。」

「我知道，肯伊，不過我來找您是為了另一個更嚴重的問題。」

「你坐下。」

索貝克找了一張凳子坐下來。

「您不會不知道我繼續在調查我那名部下被謀殺的案件。」

「這是一件很複雜的案子。」肯伊研判道。「大家都以為是一件意外，接著又被假設是犯罪事件，但卻忘了所有的疑問。」

「我並沒有忘記。」

「你難不成有線索？」

「也許命中註定要我找到一個，不過我需要您的意見。」

「我又不是警察！」

「倘若我沒有錯的話，這件事攸關著行會的前途。」

「你有沒有誇張？」

「希望我的想法是誇張的。」

肯伊咕噥了一聲。索貝克隊長不是個習慣散播謠言的人，也不是愛發表謬論的人，因此他決定姑且花一點時間聽他說。

「那麼，你懷疑是誰？」

索貝克兩眼直視他正前方，彷彿和一個隱形人對話。

「阿布利，西岸總督，向我提議調動職位去當底比斯河上安全局的負責人。」

「這是一個很好的昇遷……」

「還有許多其他比我優秀的候選人更適合這個職務，而阿布利的幫忙是有代價的。」

肯伊被引起了強烈的好奇心。

「他企圖收買你？」

「依我的想法，是的。他若幫了我的忙，我就得告訴他我對真理村所知道的一切。」

陵寢書記啃著幾顆西瓜子，腦海裡卻不斷地回想他與同一個阿布利曾有過的談話。加上索貝克向他揭露的事情，使得他開始感到憂心。

「你當時的反應如何？」

「我裝作很感興趣的樣子，而且我想他已經上鉤了。他還不致於笨到拚命堅持，不過我認為他會很快地再回來。」

「你錯了。」

「您為什麼如此肯定？」

「因為我很清楚首相對你的看法：他對你非常的滿意，法老本人也是。如果阿布利推舉你調到另一個新的職位，他鐵定會碰個大釘子。我本來不該告訴你這種機密，但在這種特殊的情況下……」

「我是一名警察，我也熱愛我的工作。」索貝克莊嚴地強調。「負責真理村的安全不是一種負擔，而是一種榮譽，您不要以為我對阿布利的提議真的感興趣。」

肯伊感覺到索貝克火氣就要上來，便準備讓他安心。

「村子的安全從來沒有讓我如此放心過，索貝克隊長，而且我完全信任你。但是為什麼你將這個阿布利嘗試賄賂的事件和你部下被殺的案子聯想在一起呢？」

「因為這麼一個高官沒有理由對我感興趣，如果有，那就是因為我是真理村的警衛隊長。假如他想將我調職，難道不是因為想要我脫離這個事件，讓它完全被遺忘？」

索貝克的推論很有道理，引起了肯伊心中的不安。

「我無法想像阿布利在夜間偷偷摸摸潛入村子裡，然後殺掉一名警衛……」

「我也是，不過他會不會是幕後主使者？」

「為了什麼原因？」

「派遣一名手下，目的是勾勒出真理村所在地的藍圖。」

「你的意思是……為了盜取皇室的陵墓？」

「這是我們一直面臨的最大危險。很多人認為陵墓內擁有驚人的財富，並且想要占有它們。只要它們受到保護，就不會有什麼危險性。但假設村子裡的居民受到懷疑而名譽受損，真理村將會被撤除……」

「這是不可能的，索貝克！」

「但願如此，不過是不是應該要有最壞的打算？」

天性悲觀的肯伊，開始對索貝克的論點非常敏感。

「因此，你認為是有人密謀對付真理村，而西岸總督是一名共犯？」

「我想不出任何別的理由來解釋他企圖賄賂的原因。」

肯伊很難過拉默塞的去世。他是瑪亞特的書記，如果仍在世，一定會知道如何保護行會的。

*　*　*

雖然遲了一點，帕尼泊還是有權利享用一頓節日的大餐，同時加上娃貝特純潔又長又舒服的按摩，因為她擔心丈夫的肌肉會疼痛不已。

終於，首長的話給了他一條出路！他不是手無寸鐵地面對挑戰，而是帶著納布師的許可。他自己也沒想到他會變得如此小心翼翼，帕尼泊要他的朋友尼菲說出他的想法。尼菲毫不猶豫地確定納布師打在他背上的那一拳，含有允許他加入畫家行列的意義。

熬了這麼多年終於有了今天的結果……而這只是一個開端！阿當的熱情絲毫沒有減退，相反的，有了可以證明他本事的這個機會，他的情緒更為高昂。

帕尼泊懷著忐忑不安的心情走進畫坊，也是畫匠的老闆傑德救生員工作的地方。

傑德細緻的眼睛、仔細整理過的上鬍子、淺灰色的眼睛、蔑視的眼光和洞穿一切的眼神，對帕尼泊而言彷彿是一個可怕的對手。他正在準備顏料，而且花了很長且令人難以忍受的時間，才正視帕尼泊的存在。

「你在這裡幹什麼？我以為你屬於石匠那一隊。」

「那不過是一個暫時性的工作……現在已經結束了，我來這裡聽您的吩咐。」

「我不需要任何人，小子。我不是已經告訴過你了嗎？」

「首長在我背上拍了一下，我想他認為我已經可以開始了。」

「喔……這倒很令人驚訝。納布師自己本人嗎？」

「對。」

「那麼，你到底會做什麼？」

「我會用石膏來準備底層。」

「很好，很好……為何不繼續朝這個方向走？一個好的石膏匠在這個村子裡會很有前途的。」

「我想朝更遠的方向發展。」

「你有這個能力嗎？」

「我可以證明給您看。」

「沒有人會不服從首長的命令，」傑德承認道，「雖然，我本來應該將你交給其他的畫匠，讓他們來教你一些基本的技巧，然後就好像許多在你之前的人一樣，你會發現自己根本沒有任何這個行業的天份。不過，我不可能這樣做。」

帕尼泊開始發火。

「有什麼理由？」

「一個不可抗拒的理由。再過幾天，村子裡會有一個特殊的重大事情，而我們會被徵調去結束一些工程。因此我們沒有時間去教一個學徒。」

帕尼泊以為傑德是拿他開玩笑。

「什麼特殊重大的事情？」

「拉美西斯大帝要來為他的聖殿舉行落成儀式。」

64

假使老國王發生了一個致命的意外呢？自從他和其他底比斯的顯貴接獲法老即將來臨的通知，莫希腦海中一直縈繞著這個吸引人的想法。是法老，不是別人，他將索貝克留守在真理村的職務，從未如此謹慎過。一旦拉美西斯消失，村子就會失去它的主要保護者。

負責保護國王的安全部隊並不容易被矇騙，而莫希也找不到任何人會瘋到去刺殺拉美西斯大帝，法老已成了一個活的傳奇，不論是在他的國家或是在國外。

他心不在焉地聽著服從且微笑的妻子在一旁嘮嘮叨叨，突然腦海裡靈光一閃。

如果他運氣好的話，國王也許擋不了多久他的路。

拉美西斯的來訪引起了底比斯西岸全民興奮的情緒，他們迫不及待地想目睹這位在中東建立長期和平、帶給全埃及生活富裕的國王在他們面前經過。

雖然有精銳部隊監視著國家元首的安全，可是誰會想到自己人會去攻擊自己的人呢？拉美西斯在忠心耿耿、幾乎和他一樣老的秘書大臣阿梅尼陪伴之下，登上了馬車，由一名經驗豐富的軍官駕御兩匹強壯而且個性穩定的馬。法老在馬車的篷頂下充滿感情地注視著西峰和百萬年大神廟。

車隊離開了農作區，來到了阿孟霍特普三世的廣大神殿，它讓法老想起這位先人在盧克索的神殿，法老擴大了它的建築，加上了四周建有許多巨像、兩座方尖碑和一座塔門的庭院。經過神殿進入了一片沙漠，法老深深地吸了一口沙漠中的空氣，他常常需要從中汲取它的力量來完成他所肩負的重擔。

當法老來到第五堡壘時，索貝克的警衛穿著他們的大禮服排成兩列讓車隊從中間經過，法老的座車後面跟著一群大臣，其中有底比斯市長、西岸總督和總司庫莫希。

當索貝克要求他們停留在第五堡壘、不得繼續前進時，所有的大臣都感到一陣驚訝。

阿布利生氣地從馬車上下來。

「您頭腦有沒有問題？我們是官方的隨從！」

「法老的命令：所有的人不得繼續前行。」

「這簡直是不可思議！我們應該要參加典禮，而且……」

「聖殿的落成典禮在真理村的聖地舉行，各位沒有權利進入。」

抗議的聲音很快地靜了下來。莫希無動於衷的外表外，內心深深地覺得再一次受到這個可惡行會的侮辱；他又一次吃了個閉門羹，不過，這種屈辱不會維持很久的。

所有的村民列隊歡迎，肯伊和兩位工匠首長站在最前面，大家都穿上節慶才穿的高級亞麻質料禮服，頭上戴著假髮和村子的珠寶匠所製的首飾。

當拉美西斯在村子的大街上前進時，所有的男人、女人和小孩全對法老磕頭叩拜。帕尼泊自己也被這位偉大的老者所散發出來的力量所震懾。

一個穿著藍色流蘇長裙、緊張、但仍面帶笑容的美麗小女孩全跑向國王，獻給他一束白荷花。

「這是為了您的『卡』，陛下。」小女孩流利地說道，她跟著母親至少重覆練習了一千遍。

拉美西斯慈愛地親她一下，就像一個父親和一個祖父經歷了太多的生離死別，而從孩子的身上看到了村子的未來。

小女孩臉頰通紅，跑回母親的懷裡，後者的丈夫是左隊一名年輕的工匠。拉美西斯的舉動讓他們受寵若驚，所有的家庭也將因法老的慈愛不斷地擴大而受到保護。

納布師和他的同事卡哈伴隨著法老，來到才完工不久的聖殿。法老拄著一根木杖，走路有些吃力，但卻毫不遲疑該走的方向。他對真理村瞭若指掌，它是埃及的神靈，是創造光明的地方，賦予萬物生命，無論是有形或是無形。

智女以哈托爾的女祭司長身份，在聖殿門口迎接國王。

「這所聖殿的所有門都開著，」她說道，「香火裊裊通往天空，一千個麵包、一千甕麥酒和所有神明所喜愛的物品都已供奉給神明，願神明保護法老、願法老為這所聖殿賦予生命。」

拉美西斯大帝面對著行會的成員。他絲毫沒有老態龍鍾的情形，聲音具有不可侵犯的權威性，讓帕尼泊愣在原地不動。

「朕明白各位雙手的本領和才能，它們能雕琢最硬的石頭也能精刻最細的黃金。你們的工作非常的艱辛和困難，但是你們知道如何與這些物質溝通，而將它們所隱藏的美顯現出來。你們所執行的工作對國家的幸福非常重要，同時你們也從中獲得強烈的喜悅，而這個喜悅並非來自人間。你們要繼續遵守瑪亞特的規則，意念須堅定並維持效率，要遵照師傅的計劃行動，你們也會獲得法老的支持。朕是你們行業的保護者，你們不會缺乏任何物資來執行它們。你們將擁有如同氾濫的河水一樣充裕的糧食，助理工人同時也會全力為你們服務。倘若你們在創作時心中對作品充滿了愛，沒有任何的邪惡能侵犯你們的手，朕也用同樣的心與你們同在，因為你們是朕的聖殿之子與伙伴。」

肯伊已收到皇室禮物的送貨單，當拉美西斯說到如氾濫的河水一樣充裕時，他很清楚法老一點也不誇張，再過幾天村子就會收到：三十一萬個裝在鍋裡的大麵包、三十二萬條魚乾、六十大塊肉干和醃肉、三十三頭牲畜、兩百條脊肉、四十三萬把青菜、兩百五十袋青豆、一百三十二袋各式穀類種籽，以及上好的麥酒和紅酒，豪華豐盛的菜飯將和拉美西斯的「卡」一樣的氣派！

兩位工匠首長手持金色木頭的橫口斧，唸著宗教經文進行聖殿的嘴、眼睛以及耳朵開啟儀式，法老為聖殿命名為克努，即「內部」之意。所有的工匠和哈托爾的女祭司一起聚集在拱廳，法老在此處見到了納布師依法老的肖像雕成的卡石像。

「法老帶著他的『卡』、他的創造力出生，」拉美西斯說道，「它不斷地再造世界，並且將我們與諸神和祖先連結在一起。一個人唯有和他沉浸於瑪亞特之中的『卡』結合為一才能成為真實的人，而在這裡，也就是在真理村，國王的『卡』更增加了它的活力。」

帕尼泊受到強烈的震憾。拉美西斯用短短的幾句話，就道出了在他體內燃燒之火的本質。因法老的話，「卡」的塑像有了靈魂，它被放置在禮堂內，從此有了獨立的生命。石匠們會在它的四周築一道牆，並且留下一道窄縫，讓塑像的眼神凝視著人間，來散播它的能量。

「當一座建築以這種方式誕生於世，」拉美西斯下結論道，「它便擁有永恆的力量。」

帕尼泊但願能向這位行會的真正主人提出至少一千個以上的問題，法老的每一個字、每一句話都深深地刻在他的心靈深處。他堅信他未來的畫作，如果沒有以這種神秘的能量賦予其生命，將會毫無意義，而行會知道這個能量的秘密。

在納布師的指示下，工匠們完成聖殿的最後一塊石頭，傑德為尼菲所雕琢的門框上了絢麗的顏色。

「這是那一位的作品？」國王問道。

「是尼菲，陛下。」首長回答。

尼菲向法老鞠躬。

「我只是執行者，陛下。是拉默塞書記告訴我主題與構圖，然後畫匠傑德他……」

「朕知道。」

這一次，帕尼泊心中想著，尼菲居然也有話太多的時候。

「你是否明白哈姆這個詞彙的意思，尼菲？」

「『服務』和……『宏偉』」

「我們都是要在真理村完成使命的使徒，我們要為這個使命奉獻出自己。不過服務也包含了指導；沒有了正確的方向，就沒有真正的服務。現在，讓朕獨自一人在聖殿裡祈禱。」

帕依好麵包拉著帕尼泊的衣袖，硬是強迫他和其他人一起出去；帕尼泊完全被拉美西斯懾服，希望聽見他和「卡」的對話。

65

拉美西斯大帝準備出發到國王谷地視查他的陵寢，傑德和他的助手趕著在法老到達之前完成工作。

帕尼泊負責給法老王座車的馬兒喝水，牠們在棚子底下休息。當帕尼泊走近駕駛的軍官和座車時，他不經意地望了一眼車輪。曾經當過細木工的他讚嘆座車的精細和堅固。兩匹馬兒安詳地喝著水，帕尼泊正準備離開，一個異常的現象卻引起了他的好奇。車輪的輻條漆成金黃色，但其中一個顏色較淡的車輪吸引住帕尼泊的眼光。

「座車最近修理過嗎？」他向車夫問道。

「我不清楚，那不是我的工作。」

「這部馬車來自何處？」

「底比斯的總軍營，那裡的技術師已經檢查過了。」

「最好再檢查一下。」

「你為何不管管你自己的事，小伙子？」

帕尼泊原本可以輕易地敲破這名軍官的頭，然後自己檢查車輪。但他還是認為按規矩來較為妥當，於是通知了首長。首長立刻叫來了木匠狄弟亞。

木匠的判斷非常肯定：座車的其中一個車輪被匆忙地換過和上漆。修理的工作做得很馬虎，此外，裝回輪車的方式也很有問題，這樣的話，車輪慢慢磨擦到最後便會發生意外。即便車速不快，座車還是會傾倒，而年紀已大的國王便可能因此而喪命。

另一部馬車經過狄弟亞仔細的檢查之後，便派做拉美西斯的座車。法老於是啟程，伴隨著兩位工匠首長、傑德，以及其他幾名工匠，而尼菲也在其中。

帕尼泊意識到他的朋友在行會階級又登高一層，而且馬上將有機會進入國王的陵寢。不過帕尼泊並未意識到因為他的謹慎，不但剛剛救了埃及的法老，同時也救了真理村。

* * *

莫希關在他奢華的別墅中，憤怒地將舊紙莎草紙撕碎。這一次，他不再懷疑：拉美西斯的確有超乎自然的運氣在保護他。莫希花了一大筆錢令一名專家小心仔細地完成破壞的工作，這名專家自然不知道其用途為何。接著輪子被送到軍營，由一名沒有發現任何異狀的士兵按裝回去，正如莫希所願。

如果真理村的那名工匠沒有如此多管閒事的話，意外早已發生。總之，軍營的營長遲早會受到責怪，而且他的技術部門也會受到懲處；莫希必須立刻採取行動剪斷線索，否則可能會事跡敗露。

終於，天色已黑。

「你這個時間要出去？」他的妻子驚訝地問道。

「我去辦公室拿一份資料。」

「不能等到明天早上嗎？」

「妳只管去處理晚餐，賽克塔。順便叫廚子改善他昨天的手藝。」

如果拉美西斯死於一場意外，全埃及會只顧喪禮事宜，而不會去想馬車車輪一事。但是既然不尋常的情況已被發現，免不了會有一場調查。

莫希跳上他的座騎直奔到一處檉柳樹叢才停下來，將馬繫在那兒。然後他急步走到細木匠的工坊前。這名細木匠已失去了妻子，而最近活該又失去了他的狗。

他獨自一人正在吃著熱蠶豆。

莫希靜悄悄地自後方靠近。他的動作又快又準地將一只厚布袋套在被害人頭上，直到細木匠不再有呼吸才鬆手。

莫希確認他心臟已停止跳動，才不再擔心會有人多嘴。

莫希身為底比斯的總司庫，要接見達克泰討論他工作單位的研究預算，是天經地義的一件事。他們從今以後不須再偷偷摸摸地見面。

矮胖的達克泰情緒很激動，不斷捻著他的鬍子。

「我的情況已變得令人難以忍受，」他抱怨道；「我好不容易花了兩年的時間，努力地完成水力發動機，希望取代桔槔和那些古老的機器，而我終於成功了！」

「你應該感到很滿意才對。」莫希意外地說道。

「我是很滿意，但所長命令我放棄這個完美的發明！」

「為什麼？」

「這個機器將會因效率過高，而導致過度灌溉，他認為是一大禍害。對他而言，只有自然的步調和遵守傳統才是重要。在這種情況下，科學根本不可能進步！事實上只有一條路：讓人類征服大自然。只要國家沒有了解這一點，將永遠處在落後階段。」

「不要失去信心，達克泰，你先讓我鞏固我的職位。我向你保證有一天你可以自由地做你想做的事，我說到做到。」

「當然是越快越好……尤其是我成功地發現兩條有用的線索。」

「和真理村有關嗎？」

「實驗所所長對某些文件特別地小心謹慎。我用了一點手段獲得了一些可靠的消息。有一組人員極為保密地被組成研究隊，任務是取得兩樣產品：方鉛礦和瀝青。」

「用途是什麼？」

「表面上是簡單的日常用途或宗教儀式所需。假使是真的，為何需要如此謹慎小心？又為何真理村的工匠好幾次親自到礦區？」

「你可以知道得更多嗎？」

「如果不冒很大危險是不可能的。我只是所長的助理，而且他又越來越不欣賞我。然而，我真的相信我們已經接近目標了。方鉛礦和瀝青會被秘密地送到工匠手中。如果我們知道在何處可以取得這些產品，我就有辦法確定它們的性質和可能的用途。」

莫希所想的是製造新的武器，而達克泰也許剛發現了一個重要的方向。只須將這個阿蒙神的老祭司所長排除，再強制他人接受達克泰繼任首長，然後讓他加入研究隊，便可達到目的。

莫希非常地失望。

中央實驗所的所長是卡納克的祭司，屬於一個很古老的宗教階層，由阿蒙神的大祭司管理，大祭司的派任必須經過法老的同意，而且掌管一大筆財富。不管是底比斯市長，或是其他非宗教的高官，都不能介入要求職位的任調。

莫希並不放棄，而且盡可能地收集有關這個礙事的祭司的資料。他高齡七十、已婚、有兩個女兒、生活不虞匱乏，也沒有任何不道德的行為。他在神廟所屬的學校接受教育成為經驗廣博的學者，而且為人謹慎，所以他的意見很受到重視。

毀謗是莫希最喜歡的技倆之一，但可能派不上用場。誰會相信這個有道德潔癖且職業高貴的祭司會養情婦，或是接受賄賂？他太過於清廉，以致讓人無法對他做有效的人身攻擊。

莫希並不介意再來一個謀殺案，但是這個祭司的生活太過規律，只有在三個地方進出：家裡、神廟和實驗所。要除掉他並非那麼容易，再說一個不尋常的死亡會引來一場深入的調查。

看來只剩下批評他管理不當這個手段，想辦法證明他的實驗室呈現赤字，對神廟和底比斯市都是一個沉重的支出；但是這種說辭可能會導致預算縮水，屆時反而不利於未來的所長。

正當莫希束手無策的時候，幸運之神不斷地向他招手。首先，老祭司自然死亡；接著，卡納克的領導階層忙著解決內部問題，因此沒有推薦繼位者；最後，莫希的盟友達克泰成功地在文件上做手腳，變成是死者極力推薦的助理成為將來實驗所的所長。

達克泰被認為有能力，並且可以完全融入底比斯的社會，因此獲得了他覬覦已久的職位。經過莫希的指點，他沒有表現出得意忘形的樣子，非但如此，在首相召見的時候，他一再強調工作的困難，並且會繼承他前任者的遺志。

接二連三的成功，莫希又來個錦上添花：他藉口底比斯的行政單位太過擁擠，同時為了節省行政開銷，實驗所將搬到離百萬年大神廟不遠的一個新地址。

如此一來，達克泰工作的地點將離真理村不遠，而且理論上歸莫希的忠實同謀阿布利管轄。與敵人和寶藏如此接近的念頭，促使達克泰更加勤奮地去做研究和發明。

莫希始終深信若要發展一個強權，必須要有科學和技術作後盾。在他永不回頭的征服過程中，莫希剛跨越了一個非常重要的階段。

66

帕尼泊如困獸般，不斷地在房子裡走來走去。

「你應該要坐下來吃個飯，」娃貝特純潔向他建議道。「麵餅都要涼了。」

「我不餓。」

「為什麼你要這樣折磨自己？」

「拉美西斯大帝已經走了，工匠首長也是，彩繪匠和畫匠全都找不到人！至於尼菲，他失蹤了！」

「他才沒有失蹤。」

帕尼泊聳聳肩。

「那麼，也許妳知道他藏在那裡囉！」

「你的朋友沒有藏起來，他才剛被接受加入金坊。」

帕尼泊驚奇地睜大了眼睛。

「金坊……是什麼東西？」

「是村子最神秘的一部份。」

「人們在那裡做什麼？」

「我一點概念都沒有。」

「妳怎麼知道那裡的門已為尼菲而開？」

「你忘了我是哈托爾的女祭司……祂是一個慈善的女神，會透露給祂的信徒一些機密。」

帕尼泊將娃貝特一把從地上舉起來，彷彿她比一根羽毛重不了多少，他把她的臉貼在他面前。

「把妳所知道的都告訴我。」

「我是一個好妻子，所以我不會對我的丈夫有所隱瞞。」

娃貝特上身裸露，只穿一件粗亞麻的長裙，她將裙子解開，讓它沿著大腿滑下去。她緊緊地貼在他的身上，讓他感受到她纖細優美的身子所傳過來的溫暖。

帕尼泊一直都很克制自己，但他從來沒有注意到這個年輕的女人是如此美麗。

當娃貝特感覺到她的丈夫興起了欲望，便將兩腿纏繞在帕尼泊的腰際，同時享受成為他真正妻子的極度快感。

一陣急促的敲門聲喚醒了娃貝特。仍窩在兩人親密世界的她在身上加了一件薄披肩，然後起身去開門。

門口站了三個人：卡烏精確，烏奈士豺狼和帕依好麵包。他們臉上的表情嚴肅，想必不是什麼好事。

「我們是來找帕尼泊的。」卡烏生硬地說道。

「你們找他做什麼？」

「首長的命令，叫他動作快一點。」

帕尼泊馬上跳下床。他早已將情愛拋諸腦後，兩眼盯著這三個人。

「跟我們走，」卡烏要求道，他是一個大塊頭，稍嫌肥胖，臉部看起來很嚴厲，而且長得不是很好看，加上過長的鼻子則更加不幸。

「要去哪？」

「你自然會知道。」

「如果我拒絕呢？」

「那就離開真理村。大門隨時為想走的人而開，出去是和進來一樣的簡單。」

帕尼泊希望從帕依好麵包那兒獲得一個鼓勵的眼神，但他卻變得和另外兩個同伴一樣嚴肅。

「我們走吧，不過我先警告你們：如果有必要的話，我會自我防衛。」

卡烏精確走在前頭，烏奈士豺狼和帕依好麵包兩人一左一右將帕尼泊卡在中間。他昂首闊步，雖然不快，但步伐穩定。三人來到右隊開會的場所。

狄弟亞站在門口。

「報上你的名字。」

「帕尼泊阿當。」

「你是否希望知道造船廠的的奧秘？」

造船廠……尼菲曾經去過！所以，這是帕尼泊已經知道的行會另一個地方的名字。

「我希望。」

「我們在陵寢壁上所畫的造船廠，」狄弟亞說明道，「實際上，是木匠、畫匠以及他們作品的誕生之處。對我們而言，那是一個整體的工作。團體的船在造船廠是分散的零件，是真理村的工匠將這些分散的零件組合起來，讓它們成為一體。你要小心，帕尼泊；如果你是一個沒有一致性的單獨個體，那麼這個地方會讓你失望。你還繼續堅持嗎？」

「我繼續。」

狄弟亞和三名畫匠將帕尼泊帶到淨身室，卡烏用一條量繩為帕尼泊量身。

「上帝根據每個事物的比例來創造萬物，」他說明著，「你要融入這種諧調的關係。」

帕依好麵包讓帕尼泊面對一塊方形的石頭跪下，要他將雙手放在上面，烏奈士豺狼拿著安可，亦即「生命」形狀的瓶子，將裡面的水倒在帕尼泊的手上為他淨洗。

帕尼泊站起來，帕依好麵包在他的手上塗上一層香膏，然後在每個掌心上畫一個眼睛。

「因為香膏，你的手將會發揮真正的功能；因為眼睛，它們能夠看得見。」

室內的一角有一個方形的大池子，裡面裝滿了水。烏奈士豺狼脫掉帕尼泊身上的衣物，然後命令他進入大水池裡。

「只有最原始的水才能為你解開束縛，」他說道。「讓水將你淨化，如同它不斷地淨化所有的創作力，讓它帶給你原始的能量，若沒有這個能量，我們的心和我們的手將沒有生命。」

帕尼泊全身起了一陣特殊的感覺。它只不過是清涼的水，可是它卻像一層保護膜包在他身上，讓他感到一種愉快卻又令人耽憂的輕盈。

他跨出這個子宮水池後，在三名工匠的驅使下跨出了這個會議場所的門檻。

雕匠隊長歐塞哈特，以及彩繪匠傑德分站大門兩邊。歐塞哈特臉上罩著象徵何露斯鷹面具，手上握有一根瑪亞特的羽毛；傑德則戴著象徵托特的朱鷺面具，手持生命的象徵。

帕尼泊跪在一個圓形淺口水盆上，其形狀如象形文字所代表的「掌握」之意，也是它被取名的來源。

工匠首長自黑暗中走出來，在帕尼泊的脖子上掛一條心形墜子的項鍊。

羽毛從頂端至末端與生命象徵的棒子從橢圓形到十字的部位，出現了肉眼可見的曲折線條磁波。

當磁波接觸到帕尼泊的身體時，他感覺到一種美妙的衝擊刺激，而沒有絲毫的疼痛，這是一種溫和的火、一道能夠穿透寒夜之後的陽光。

這道光照亮了會議室。帕尼泊發現所有的工匠全都在場，包括尼菲在內。

工匠首長坐在他的位子上。

「我們的行會是一條船，它的任務是穿過銀河，與眾星為友。你被召喚加入這條船，而你已在它的聖殿見到它的光芒；願它賜予你航行的能力。願你在夜行船上掌握船首的前繩，願你在日間航行的船上掌握船尾的尾繩，願光明為你照亮天空，讓你在人間擁有創造力，而在另一個世界的王國表現正義。」

在帕尼泊專注的眼神下，尼菲寡言、卡沙繩子、狄弟亞大方等人緩慢地將木製模型小船的每一部份組合在一起，小船上有一個小禮堂形狀的船艙。

「將這個秘密儀式刻在你的靈魂裡，帕尼泊；當你路走得越遠，也許更能了解它的意義。」

卡烏在帕尼泊的右肩上方畫一個象徵心靈意識的瓶子，烏奈士豺狼畫節杖象徵「力量」，帕依好麵包則畫一個麵包貢品代表「給予」。

「身為師傅和工匠首長，」納布師說道，「我知道神言的秘密。真理村的工匠在這裡能夠知道如何掌握神奇的程式，讓他們的藝術表現傑出，知道如何運用正確的比例，讓雕塑和繪畫展現出男人的風度、女人的優雅、小鳥的飛翔、獅子的奔放，以及所有無論是害怕或是快樂的情感。為了讓你能夠到達這種境界，你必須孜孜不倦地工作，學習製造出不畏火燒、不溶於水和不因空氣而變質的顏料。它們是職業上的秘密，不能對任何俗世的人透露。你承諾無論發生什麼事都會保守這些秘密嗎？」

「以法老和行會的名義，我發誓承諾。」

「右隊的傑德和畫匠們願意教你。從今天起，你加入他們的行列，並執行他們交代給你的工作。」

67

經過了帕尼泊在造船廠的入會儀式，以及之後的筵席，卡烏非常希望能夠好好地休息一下。他常感到疲累，尤其是在節慶過後，他發生過兩次血管堵塞而導致肝充血，每次都是智女把他救回來。

然而，帕尼泊第二天一大早便來敲畫坊的門，後面還跟著一分鐘再也不願和他分開的妻子，被吵醒的帕依好麵包只好去找卡烏。

「我已經準備好了，」帕尼泊說道，「我們從那裡開始？」

「我們在繪畫上的秘密只傳給自己人。如果你的行為不檢點，或是能力不足，就會永遠被趕出去。在你還未加入我們的陣營之前，已經有好幾個年輕的小伙子失敗過，因為我們的工作非常艱辛。它必須要認識象形文字，亦即諸神的語言，還有筆劃的藝術，再加上托特的理論。假使你打算一意孤行，那就立刻離開這個畫坊。」

「讓我看我將要使用的工具。」

彷彿帕尼泊的要求讓他感到不舒服，卡烏拖著步伐走到一方形的籃子前，並將它打開，從裡面取出一個調色盤、石臼、研杵、毛筆、刷子和一把刀。

「這個調色盤現在歸你所有，並且不可以借給任何人。調色盤裡的圓形或方形凹槽是用來放你所要用到的顏料。」

「顏料要怎麼準備？」

「這個以後再說。現在你只管拿我們準備好的色塊，用小杯水來稀釋顏色，然後放在臼槽裡用研杵搗碎。我們先試試看。」

卡烏猜想帕尼泊一定會先浪費不少色塊，才會有令人滿意的成果。卻看他不慌不忙地先研究小杯水的容量，再摸摸紅色色塊，看看是否容易粉碎，然後才加上適量的水，拿起研杵，用恰到好處的力氣研磨。

卡烏隱藏住自己驚訝的情緒，繼續用冰冷的語氣教他。

「你要用陶皿或是貝殼來準備色料或做為混合用，然後均勻地塗上顏色，不能有任何過濃的地方。毛筆和刷子不容易操控，很多人都因此而受到挫折。」

毛筆和刷子的種類多得讓他眼花撩亂。有一些毛筆是用很細的蘆管做成，其中一端經過修剪和劈開，有的則用比較粗的蘆管來做；有一根是用棕樹纖維折疊，然後紮住製成的大刷子；另有一把是由其中一段壓碎而將纖維分離作成長毛的刷子，有的長而窄、有的較寬……有了這麼多大小尺寸、尖細不同的毛筆和刷子，應該可以畫出整個宇宙和它的秘密！

這一次不再是一場夢。有這麼多的工具擺在帕尼泊的眼前，他希望懷著溫柔和尊敬將每一個工具用過一遍。一種強烈的幸福感讓他的眼淚幾乎要流下來。

卡烏沙啞的聲音將他自沉醉中喚醒。

「收拾你的工具，跟著帕依走。他會帶你到你的第一個繪畫的工地。」

帕尼泊的激動情緒尚未平復，便跟在還沒完全清醒的帕依後面。

「我喝多了法老送的麥酒。」帕依坦承道。

「我們要去那裡？」

「由於你的初期嘗試一定很糟糕，而卡烏又痛恨看到一面準備得好好的牆壁被糟蹋，因此他選了一個除了你之外，別人都不會遭殃的地方：你自己的房子。」

當帕尼泊將他的毛筆和刷子放在小矮桌上時，心中不免感到幾分得意，娃貝特純潔則用擔心的眼光望著這一切。

＊　＊　＊

「需要畫什麼來裝飾房子嗎？我倒蠻喜歡這種樸素的，而且……」

「我在學習我的職業。」帕尼泊打斷她的話。

「你希望用什麼顏色？」帕依好麵包問他。

「紅色、黃色和綠色。我要將這幾個顏色用橫的長條一層一層塗上去。」

「你確定你的牆面準備工作都沒有問題？」

「完全不用懷疑，是我自己弄的！我先用泥土混合碎麥桿來增加它的堅固性，再把所有的洞填補起來。然後，我又在表面塗了一層加了石灰的石膏。」

帕依看起來有點懷疑。

「因為是你自己的房子，所以你犯下的錯誤無關緊要……可是如果是在神廟或是陵寢內就不能原諒了。」

「是什麼樣的錯誤？」

「你的牆面是死的。」

「死的……你要說什麼？」

「你的牆面太平滑，因此它缺乏生命。所有的牆面都需要有一點點的起伏不平，才能夠表現並吸收宇宙中持續不斷的振動。絕對的對稱和過度的僵硬是其他形式的死亡，這需要用你的手去克服。」

帕尼泊換了另一種角度來凝視他的牆。他早已知道自己有上千個東西要學習，然而卻是在他加入了造船廠之後，才真正開啟了另一個世界的大門，在這個世界裡，每一件事物都有一個意義。

仍是新手的帕尼泊準備好顏色，然後，很自然地，便在牆基上畫起寬寬的長條形。

帕尼泊的精準度讓帕依好麵包大吃了一驚，不過並沒有讓帕尼泊知道。他不但選對了毛筆，而且線條畫得非常地直。連娃貝特純潔都看得入迷，她看著丈夫用毛筆末端的纖維沾上適量的水，將牆面變得生氣蓬勃。他接著用刷子畫上最後一道綠色，然後在整個要裝飾的牆面三分之一處停了下來。

「再來就顯得有點擁擠了。」他研判道。「你覺得如何，帕依？」

「畫長條有一種技巧。」

「你為什麼不早告訴我？」

「我想先確定你是否有領悟的能力。」

「結果呢？」

「要再試別的……」

帕尼泊已知道自己的路總是充滿了陷阱和欺騙。但他不在乎，而且會繼續勇往直前。他已有了工具，不再是手無寸鐵；有它們為伍，他什麼人都不怕。

「你想試畫一些幾何圖形嗎？」帕依建議道。

「示範給我看！」

帕依拿起一隻非常細的筆，爬上一個堅固的三腳凳，在牆面的頂端勾勒出一束蘆葦。

「這個圖案對牆壁有神奇的保護作用。」他說明道，「不過還需要裝飾框緣，可是這不太容易畫。」

帕尼泊馬上照著他的圖案畫出另一個，而且動作熟練。他在曲線的部份還有幾處不完美的地方，帕依一言不發地將它們糾正過來。帕尼泊仔細地觀察，以免下次犯同樣的錯誤。

「什麼樣的圖案最適合住家？」他問他的老師。

「花與幾何圖形，因為它們會令人想起安詳的快樂和規律的日常生活。」

帕尼泊腦海裡湧現出無數的靈感。他已在沙地和石灰碎片上畫過這些東西，不過它們不是非常的生動。

「你願不願意幫我一個忙，帕依？」

「要看情況……」

帕依態度看起來有所保留。

「你可不可以讓我妻子在你那兒過一夜，直到明天早上？我想要試試去裝飾這個房子，所以我需要一個人獨處。」

「但是……這可需要一個禮拜的時間呢！」

「我會畫一個整體的草圖，再詢問你的意見。」

「隨便你……那麼，明天見了。」

娃貝特純潔不喜歡被迫離開她的家，儘管只有短短的時間，不過她倒是受到帕依好麵包妻子熱情的招待。只是，當天一亮的時候，她便一心想趕快回到她的家。

娃貝特和帕依一踏進房子，便立即呆住了。

帕尼泊在所有的牆頂上畫了蘆葦裝飾框緣，它的精確和規律教人難以置信。而且還不只如此。每一個房間都被畫上美麗的裝飾圖案，有玫瑰花、單線條的蓮花、葡萄串、葡萄藤的葉子、黃色的䓝梨花、深紅色的虞美人、菱形和異色方格。

娃貝特純潔閉上雙眼，深怕這是一種幻覺。當她再度睜開眼睛時，美麗的景象並沒有消失。

「我有了一棟全村最美的房子……但，帕尼泊那裡去了？」

她一路衝到房間，立刻撲進丈夫的懷裡，後者不眠不休地工作了一夜，才剛剛到床上躺下。

「太美了，親愛的，太美了！多虧你，讓我們生活在一個真正的皇宮裡。」

十分驚奇的帕依好麵包也找不到任何批評的字眼。帕尼泊還未開始學畫匠和彩繪匠的秘密技巧，就已經創造出了一種傑作。他天生就有比例和顏色的概念。

如果命運或者驕傲沒有將他的才華毀滅，帕尼泊將會是真理村最出色的使徒之一。

68

自從升任為西底比斯中央實驗所所長以來，達克泰每天早上都將鬍子梳直，並且抹上香水，他照原先的計劃，告訴所有的技術人員，他會遵照前任所長的遺志，進行他所設限範圍內的傳統研究計劃。他以一個外國人的身份，從此被認為是一名顯貴。他決定放自己一個假，好好享受政府配給的別墅、僕人的侍候和終於獲得的尊重。

這些物質上的舒適開始讓他沖昏了頭，但理智終於戰勝一切，達克泰於是又重新對方鉛礦和瀝青燃起興趣，這兩種產品在他查得到的檔案之中，沒有任何明確的指示。

不過，他還是找到了一條可貴的線索：每兩年就會有一個研究隊出發去取得這兩種物品，然後送到真理村。達克泰因為是新的所長，所以屆時會負責籌辦這件事，離下一次研究隊出發的時間還必須耐心等六個月……儘管他缺乏耐性，卻不能突然破壞這個習慣。不久之後，他將會獲知行會的秘密之一。

由於離村子很近，他可以雇用一名特別的洗衣工，也就是那個使用他所提供的洗衣粉的工匠助理。這天晚上，他的線民臉上帶著滿意的笑容來看他。

「我想我有一個消息……工匠團體的收信總是由同一個人派送，那人名叫烏普第，工匠們要給外界的信也是交給烏普第。他是一個很盡責的人，不過有時候是個大嘴巴，喜歡和人說東說西的。他沒事喜歡觀察，因而發現最近這段時間，有一個工匠信寫得很勤。」

「他這些信是寫給誰？」

「烏普第必須保守有關信件的秘密。我所知道的是最近這兩個月，這名工匠只要一輪到他的放假日，就跑到西岸。這種行徑有點不尋常。也許他只是幫一個客人製作高級的家具，不過，通常不是這個樣子……一般只有訂貨和交貨而已。」

「理所當然的，你一定知道這個工匠的名字。」

「我運氣好罷了。」

「多少？」

「洗衣粉可能不足以……這次必須要付我銅條。」

「你越來越值錢了，朋友。」

「這麼一個消息當然有它的價錢。」

「其他的助理工也都知道吧。」

「不對，我是唯一知道的一個。烏普第很後悔對我鬆了口，告訴了我這個名字，他以後也不會再犯。如果您想知道，就必須付給我代價。」

達克泰板著臉。

「兩個銅條？」

「四個。」

「三個？」

「四個……這也許是我唯一的機會，我不會妥協的。」

「明天早上先給你三個，一個禮拜後如果這個情報有價值，才付你第四個。」

「假如是這樣，就要三個和兩個。」

「一言為定。」

洗衣工將名字告訴了達克泰，並且形容了這名工匠的長相，是右隊的人。

底比斯市長獲得首相的確認，將續任他的職位，因此莫希和賽克塔為市長舉辦了一場宴席。達克泰為了將這個剛獲得的情報告訴莫希，一直等到宴會結束。莫希馬上感覺到這是一條非常有利用價值的線索；雖然無法直接獲得有關工匠秘密行動的消息，但也許這是更好的辦法：隱藏在真理村的一個間諜！

「對這名洗衣工，我該怎麼處理？」

「跟他說明天晚上會給他銅條，要他去底比斯北邊的棕樹林、靠近一口廢棄的水井，太陽下山後一個小時。」

「我們要怎麼將銅條交給他？」

「你用不著擔心，一切交給我來處理。萬一有警察來問你有關這個洗衣工的事，你只須向他解釋這名洗衣工曾經自己來找過你，希望你會雇用他，你覺得他還不錯。這也是你們唯一一次的談話，關於他，你只知道這麼多。」

「至於這名工匠……」

「也讓我來負責。你出現得越少越好。你只管去想怎麼安排研究隊取得方鉛礦和瀝青的事。」

一想到馬上就會很富有，不禁讓洗衣工興奮得雙腿發抖。的確，他已經違背了當初成為助理工時所發下的誓言，但是又如何能放棄這個大好的機會呢？只要他一拿到這筆財富，便立刻辭掉這個令他痛恨的工作，然後在地價較底比斯便宜的中埃及買個農場，在那裡逍遙地生活。

因為那條情報很有價值，達克泰最後答應用五個銅條來交換，並且一次付清，不用再等。洗衣工很後悔沒有要求更多。

洗衣工決定一拿到東西，便立刻消失，不再回到真理村這一帶。

「『在一棵最高的棕樹底下，面對一口廢井』，達克泰這麼說的；『銅條就裝在一個袋子裡，淺淺地埋在地面下。』」

洗衣工確定了棕樹林附近的確沒有人。在這個時間不會有人到這個地方，也不會有人看見他在挖他的寶藏。

達克泰沒有說謊：袋子真的就埋在大棕樹腳下，他沒有花多少力氣便將它挖了出來。

他正準備解開繫在袋子上的小繩子，這時身後卻響起了一個嚴肅聲音，嚇得他血液都凝固了。

「我們是警察！站起來，背貼住樹幹，同時別想反抗。」

驚慌的洗衣工緊緊抱住他的財富，拔腿便跑。

「停下！」

他唯一的機會便是快跑，並且擺脫追逐他的人。不過他卻一頭撞上了一名手上帶有棍棒的警察。

洗衣工想要用袋子將警察打昏，但警棍已一棒打在他的頭上，一支箭同時穿過他的頸子。

他倒在地上，一命嗚呼。

十幾名埋伏的警察全聚集在屍體的四周，由隊長親自檢查屍體。

「奇怪了……有人通報說這個傢伙是一名小偷，不但危險，而且帶有武器。」

「他的袋子裡裝了什麼？」

隊長把它打開，並將裡面的東西倒出來。

「石頭……只有一堆石頭。」

「這麼重的一隻袋子如果懂得運用，便會成為一個很可怕的武器。我們有充份的理由自我防衛。」

當莫希聽到一個壞人在底比斯北邊的棕樹林裡被打死的消息時，一點都沒有表現出事關重大的樣子。警察完全合法地盤問這個人，而他卻強烈地反抗，令他們不得不採取正當的防衛而將他打死。

調查的結果發現他是真理村的一名助理洗衣工。他的同事們並不喜歡他，也沒有任何人說他的好話，他甚至被懷疑是一名扒手，而且其他的洗衣工指出，他不但自大，而且愛挑釁。

索貝克隊長證實了這些說詞。這個悲劇就此告一個段落，只剩下歸檔的工作。

莫希已不再驚訝他的好運持續不斷地跟著來；他在適當的時機採取適當的行動，因此他所有的計劃最後都已成功，並且鞏固了他的地位。他已猜到這名洗衣工會做出愚蠢的反應，因而害了自己。他一旦消失，達克泰就不會被牽連進去，莫希也可以毫無顧忌地利用得來的線索。

不過莫希不能因此掉以輕心：這一次不可能再利用警察，於是他去找他的妻子賽克塔。

「我要向妳形容一個人，妳試著在來自西岸的船靠岸時認出他。接著，妳跟蹤他，並且記住他去的地方。」

「但是每天都有很多條船呀！」

「妳只需注意早上的頭幾條船。」

「我最討厭一大早起床，親愛的！」

「妳不會拒絕幫我這個小忙吧，賽克塔？」

「萬一這個工作得持續幾個月呢？」

「這是一個很重要的任務，我的心肝寶貝，我只能交給妳一個人。」

「你要送我什麼？」

「妳想要新的珠寶首飾嗎？」

「我也不反對……我已經開始對那些舊的首飾感到厭煩了。聽說孟斐斯有一個珠寶匠，他做的綠松石項鍊非常漂亮，但很不幸地，他總是很忙。」

「妳放心，對妳他永遠不忙。」

到了第十八天的監視，賽克塔在早上的第二班船認出了這名工匠。

她毫不困難地跟著他，並且看著他走進一間堆滿家具各式各樣的倉庫。賽克塔對自己的表現感到很滿意，並且用食指輕輕地滑過她的頸項，不久以後就會有一條特殊的綠松石項鍊掛在上面了。

69

當帕尼泊走進離右隊會議室不遠的畫線間時，他很驚訝在這裡碰見尼菲寡言與卡烏精確。兩人正在研究一張莎草紙，標題寫著：「探查事實與知悉晦暗之計算例證」。上面布滿了帕尼泊第一次看見的數學符號。

「這張莎草紙與我有關嗎？」

「萬物的創始人按照比例與大小將生命的元素排列整齊。」卡烏回答道，「我們的世界可被視為一種數字遊戲。假如你將數字當作能量的來源，你的思想就不會靜止不動。在我們的傳統中，幾何性的思考主導著數學的表達。它建立在一的單位，發展成倍數，再回歸為一。所有生命的形式若能顯示出單位的存在，才是線條的藝術。」

「你的肉體之所以存在是因為它是一個比例的整體，」尼菲強調，「所以你需要懂得這個道理才能使你的手更為靈敏。但是不要為了幾何而運用幾何，也不要為了數學才運算數學；凡是掉進這種迷思的人會陷入枯燥乏味的知識陷阱。」

「畫一個三角形。」卡烏命令道。

帕尼泊用一隻很細的毛筆照他的話去做。

「這是表達日光這個抽象概念最簡單的方式之一。」他的老師解釋道，「你對線條的學習將在它的保護之下進行。先人已確認，透過它可以領會天、地與水的奧秘，可以聽曉蟲魚鳥獸的語言，而化為我們所希望的各種形式。」

「現在，幹活兒吧！」

尼菲已察覺到他的朋友求知若渴，幸好自己也能助他一臂之力，因為卡烏沒有足夠的精力花上數個小時來教他。

帕尼泊很快就學會了基本的四則運算，了解乘法與方根，而且易如反掌地運用於實際生活，如製作一雙涼鞋或是一張船用的帆布。於是，他體會到真理村的工匠所創作的每一件作品並非都出於偶然。

無論是乘、除，或是開根，他都必須利用加法的基本過程來運算。若是以十進位的算法，他就利用分數法，除了三分之二，分子要等於分母，他先做練習算出結果，最後才用程式表來對照答案是否正確。

「象形文字的形體代表最基本的分數，」卡烏說明道，「因為萬物的來源正是出自於我們的守護神卜塔的口中，祂以語言創造了世界。你現在畫一個圓形。」

帕尼泊的手一點也不抖。

「圓面積的計算方法如下：用它的直徑減掉九分之一；餘數乘以平方，便成為圓面積（※註：古埃及時代已知道圓周率，若一個正方形的邊長等於圓形直徑的九分之八，則圓周等於3.16），這對我們非常重要，例如，它可以用來計算圓柱形的穀倉容積量。當你面對一面牆的時候，這些都會變得非常有用，因為你要按照比例和諧的規則來安排空間。」

尼菲攤開另一張莎草紙，讓帕尼泊看得目瞪口呆。

紙上有紅色墨水畫成的方格圖，圖內用黑色畫了一個站立的人。他身體的每一個部份完全由方格的數目所組成。

「這幅圖由十八個單位所組成。由腳掌至膝蓋有六格、至臀部有九格、至手肘有十二格、至腋下有十四格半、至頸部有十六格、至頭髮共有十八格。如此便可以解析人體的勻稱性，你便可以畫出和諧而不違背和諧。不過這只是一個例子，而不是個一成不變的制度，一個創作者有能力順應別的格子來表現出其他的比例規則。」

帕尼泊阿當和尼菲寡言兩人併肩坐在星空下。

「我完全沒有預期到是這麼美妙……或著應該說有，因為我的預感一直都知道，幸好我也跟著預感走！可是為什麼我浪費了這麼多的時間？」

「你放心，帕尼泊，你一秒鐘也沒有浪費。命運安排你必須經歷這許多的考驗，而每一個時刻都和現在一樣，讓你感受強烈，讓你快速地學習，讓你的性格成形。不過這只是一個開始；只要一有機會，你就去研究金字塔。那將會是你人生旅程中一個新的階段。」

「你會和我一起來嗎？」

「如果首長同意的話。」

「你已被接受加入了金坊，不是嗎？」

尼菲猶豫著要不要回答。

「是娃貝特純潔告訴我的。」帕尼泊又說。

「她說得沒錯。」

「我知道你必須守口如瓶，但至少請你告訴我，你是否也看見了穿過物質的那道光。」

「它是存在的，帕尼泊。如果你能夠在你選擇的領域中完全發揮的話，有一天你也會了解的。」

「在這個村子裡，人家為我開了一扇門，而後面又還有另外十扇門……不過我喜歡這樣。你進入過拉美西斯大帝的陵寢嗎？」

「國王谷地不會讓你失望的。」

「我有一天也會在那裡工作嗎？」

「這難道不是一個真理村畫匠的命運嗎？」

「我已經準備好了。」

「還沒有，帕尼泊。你的眼神尚未平靜。」

「我不懂……」

「宇宙是一個巨大的眼睛，只不過我們的眼光卻只看到局部。然而，是它在引導我們的手，給予我們創作的靈感。我們必須將這隻眼睛重新組合，不過在這之前先得讓它平靜，使它不要遠離我們。」

帕尼泊還是不懂，但他感覺到他的朋友方才為他開啟了新的一扇門。他凝視著星空，知道有一天，他會用繪畫將這隻完整的眼睛表達出來。

*　*　*

特漢貝是個矮胖的利比亞人，黑色的頭髮緊貼在圓圓的前額上，上身臃腫，腳趾和手指像嬰兒般胖嘟嘟。他正在大嚼大嚥，而且吃得津津有味。特漢貝在他自己的國家沒有賺到大錢，因而來到底比斯，終於有所發展。他天生就是一個商人，而且毫無道德觀，除了賺錢還是賺錢，有時甚至會玩弄一些花樣。由於他的謹慎加上狡猾，行政單位從未對特漢貝有所懷疑，反而風評良好。

「有人找您，老闆。」他的一名工人通知他。

「沒時間。」

「您要不要至少去看一下……我覺得他看起來像是一個很重要的人物。」

一定又是個販夫走卒，他心裡想著，準備出言辱罵，讓這個不速之客儘快滾蛋。

他大大地吃了一驚。

站在他倉庫門口的這名男子長得跟他很像，雖說不是一模一樣，但輪廓和線條有共同之處，會讓人以為是兄弟。

「你要給我看什麼東西，朋友？」

「你就是特漢貝？」

「我是這裡的老闆，而且我很忙。」

「讓我們找個安靜的地方談話。」

「你以為叫我做什麼我就做什麼？」

「我的確是這麼認為，以我是底比斯總司庫和軍隊司令的身份。」

特漢貝猛吞了一口口水。

他已聽許多人談過這個莫希，形容他是個殘忍的高官，而且非常不好惹。問題是為什麼這樣一位大官會對他感興趣？

「請往這邊走……我有一個地方專門歸放我的資料。」

特漢貝心想這下子完蛋了。他到底犯了什麼嚴重的錯誤，讓這個恐怖的人物來干涉？

小小的室內相當陰暗，與工廠有一段距離，裡面塞滿了書寫板。

「您是想來查看我的帳目，不是嗎？」

「管你是個騙子，專偷客戶和稅務局的錢，我都不感興趣，但你非法利用真理村一名工匠來為你做事，屬於一條重罪，很輕易地就可以將你判個重刑。」

惶恐的特漢貝想都沒有想過要否認這件事。

「我並不知道……我們在一個市集碰見，他批評我的一張凳子做得不夠堅固，於是我們就討論了起來，他提議為我做一些高品質的東西，條件是兩人平分利潤。從此以後，他就來這裡製造一些非常漂亮的家具。」

「然後你再高價賣出，而且沒有報稅。」

「我只是忘記了，我會很快地補上去！」

「千萬不要。」

特漢貝不相信自己的耳朵所聽見的話。

「我看是你主動向這名工匠做這個非法的提議。我會忘記你這些勾當，不過你必須向我報告這名共犯的行蹤、為你所做的非法事情，以及他這些不正當的進帳。」

「一切聽您的吩咐，」特漢克說道，他已較為放鬆。「您是不是也希望……從我的利潤中獲得一點好處？」

莫希冰冷的眼光嚇得他噤若寒蟬。

「如果我要拿，就拿全部。」莫希說道，「你記得我交代的事，完整仔細地向我報告。另外，我們之間的協議不准透露出去。只要走錯一小步，你就會消失不見。」

70

娃貝特純潔有個不共戴天的敵人，那就是灰塵。她每天都將家裡各個角落打掃得乾乾淨淨，而且每個星期徹底地用煙熏一次。她和所有的家庭主婦一樣，知道嚴格的衛生要求是健康的基本條件。帕尼泊覺得她有潔癖，不過也只有任由她去。

因此，當帕尼泊結束畫室的幾何學課程，回到家裡驚訝地發現有一張椅子不在它平常的位子上，而且他妻子的一件長袍隨意地擱在一張椅子上。很明顯地，一定發生了什麼極為重要的事情，擾亂了娃貝特純潔一絲不苟的日常作息。

「妳在家裡嗎？」

「我在房間裡。」一個微弱的聲音回答他。

帕尼泊看見妻子躺在床上，頭底下墊著一個靠枕。

「妳不舒服嗎？」

「你知不知道那些自心臟通到所有器官的血管？我去看卡萊兒時，是她告訴我這些的。生命的液體也就是精液在心臟成形；她還告訴我生育就是兩顆心的結合。」

「妳是否嘗試要告訴我……」

「我懷了你的孩子，帕尼泊。碧玉有採取避孕的措施，但我沒有。」

帕尼泊一時之間愣住了。他從未想過會有這種事情發生。

「別擔心，我會處理得很好的，就和我平常做家事的態度一樣。你難道不會想知道孩子將和你如何地相像嗎？」

帕尼泊臉上露出一抹微笑，並且溫柔地握住妻子的雙手。

「我承認妳的確挑起了我的好奇心……不過從現在起，妳應該要好好休息。」

「一旦我覺得過於疲倦時，我會請哈托爾的一兩個女祭司來幫我忙。在女祭司之間我們已習慣彼此互助。」

娃貝特純潔原本擔心帕尼泊會拒絕接受這個事實，不過他比較像是受到了刺激，她會讓這個不適應的情緒過去的。

莫希恨透了埃及的法律制度。幾乎在所有其他國家裡，他可以輕而易舉地將只會生女兒的妻子給休掉；然而在法老的國土裡，這是不可能的一件事。非但如此，他用盡了所有在法律邊緣的可能手段，還是無法完全占有賽克塔的所有財產。由於莫希不甘心失去他已獲得的一切，那怕是一小部份，因此只好繼續忍耐和他的妻子繼續共同生活下去，直到她去世的那一天。他若是離婚，便會破產，如果妻子突然死亡，會引起懷疑而令他的名譽有所受損。

此外，賽克塔知道太多的秘密，一個不小心就有可能說溜了嘴，在這種情況下，莫希只有一個選擇：讓她成為一個理想的共犯。

在他送給了她夢寐以求的珍貴項鍊後，他像情人一般地帶她去遊尼羅河。一名努比亞女侍很高興有機會為這麼一位大人物服務，不斷地為他們送來糕餅點心和果汁。

「你已經很久沒有對我這麼體貼入微了。」她為此有點受寵若驚。

「妳喜歡我送妳的項鍊嗎？」

「還不難看……你準備要我做什麼？」

「聯手合作。」

「平等的立場？」

「我是男人，而妳是個女人，所以由我來主導。不過我需要一個積極的合作夥伴。」

賽克塔露出感興趣的表情。終於，她可以擺脫再度讓她窒息的無聊！而她迷人的丈夫永遠不會知道他才剛剛逃過了一劫。

自從賽克塔對他開始感到害怕以後，便決定要除掉他。就在她苦思良計的這個時刻，他對她提出了動人的聯手合作計劃。

「有何不可，不過你對我不能有任何的隱瞞。」

「那當然，親愛的。」

「我們就從你出去拿資料的那晚說起。」

「那晚有什麼值得大驚小怪的事情？」

「你當時如此堅持要拿一份資料，而回來時卻兩手空空。」

「妳的觀察力非常敏銳，賽克塔。」

「那晚你去了何處？」

「妳真的想知道嗎？」

「再想不過了！」

「小心，我的寶貝，妳將會是我的盟友，卻也是我的共犯，而且我不容許有任何一丁點兒的洩密。」

一想到可以過冒險刺激的生活，賽克塔不禁興起了一陣興奮的快感。

「我接受遊戲的規則。」

莫希開始了一長串的敘述，包括所有的細節。他在妻子的眼中看到了佩服和羨慕的眼神。

「我們首先是暗中的行動，」她下結論道，「不過隨後而來的成功將會無可限量。你認為達克泰真的可靠嗎？」

「他是個意志薄弱、狡猾，但卻有才幹的人，而且貪圖榮華富貴和權力。這些都是可以利用的特點……倒是阿布利讓我覺得較為不可靠，但他也只不過是一個踏腳板。妳是否已做好了心理建設，準備完成妳的第一個任務？」

賽克塔一把環抱住莫希的脖子。

「快快告訴我！」

「我先提醒妳，這是非常重要的一個任務。」

「那最好，我一定不會讓你失望的。」

莫希向賽克塔解釋她要做什麼，最後與她回到船艙，用他一貫粗暴的方式占有了她的身體。

* * *

卡萊兒早上做完了所有的儀式之後，便去幫忙智女為村民看病，不管是生理上或是心理上的問題。卡萊兒已學會傾聽病人的訴苦，安撫哭泣的孩子，掃除他們的焦慮，讓沮喪的人再度振作起來。

智女體內擁有一股強大的磁氣，並透過雙手用氣療法來為病人消除身上的病痛。卡萊兒負責讓所有的醫療物資不虞匱乏，其中絕大部份的藥品是由她自己提煉製造，其餘的則由法老非常重視的公共衛生局提供給真理村。

智女的話並不多，不過每天都會將自己的經驗逐步地傳授給卡萊兒。她故意不提卡萊兒的成就，卻強調她的失敗，以便讓她從中汲取教訓而用於未來。

自從尼菲被接受進入金坊之後，便日以繼夜地進行他的作品，甚至比以前更為認真。卡萊兒可以感受到他靈魂每一處的顫動，而且不時對他投以深情的眼光，讓他了解她的精神與力量永遠與他同在。

這是漫長而累人的一天。來看病的人沒有嚴重的大問題，都是一些連續不斷的小毛病，而這天的日常工作比平時還要來得吃力。卡萊兒一心只想趕快回家好好睡上一覺。

「跟我來。」智女對她命令道。

卡萊兒使盡了全身剩餘的力量，提起腳步跟著智女走出村子，在黃昏時刻走向西峰。

這個時間正是蛇類及毒蠍傾窠而出的時候，但她們兩人一點都不感到害怕。

智女每次爬上山間彎彎曲曲的小徑時，似乎總是能再度拾回失去的年輕。儘管卡萊兒疲累不堪，卻比往常更容易跟上智女的腳步。智女一頭美麗的白髮如陽光般地閃閃發亮，照耀著越來越陡的斜坡，一直通往挖掘於岩石中的小禮拜堂。

從這個高聳的地方可以環視整個真理村、法老們和妻子復生的神秘谷地，以及「卡」永遠長在的百萬年大神廟。

智女面向小禮拜堂，舉起雙手做出朝拜的動作。

「人類是上帝的眼淚，」她說道，「只有諸神才是生於祂的笑容。而上帝卻給予了人類所有的一切，他們是上帝的牧群，因為上帝為他們的心創造了天與地，為他們的鼻孔創造了氣。人類是上帝的形象，祂也為他們創造了所有的食物。但人類卻對上帝造反，寧可選擇動亂而放棄和諧。等到人類消失無蹤時，一切嘈雜聲將會隨之停止，而世上也會再度歸於寧靜。而妳是祂的女神，將會再造原始之美。」

一條眼鏡蛇自禮拜堂爬出來，並高傲地豎立著。它紅色的眼睛彷彿射出兩道火光。

「妳要敬仰梅爾斯格爾，祂喜愛沉默，是西峰的女神，也是真理村的守護神。」智女對卡萊兒說道，「等我去了西方世界，願祂成為妳的引導著和妳的視野。」

71

尼菲必須把在金坊所感受到的一切表達出來。雖然經過了真理村最神秘的儀式洗禮，發現了真理村必須傳達的最基本奧秘，但他是否能夠勝任這個使命？

為了要知道他有沒有這個能力，行會要求他做出能夠呈現他的技巧和敏感性的作品。沒有人給他任何的建議，也沒有任何的依據標準。尼菲必須把過去在真理村的幾年生活中所獲得的經驗，具體地用作品表現出來，以便得到首長和其他高層人物的認可。

尼菲的習慣總是先花上很長的一段時間來思考。他腦海裡出現好幾個構想，不過終究選擇了傾聽自己內心的聲音。獲得了卡萊兒所給予的肯定意見之後，尼菲主動去見納布師，當晚納布師便帶他到拉美西斯的父親塞特裔法老所建造的哈托爾神廟。

尼菲登上了塔門的樓梯、越過門檻、穿過露天的中庭、走向鋪有石板的小徑，一直通到第二個中庭。他在這兒接受淨禮儀式，並且在一個祭壇前頂禮膜拜。

接著他被允許進入一間地上鋪著石板、兩根立柱支撐的平頂室內，沿著牆壁的長石凳上坐著所有的評審。室內的盡頭有一扇門，兩邊是刻著法老面對哈托爾女神的石碑，這扇門可以通往神光在暗中照耀的聖殿。

尼菲很清楚這個評審團不會有一絲的寬容，他不知道它會做出何種評判。如果他犯下任何的錯誤，那麼他加入行會之後所做的一切努力將會化為烏有。

「諸神讓你學到了些什麼？」左隊的隊長問他。

「我嘗試去了解太陽神拉的光芒、卜塔神的創造、以及哈托爾女神的愛。」

「為了完成一件作品，什麼是必備的特點？」右隊的首長問道。

「對生命各種形式的領悟、擁有一顆寬容的心、表裡一致、純熟的技巧、以及具體實現的力量。可是這些特點必須引導人們走向充實與詳和才會有價值，而且沒有任何一名工匠能夠達到藝術的極限。」

「讓我們看你的作品。」

尼菲揭開一塊布，露出一只金色的木頭雕像。它只有五十二公分左右的大小，這是一座瑪亞特女神端坐著，手中持有象徵生命的塑像。

* * *

烏奈士豺狼的長相正如其名。他長而窄的臉不禁讓人聯想到他的守護動物，而且他的行動就如這種專吃沙漠中屍肉的動物般靈活迅速。烏奈士很沉著，永遠用搜尋的眼光窺探著四周，彷彿體內有一股無法控制的暴力。

帕尼泊不喜歡他，也不指望他為自己帶來任何的好處。因此，當他看見烏奈士雙臂交叉，站在關閉的畫室前，心裡開始準備一場免不了的衝突。

「你擋住了我的路，烏奈士。」

「你認為我擋得了你嗎？」

「現在我和你屬於同一組！你應該要讓我進去。」

「你難道不想知道更多有關這一行的秘密？」

帕尼泊帶著感興趣及戒備的心情打量著烏奈士豺狼，烏奈士緊接著又說：

「有些人在工作室裡學習這一行，而我較喜歡在危險的地方學習。跟我來，如果你有勇氣的話。」

帕尼泊一點兒也沒有猶豫。烏奈士並未跑步，速度卻快得驚人。他穿過荒漠地帶，走到麥田裡，然後隱沒入一處水渠邊的蘆葦叢中。

「趴下。」他命令道。

帕尼泊用泥漿塗滿全身，以避免蚊蟲叮咬。他趴在烏奈士的右側，看見一條水蛇經過。

「仔細看。」烏奈士叮嚀道。

帕尼泊欣賞著一隻姿態優雅的朱鷺，彷彿正在跳著一隻節奏分明的舞蹈。

「你發現了什麼？」

「它的步伐很有規律。腳步始終一致。」

「朱鷺的一步等於五十二公分。它是托特神的化身，向我們展示這個基本的測量單位，它也是托特神手肘的長度。這個單位稱為『杖』，亦即『思考』、『冥想』、『完成』、『完整』、『充滿』的同義詞，因為一旦熟悉了解這個測量單位，可以讓你體會到宇宙的規則。你現在可以回畫室去了。」

對帕尼泊而言，發現托特神用來測量人間的單位是難忘的一刻。他很快地掌握到這個長度可以分成七個手掌與二十八根手指寬。當他收到師傅給他的一把同等長度的折尺時，他覺得自己變成了一個無價之寶的主人。

因此，儘管帕尼泊過去看了無數次，卻是這一次在朱鷺的身上發現了這個主要的秘密之一。他開始意識到諸神不斷地透過大自然來表達一切，他應該多用雙眼和耳朵來解讀這些訊息。

幾個畫匠的態度也有了一些改變。卡烏教他理論時不似過去那麼冷淡，帕依好麵包很熱心地教這個新加入的同事一些技巧，烏奈士豺狼則教他顏色上的變化使用。在這三名經驗豐富的同事教導下，帕尼泊很輕易地就學會了一些必備的基本技術。若非如此，他那沸騰的性格很可能會自動拒絕這些學習。

每個晚上，他不需要別人交代便主動地清理工作室。回家之前，他會在石灰岩塊上畫些馬車、狗兒或是行走中的人，然後再將這些習作碎成千萬片。他深信總有一天他的手會創造出不令他失望的畫作。

這一天在天黑時分，他走出工作室，正好撞上索貝克。

「你成了真正的畫匠了，帕尼泊。」

「你有什麼不滿？」

「你還是如此地具有攻擊性，小子；總有一天你的個性會讓你吃虧的。」

「安全警衛隊長有何貴幹？」

帕尼泊面向索貝克。看來免不了有一場衝突。

「我們彼此看對方不順眼，」索貝克說道，「但我很清楚你不是一個會說謊的人。」

「如果你當我是一個騙子，我會讓你後悔的。」

「那麼，你就告訴我事實的真相：是不是你殺了我的那名手下？」

「你瘋了不成？」

「所以，你肯定自己是清白的？」

「廢話！」

「我曾經懷疑你，不過我願意相信你的話。」

「你居然敢懷疑到我的頭上……我會敲碎你的頭，索貝克。」

「如果你這麼做，便會遭到逮捕和判刑……倒不如認真做你的工作吧。」

不是他？索貝克心裡邊想著邊離開。他並不後悔這次的談話，畢竟他釐清了帕尼泊的這一部份，讓他又回到他嘗試忘記的原點：西岸總督阿布利的可能性。

假使他朝這個方向繼續偵察下去，他的事業有可能會毀於一旦。但他的責任感不容許他的表現像一名懦夫。

尼菲和卡萊兒兩人在自家的陽台上擁抱著彼此，直到烈日灼熱得讓人無法忍受。他們在前一個值得慶祝的夜晚做完愛之後，便在彼此的懷中沉沉地睡去。工匠首長親口告訴尼菲，他的瑪亞特雕像經過真理村的評審認定合格。由於他的雕工精細，這座雕像將被納入神廟的財產。

尼菲已成為金坊的雕塑師傅，從此以後他所完成的塑像將會凝聚那些分散在宇宙中的創造力量。他讓石頭變得有生命，並且藉由它來展現他所學到的一切，同時參與傳達任何材料都無法阻擋的神密之光。他首先製作拉默塞的書記坐姿雕像，讓學習象形文字的學生做為楷模。

智女在陽光下坐在自家的門前。這個不尋常的坐姿讓卡萊兒擔心她是否生了病。不過智女與她說話的口氣甚為平靜。

「我今天不想為任何人看病。妳能不能代替我？」

「我會盡力而為……您是不是不舒服？」

「我今天一整日都會在神廟裡，準備讓無情的雌獅女神塞赫邁特平靜下來。」

「村子遭受到什麼樣的威脅嗎？」

「是的，卡萊兒，一個很大的威脅。」

72

尼菲的情緒一陣起伏。

「一個很大的威脅？智女其他什麼也沒說嗎？」

「沒有，」卡萊兒回答：「她已去了廟裡。」

「智女說話向來不輕率……既然她提到了可怕的雌獅女神，表示這是一個很嚴重的威脅。」

「你想會是什麼？」

「我完全沒有概念……我真的想不出來會是什麼。村子受到拉美西斯大帝的保護，而沒有人敢向他的權力挑戰。」

卡萊兒也提不出任何的假設，不過她知道智女有預見未來的能力。她的預言絕不能不當一回事，但是對於一個不知名的災禍又該如何去對抗？

卡洛前來敲卡萊兒家的大門。

「首長希望見尼菲一面……而且非常緊急。」

數名右隊的工匠聚集在納布師的家門前。尼菲走進納布師的房間，而智女正好自房內走出來。

「這是他臨走前的最後一刻了，」她提醒道。「你得快點。」

右隊一直隱瞞的事實突然跳脫到他面前：納布師的年紀已經很老，而高齡猛然之間不再對他仁慈。雖然他外表看起來很健壯，但他身體的防禦功能卻在一瞬間完全崩潰，甚至讓人幾乎認不出是他。

首長坐在一張椅腳呈獅爪的扶手椅上。他身著一件儀式穿的長袍，露出非常疲憊的眼神。

「我的一生過得很開心。」他對尼菲說道，「我從來沒有違背行會的規定，也沒有做過任何不正當的行為。你已成為一名雕塑師傅，而且受到大家的欣賞，不過你要學習如何成為一個領導者。為了讓你的領導方式不受到任何的批評，你必須找尋每個使你變得最有效率的機會。讓人們因你的才幹和你用詞的冷靜而尊敬你，只有在必要時才下命令。不要讓一個無能的人做決定或傳達命令，否則他很可能破壞了作品，以及擾亂了一切。你要記得強將手下無弱兵，而且受到尊敬的人是能夠接納善者的人。你的任務不是一件很容易的事，但我能夠百無牽掛的離去，因為我知道你的肩膀扛得起所有的重擔。」

納布師的頭慢慢地垂下，彷彿是向他的繼任者深深一鞠躬。

「我拒絕，」尼菲向肯伊說道，「納布師一直是我的師傅和模範，所以我拒絕繼任他的職位。我的目的只是想為行會和右隊盡一份力量，而不是管理指揮。納布師對我的信任讓我深深受到感動，但他高估了我的能力。」

「你沒有資格來評估你自己，」陵寢書記反駁道。「而且納布師深具經驗，頭腦清晰，他只是落實拉默塞所做的決定罷了。瑪亞特女神的書記認定你是未來的工匠首長，以及行會的師傅。真理村傳達給你它的知識，而且你在金坊已見到了光明。倘若你想恪守你的諾言和尊重瑪亞特女神，你就應該去完成這項賦予你的任務。」

尼菲試著找出理由來改變肯伊的看法，可是他又如何能反對拉默塞的遺志？

後者已被昇華為具有光明精神的祖先。不過他還有一條路可走。

「我的提名是不是該經過全體右隊的一致同意才可以？」

「這倒是必要的，因為假使領導者缺少被領導的人真心的愛戴，則領導的工作是做不好的。從今天起，我會詢問每個右隊工匠的意見。」

帕尼泊極為討厭喪禮：碧玉會拒絕和他做愛、娃貝特純潔則會有很長的時間待在廟裡和哈托爾的女祭司們在一起，所有的工作都會暫時中斷，工作室會被關閉……尤其這回去世的是工匠首長，喪禮將會很盛大隆重，而悼喪期又會沒完沒了！他只好藉著在一塊又一塊的石灰岩上畫畫來打發時間，也讓他已經開始掌握線條和比例技巧的手不至於閒著。

對帕尼泊而言，納布師一直是一位神秘和有距離的人物，他與他的接觸少之又少，因此他不會假裝對他的過世感到悲傷。不過他還是很尊敬這位已故的師傅，而且經過了他嚴格的考驗之後，他為帕尼泊打開了畫匠的這一扇門。

當尼菲前來帕尼泊家裡時，他正在啃魚乾。尼菲很明顯地心神不寧。

「坐下來喝點東西……你有這個需要。」

「我一直當你是我的朋友，帕尼泊，也希望你當我是你的朋友。」

「告訴我什麼事情讓你煩惱，我馬上幫你解決。」

「你已救了我一命……你願不願意再救我一次？」

「我的老天爺！你到底發生了什麼事？」

尼菲在一張蓆子上坐下來。

「瑪亞特的書記拉默塞、納布師師傅和陵寢書記肯伊，他們選了我當新的右隊首長。」

帕尼泊臉上露出大大的笑容。

「這是理所當然的事，而且一點也不令人感到驚訝！簡直是大好消息一樁……不過話又說回來，依你嚴格的個性和要求完美的脾氣，我們的日子可不會很好過。反正我們也不是來這裡混日子的。快起來讓我好好擁抱恭喜你！」

「你得對我投反對票，帕尼泊。」

「你在胡扯些什麼？」

「我不希望接任這個職務。而符合最後的條件是要經過全隊一致的真心認同。如果你夠朋友……」

「我舉雙手雙腳贊成你當隊長！若是我們之中有人反對，我會要他好看。尼菲，你生於斯、長於斯，真理村給了你一切，現在是你接受這個職位報答它的時候了。」

卡萊兒用不同的語氣說出和帕尼泊同樣的道理，並且贊成拉默塞、納布師及肯伊的決定。不但如此，她強調已故的瑪亞特書記拉默塞曾經詢問過智女的意見，而後者的看法和他一致。

連尼菲的妻子也不贊成他的做法。他只好期望右隊年紀最長的隊員會針對他經驗不足，或是個性問題而提出反對的意見，使得肯伊不得不提另一名候選人。

然而事與願違，不但沒有人提出反對的意見，反而大家都很高興由尼菲來擔任。新上任的右隊隊長不但通過了每一個層級，而且向來不擺架子，也沒有專橫的傾向；相反的，他具有所有必備的優點來完成這項任務。

再過不到一個小時，將舉行尼菲無法逃避的上任儀式，除非他溜走，永遠離開真理村。

卡萊兒溫柔地將頭依在她丈夫的肩膀上。

「我們的心靈有時會閃過一些稀奇古怪的念頭，那不過都是一些幻想……某些反抗也是徒勞無益，不要去浪費精力。你要好好地為我們的一切奮戰到底。」

「我只想和你在村子裡平平靜靜地過日子。」

「你聽見召喚的那一天，也對祂作了回應。難道你認為不會再發生一次嗎？這已不再是只顧發揮小我的時候，而是要為別人服務來完成大我，再沒有比這個更好的事情了。」

過了納布師成為世上與天上義人的喪期後，在神秘的瑪亞特和哈托爾女神的廟裡，舉行了尼菲被選任為右隊隊長的儀式。

以三十六歲之齡，他必須要繼續過去所有師傅的工作，在國王谷地建造顯赫的法老陵寢，和其他偉大的建築。

當尼菲出現在神廟前時，他受到了全體聚集的村民一陣歡呼。

他眼中閃耀著感動的淚光，同時意識到自己的責任重大。過去歡樂的學徒時光總會有經驗較豐富的工匠給予必要的幫助，而從今以後，是他要去幫助別人，也將會由他來做出一些決定，而且得避免犯下嚴重的錯誤和後果。

陵寢書記肯伊交給尼菲一把首長世代相傳的金直尺，它有五十二公分長，共有二十八指寬的刻度，每個刻度上畫有埃及的一省及其守護神，上面用象形文字刻著：「具有權威、正直、充滿活力與穩定的光明磊落之人所使用之尺」。

本著太陽神拉的語言及創造之光，這把師傅用的金尺象徵著他必須尊重的宇宙規則。

卡萊兒是第一個上前親吻尼菲的人，而他也將她緊緊地擁在懷裡良久。

73

真理村的那名工匠來到特漢貝的倉庫，心想命運待他不薄。他在真理村學到特殊的一技之長，讓他今日能有機會將他的才能用高價賣出。

自從他與這名商人接觸之後，他開始實現了他秘密的夢想，那就是讓自己變得富有。而且他完全有權利用自己的空檔時間做自己想做的事情。

在納布師的哀悼期間，這名工匠留在村子裡，並寫了一封信給特漢貝，約定彼此見面的時間。特漢貝迫不及待等這一天的到來，因為他有一個內行且出手大方的客戶準備要買一件高級奢侈品。

「我來見你的老闆。」工匠向一名工人說道。

「他在辦公室裡。」

工匠穿過倉庫，來到一個獨立而安靜的房間，裡面堆放著特漢貝的資料。他一推開門卻愣在原地不動，一個戴著黑色厚重的假髮、眼睛塗著厚厚一層妝的女人站在他的面前。

「對不起，我走錯地方了。」

「你沒有走錯地方，」賽克塔說道。「我知道你是誰，也知道你來這兒幹什麼。把門關上，我們好好談一談。」

「我不認識您，我……」

「你和特漢貝合作的方式恐怕不是很光明正大。你這樣做等於是詐欺罪的共犯，你可以因此而被判重刑，也讓你永遠被逐出真理村。」

工匠的臉色一片慘白。

「您知道……」

「我對每一個細節都知道得一清二楚。你可以選擇服從我，或是一手毀掉你的事業生涯。」

工匠蜷縮在小房間的一個角落裡。賽克塔把門呯一聲地關上。

「您……您要我做什麼？」

「你可以繼續你的不法勾當，我不會說出去，不過有一個條件：我要知道真理村內的一切。」

「那是不可能的！我必須要保密。」

「好吧，算你活該倒楣。明天就到首相那兒檢舉你。」

「我求求您不要這樣做！」

「如果你不想要有大麻煩，你只有一個選擇，那就是全盤托出。」

若他聽從這個如惡魔般的女人，等於是違背了行會的規定，打破了他的誓言而出賣了靈魂。

「您是什麼人？」工匠問道。

賽克塔露出殘酷的笑容。

「你沒有資格提出任何問題，但我還是回答你的問題，好讓你知道你沒有別的選擇……我是一名重要人物的夫人，而且我的夫婿越來越有影響力，將來也會回報曾經幫助他晉升的人。」

對工匠而言，這項提示不可輕忽。原本應該是他被提名為右隊首長，而不是尼菲。假設他服從一位有影響勢力的人，也許可以同時獲得財富和他覬覦已久的職位。

「您可不可以給我一點時間考慮？」

「我要你現在立刻就給我答案。」

工匠自從為瑪亞特、真理村和行會服務以來，僅能獲得微薄的酬勞。這不正是一個大好的機會為自己的利益腳踏兩條船？

莫希在他的豪宅花園中射弓箭。他一根接一根地把箭射在棕櫚樹幹上，卻無法讓自己焦躁的情緒平靜下來。

他妻子為何拖到現在還不見人影？會不會是那名工匠未如期赴特漢貝的約……或者發生了更糟的情況，賽克塔的任務失敗，深怕挨打而不敢回來見他？

莫希又射出一根箭，但卻沒射中目標，便憤怒地將弓摔在地上用腳踐踏。

「這把弓配不上你，」一個甜蜜的聲音響起，「你應該為自己買一把更好的。」

「是妳，賽克塔，事情進行得怎麼樣了？」

她跪在地上擁住她主子的大腿。

「百分之百成功！」

「他同意合作？」

「我們的運氣很好：這個人憤世嫉俗、貪得無厭、狡猾而且虛偽。這種合作夥伴再也理想不過了。你對我滿意嗎？」

莫希猛然拉起賽克塔，將她的臉蛋捧在手心中。

「我的小親親，妳和我兩人將會獲得壓倒性的勝利！在這個該死的村子裡一共有多少個工匠？」

「三十個左右。入會的審核條件非常嚴格，而且他們必須遵守瑪亞特的規則。」

賽克塔複誦著工匠所告訴她的每一件事。

「這些消息沒有任何一點價值，」莫希批判道。「那些都是老舊的道德規範，不久即將被淘汰。是誰在領導行會？」

「最高首領是法老，是他在保護村子的繁榮昌盛，而且不容許有任何人對它提出批評。」

「我曉得，我曉得……但拉美西斯並不住在村子裡呀！」

「有三個人的權力均等：陵寢書記、右隊隊長以及左隊的隊長。真理村的工匠將他們的行會比喻成一條船，右舷與左舷的分工合作即來自於此。陵寢書記肯伊則是中央政府的代表，也是村子的管理者；他不像上一任的拉默塞如此受到大家的愛戴，因為他的脾氣不好而且毛躁。」

「他多大年紀？」

「六十二歲。」

「如此說來，這個肯伊已到了事業的盡頭，再過不了多久，他會死掉或被取代。他是不是個會被收買的人？」

「根據我們線民的說法，這是有可能的事。但他不確定肯伊是否知道真理村的所有秘密。」

「兩名工匠首長鐵定會知道！」

「對，因為他們已被接受進入金坊。」

莫希愈來愈感到興奮。

「那裡面是什麼樣的情形？」

「我們的線民並不清楚這點。」

「他對妳說謊！」

「我不認為，」賽克塔說道，同時退了一步，以避免受到令她深感恐懼的一耳光。「他的年資不足以被接受進入，直到現在也找不到任何可以強行進入這個神秘之地的方法。但為什麼要為此感到失望呢？」

「他有沒有提到有關工匠首長的事情？」

「卡哈是左隊的隊長，年紀已經很大，是一個樸實的人，擅長岩石的挖掘和雕刻石頭。他從未離開真理村領土一步，看來是無法接近他。至於右隊隊長尼菲寡言，他是一個年輕人，而且沒有什麼經驗。」

「為什麼他被選為右隊隊長？」

「是拉默塞書記的意思，而且所有行會的負責人也不反對這項決定。」

「老人家的任性所為。我們的線民對尼菲有何看法？」

「他認為他是一名很好的雕匠，非常注重精神生活，從小在真理村接受教育，他對它充滿感情，不過他將會面臨很多的困難。他不懂如何領導，也不懂如何下命令，將來肯定會被降級。」

「失望會導致一個人變得脆弱……因而懷有報仇的意念……妳有沒有拿到一份詳細的工匠名單？」

「在這裡。」

賽克塔驕傲地展示一張紙莎草紙。她和丈夫兩人現在擁有了一個屬於國家的機密資料。

莫希查看名單，眼光只停留在一個名字上，其餘的人對他而言都很陌生。

「帕尼泊阿當……」

「我們的線民認為他永遠不會融入行會，遲早有一天會因為不守規定而被逐出門外。」

「這一個也將會成為我們的掌中物！多虧妳，賽克塔，我們向前邁進了一大步。而這不過是妳的第一個任務。」

賽克塔於是開始撒嬌。貪婪與破壞的欲望早已使她的無聊生活消失得無影無蹤。

74

儘管已接近乾旱季節的尾聲，來到氾濫初期，天氣還是和往常一樣熱得無法忍受。一個多星期以來，天空一直布滿了厚厚的雲層。智女已停止為人看病，而讓卡萊兒代替她的工作。

新任右隊隊長尼菲與陵寢書記達成協議，同意放工匠們幾天假，他們高興地慶祝尼菲的新上任。歡樂的慶祝活動才剛結束，尼菲便準備發布一項重整村子裡最古老陵墓的計劃，奈克特大力士卻在這個拂曉時分前來通報。

「首相的信差在村子大門前……他要盡快地見到負責人。」

肯伊還在睡夢中；而左隊隊長卡哈不舒服。尼菲憂心重重，不禁加快了腳步。奈克特為他打開大門，見到了警衛攔守的這名信差。

「你是師傅嗎？」

「我是右隊隊長。」

「這封信函交由你來通知全村民：隼已飛向天空，另一隼於神光寶座上取而代之。」

信差躍上座騎，立刻飛奔而去。

尼菲臉色發白，幾乎要昏倒。

「發生了什麼事？」奈克特大力士問道。

「快叫醒所有村民，不管年紀老少，要大家幫忙攙扶生病的人，然後全體到廟前的廣場上集合。」

尼菲趕忙去找卡萊兒，她正準備離開。

「智女說得沒錯。我們的保護者剛剛撒手人寰，現在我們面臨了很大的危機。」

在短短的幾分鐘內，所有的村民都已聚集在一起，大夥兒仍然睡眼惺忪，肯伊甚至準備處罰無端叫醒他的人。

尼菲做出一個手勢，要大家安靜下來。

「法老在位統治六十七年，」他用哽咽的聲音宣布道，「拉美西斯大帝離開了人間，回到了他來自於太陽的地方。」

所有的村民震驚得呆住了。

不，拉美西斯大帝不能消失。他活了如此長的歲月，死神早已忘了他，乾脆不讓他與埃及人民分開，否則失去了他，人們將會感到被遺棄和迷失了方向。肯伊將尼菲拉到一邊。

「在七十天的木乃伊化期間，你和其他的畫匠要根據法老的遺囑，將拉美西斯的陵寢做最後的完工，遺囑會寫在一張紙莎草紙上，並且密封住，我會將它交給你，只有你一個人可以讀它。」

「為何我的同事卡哈不能和我一齊看？」

「因為他的身體狀況不允許，你不但要負責他的任務，還得加上你自己的。你是行會的師傅，尼菲；既然你知道金坊的秘密，你便有這個能力將陵墓轉變成復生之地。」

尼菲無法想像自己必須要一肩挑起這個重責大任。無論他再如何提心吊膽得肚子疼而喘不過氣來，令拉美西斯大帝永垂不朽的建築，將由他來舖上最後一塊石頭。

幾乎所有的底比斯高官全被莫希邀請到家中，等待首都所在的比拉美西斯省發出最新的正式消息。

終於，莫希出現了。

「繼位的法老是梅仁達，卜塔神的至愛，」他宣布道。「他已登基接受大眾的歡呼，承認他是上、下埃及之主。他將以祭司的身分主持拉美西斯的葬禮，結束之後，便登上最高政權之位。」

「新法老萬歲！」阿布利高呼道，在場的人也立刻跟著高呼萬歲。

反正梅仁達已經六十五歲了，莫希心裡想著，他的執政也不會維持太久。

莫希盡可能地收集有關梅仁達的一切資料：他被視為專權、要求嚴格、難以親近、對於建立埃及有功的精神原則非常堅持、而對於革新則懷有敵意、天性孤僻、漠視朝臣的陳情。簡而言之，與莫希所期望的國王完全相反。

但這只不過是活在拉美西斯影子下的大人物所描繪的形象，一旦實際掌權會讓他有所改變，也會暴露出其缺點。最麻煩的是他對卜塔神虔信的程度，而卜塔神是建築者和真理村的守護神……梅仁達對於真理村會不會繼續同樣的政策？

若果真如此，免不了將會有一場激烈的鬥爭。但莫希卻比從前更具信心，他有數位辦事效率極高的盟友，和一名藏匿在對手陣營裡的間諜。此外，梅仁達不似拉美西斯一般受人愛戴，煽動謀權反抗他不是不可能的一件事。

經過了拉美西斯大帝如此長而極度的統治期，埃及勢必會變得虛弱，而梅仁達沒有足夠的活力來治癒它。他將會面對許多重大的問題，而且得應付來自四面八方的襲擊，最後這位新領袖大部份的時間都將待在三角洲上的比拉美西斯，離真理村十萬八千里遠，如此一來梅仁達便無法顧及它，而慢慢地放棄了真理村。

為何法老不信任底比斯的官員，忽視了他們都聽命於莫希？

拉美西斯將首都建在北邊，以便抵擋埃及的侵略者；而莫希確信若要征服埃及，必須要先從底比斯下手，同時奪得真理村嚴密守護的秘密。

真理村的工匠萬萬沒想到他們面對的敵人是如此的強悍，他們甚至沒有戰鬥的準備。

莫希等待的這一刻即將來臨。

「我不認為這是一個明智的決定，」彩繪匠傑德極力忍住火氣說道。「為了完成拉美西斯的陵寢，若要講求效率和速度，我們需要有經驗的畫匠，而帕尼泊正好缺少這一點。」

「根據教導他的所有人的報告，」尼菲反駁道，「他已經可以加入他們的工作行列。」

「我並不想侮辱你，可是你們之間的友誼不應該讓你變得這麼糊塗。」

尼菲臉色突然變得很嚴肅，傑德從來沒有看過他這種表情。

「我身為右隊隊長，不能對誰有任何的偏袒，也不會因為喜歡或討厭某人而做出任何決定。倘若我認為帕尼泊的能力不足，我不會讓他參與這項工程。而且我認為我們之中的所有人，不會有人永遠有堅定不移的地位。」

傑德露出一個神秘莫測的笑容。

「你似乎真有領導者的性格，這可出乎大夥的意料之外……對行會倒好。既然你下了命令，我只有服從。帕尼泊可以過來幫忙。」

「由你來告訴他這件事。我們今晚就帶著必備的工具出發到國王谷地。」

「我會負責一切，保證不會缺少任何東西。」

傑德昂首闊步地離開了。

突然之間，尼菲察覺到他不再用過去同樣的眼光來看傑德。這種改變，會不會不只是針對傑德，而是其他所有的工匠？昨天他還是他們的同事，今天他卻得指揮他們工作，並且要證明自己有能力來解決各種不同的問題。

當村子裡的居民得知梅仁達是新任的法老，不禁感到非常憂心。有些人認為他不會輸給拉美西斯的鐵腕政策，其他人則認為他會採取其他不同的政策，甚至還有人已預見不可避免的經濟危機和社會的動盪不安。不過尼菲總是告訴他們行會還是維持現狀，而且按照以往的慣例，行會為了葬禮要準備法老的陵寢，民眾才冷靜下來。

可是他如何能知道，從拉美西斯大帝去世到下葬於陵墓內，一直到新任法老實際掌權，在這種令人不安的時期當中又會發生什麼狀況呢？他必須要先穩住自己害怕的情緒，去完成賦予他的任務，同時又得安撫村民。

在出發到國王谷地之前，尼菲先去見智女。

「拉美西斯的去世讓我們都感到驚慌失措，」他說道，「不過我會設法讓大家團結一致的。」

「危機並沒有解除，甚至相反。」

「有人嘗試要攻擊我們，甚至也許要摧毀我們，對不對？」

「你也開始有先見之明了，尼菲。到處都是魔鬼，你必須要有很大的勇氣和睿智來擊敗它們。不要忘記真理村只有跟著一條路才能存活下去，那就是：光明之路。」

（待續：光之石四部曲II智慧的女人）

〈後記〉

神奇發展，發展神奇——古埃及

當人類還沒能利用高科技去揭開古埃及文明的神秘面紗時，只有兩條線索可以概略地去探尋那遙遠的國度，一個是《聖經》（舊約的〈出埃及記〉和新約的〈馬太福音〉、〈使徒行傳〉等），另一方面是靠古希臘（希羅多德）和羅馬的史學著作。

尼羅河所孕育出的文明可以追溯到西元前三千年左右，這個持續數千年的高度文明，歷經三十一個法老王朝，其中約在西元前一一〇〇年因異族入侵（希臘，敘利亞和希伯來人）國勢開始衰弱，西元前五二五年起受波斯人統治，西元前三三二年被馬其頓亞歷山大征服，經過馬其頓和托勒密國王近三百年的統治後，在西元前三十一年又敗於羅馬人之手，而歸入羅馬帝國的版圖。奧古斯都取代了法老的權力和地位，也為埃及王朝劃下了句點。然而外來的侵略並沒有停止。西元六四二年又遭受阿拉伯人統治。這是繼波斯、希臘、羅馬之後，再一次對埃及進行文化上、宗教上及人種上的衝擊，因此現在的埃及人早已不是當時的埃及人，如果說，古埃及並沒有文化上及民族上的繼承者，並不為過。而這一切演變只是讓尼羅河的文明變得更神秘。

古埃及對我們來說是一個難以想像的高度發展世界。它的金字塔、人面獅身、神廟、象形文字、服飾、木乃伊……無一不引起我們的好奇與驚嘆。然而人們對它的認識在十九世紀以前仍相當有限，埃及文明的出現是個謎，它的消失也使其高科技成了一連串無解的答案。而近代人中，最早對這古老文明進行有系統且大規模的研究，要算是拿破崙了。西元一七九八年他派遣了一支為數三萬八千人的探險部隊到北非，主要目的是征服埃及、擴張領土，更深一層的動機就是希望能解開神秘的的埃及文明。因此法國可以說是埃及學這門學科的先鋒。接下來參與研究的各國學者越來越多，到了二十世紀初，除了法、德、英的探險隊之外，美國也積極投入這項工作，且後來居上，如今紐約和波士頓博物館收藏了世界上最珍貴的埃及文物。

克里斯提昂．賈克是承繼了法國對埃及研究的傳統，他出生於一九四七年，當他十三歲時第一次透過書籍認識古埃及，年僅十七歲時第一次造訪金字塔。從此他就和埃及文化結下不解之緣。賈克的博士論文就是寫有關埃及的古文明。學者出身的他寫了許多學術論文，並曾多次獲頒法蘭西學院獎，還設立一個名為「拉美西斯機構」（INSTITUTION RAMSES），專門維修損壞的古埃及文物，而撰寫小說是他的另一項志趣與才能。

賈克的小說都是以古埃及歷史作為故事背景，而且幾乎都是多部長篇且獨立的著作（或稱大河小說）。這次的新作「光之石四部曲」也不例外，舞臺時空設在埃及新帝國時期的第十九個王朝，第一部曲《沉默的尼菲》的內容是在位六十七年的法老拉美西斯二世（B.C.1279-1212）駕崩前後，約是西元前十三世紀左右。根據一些研究報告指出，那是古埃及史上登峰造極的時代，一般人民生活水準相當高，貿易也非常發達，但是接著他們卻面臨內憂外患，繼任的法老梅仁達（B.C.1212-1202），即拉美西斯的第十三個兒子，必須保衛埃及而與外族作戰。

賈克的敘述能力是值得讚賞的，他成功地將自己的埃及專業知識巧妙地嵌入故事中，讓讀者在閱讀時，不僅受扣人心弦的情節所吸引，同時也吸收了許多關於古埃及的知識。這個古老文明活生生地呈現在我們眼前，讀者似乎是被作者引領到三千年前的尼羅河畔，一起經歷拉美西斯所統治的世界。

《沉默的尼菲》這本書就如同賈克的其他小說，本質上是一部歷史小說，然而敘述的內容涉及政治、宗教、文化、犯罪以及情色的主題，顯然從這本小說可以看出，賈克對古埃及的研究是多面的。另外從故事對兩個主角（寡言和阿當）內心的成長及能力的成熟，循序地鋪陳，文學上另稱之為發展小說。這種小說基本上是強調環境對個人心智發展的影響和試煉。

賈克的敘述特色是節奏快、章節短、直線敘述，所以即使結構龐雜，讀起來仍感到相當順暢，脈絡清晰可見，由於作者布局巧妙，因此在閱讀時會不斷感受到故事中那種重大的陰謀正悄悄來臨，而背後所謂隱藏的風暴即將襲擊那看似祥和安靜的「真理村」，讓人感到山雨欲來風滿樓的緊張氣氛，而不得不替那些為神聖目標工作的工匠們捏一把冷汗。

另外，作者在這本書中對人物性格的刻畫是涇渭分明的，我們可以看出許多對立和對比的特質，如邪惡粗俗VS.正義神聖，野心勃勃VS.雄心壯志，縱欲VS.隨欲，還有幽默消遣的對比，庸才蠢才VS.天才奇才等等，足見作者對於描寫小說中的各種角色有著獨到的功夫。

以這種古老文明為背景的故事，自然要加入許多不同於現代思維方式的內容，才能產生歷史的共鳴，取信於讀者。在《沉默的尼菲》中我們可以從一些人物對談中感受到古老的思想，即許多事的完成是靠執著的「信仰」，包括對真理、正義、諸神、傳統……等的信仰，而不是靠犀利的分析。也因為這種獨特思維的語句，為故事帶來了古典而神秘的異國氣氛。另外比較值得一提的是對於女性的描述，女人在遠古扮演著相當重要的角色，女巫是智者和醫生的混合體，而不是施魔法害人的妖精，女祭司可以為紓解男人的欲望而提供性服務。（今有學者認為那是娼妓的起源）根據史料，女人在古埃及享有許多權利，而且幾乎是與男人站在平等的地位。這些當時的社會條件，賈克都顧慮到了。

埃及留下的科學文明尤其令人驚奇不已。建造金字塔所需具備的科技知識是相當先進的，如何將巨大的石頭搬運至空無一物的沙漠中，靠的不是原始的蠻力，而是數學和物理學的知識。事實上，埃及古墓中遺留下來帶有數學公式的工程圖可以證明古埃及文明的傲人之處，作家賈克並沒有古埃及的文明中有一項與中國文明很相近的藝術，那就是象形文字和它的草寫體，埃及的象形文字比漢字的甲骨文更接近圖形，如前所述，由於沒有直接文化繼承者，古埃及的象形文字一直到十九世紀才被法國學者 Jean-Francois Champollion 所解讀，古埃及文本是由右向左書寫，但在神廟中為了和諧對稱，也可由左向右，或由上向下書寫，二十一世紀初日本學者板津七三郎曾撰文（《埃漢文字同源考》）認為埃及和漢字是山自同源。雖然他舉證歷歷，但由於論點實在太過大膽，因而受到各方質疑，但無論如何它是相當有創意的假設和論證。

高度文明需要以文字記錄其智慧與經驗，古埃及人利用莎草紙製作成類似紙張的薄片，供人們書寫，而且早在西元前二九〇〇年就開始使用。當時，中國還只是將文字刻在龜甲和獸骨上的時代，比起埃及人似乎略遜一籌。作者賈克在小說中一而再、再而三提及這種原始但進步的紙張，不外是想提醒讀者這種高超技術的存在。

《沉默的尼菲》除了情節緊張、劇情引人入勝之外，還提供相當豐富的古埃及知識，作者藉著小說形式，帶領讀者一起揭開古埃及的神秘面紗，激起讀者對古埃及文化的興趣，進而尊敬並研究它，且讓身處現代的我們能珍視古人遺留下的文化資產，那麼賈克這系列埃及小說所帶給讀者的就遠遠超過消遣文學的價值了。

彭雙俊・德國波鴻魯爾大學德國語文學博士